10 001 Questions et réponses

sur le 20e siècle

1976 ~ 2000

PIERRE DUFAULT

10 001 Questions et réponses sur le 20e siècle

1976 ~ 2000

Nous reconnaissons l'aide financière de la Société de développement des industries culturelles du Québec (SODEC) et du gouvernement du Canada, par l'entremise du développement d'aide au développement de l'industrie de l'édition (PADIÉ) pour nos activités d'édition.

Données de catalogage avant publication (Canada)

Dufault, Pierre, 1934-

Le 20e siècle en 10 001 questions et réponses

L'ouvrage complet comprend 4 v.

ISBN 2-89415-271-X (v. 4)

1. Vingtième siècle - Miscellanées. 2. Québec (Province) - Histoire - 20e siècle - Miscellanées. 3. Canada - Histoire - 20e siècle - Miscellanées. 4. États-Unis - Histoire - 20e siècle - Miscellanées. I. Titre.

D427.D83 1999 909.82 C99-941466-6

Éditions du Méridien
1980, rue Sherbrooke Ouest, bureau 540
Montréal (Québec) H3H 1E8.

Téléphone : (514) 935-0464
Adresse électronique : editions-du-meridien@qc.aira.com
Site web : www.editionsdumeridien.com
Responsable de l'édition : Michèle Lemieux
Mise en page : Claude Bergeron

ISBN 2-89415-957-9

Dépôt légal : 3e trimestre 2000
Bibliothèque nationale du Québec
Bibliothèque nationale du Canada

PRÉFACE

par

Jacques Laurin

De tout temps, les jeux d'esprit ont connu beaucoup de succès. Nous avons tous, un jour ou l'autre, joué aux anagrammes, aux charades, aux devinettes, aux énigmes et aux rébus en y prenant du plaisir.

La télévision nous a fait connaître, entre autres, des émissions célèbres comme *Chacun son métier, Le travail à la chaîne* et le toujours populaire *La poule aux œufs d'or.* Mais quand l'émission est terminée, le jeu se termine aussi. Pourquoi ne pas prolonger le plaisir et continuer à jouer si le cœur nous en dit ? En publiant un quatrième tome, *Le 20ᵉ siècle en dix mille et une questions (et réponses...),* Pierre Dufault a pensé aux adolescents, aux parents et aux amateurs de jeux de société.

Pierre Dufault, que je fréquente depuis plusieurs années, est un homme attachant. On le connaît surtout pour son excellent travail de journaliste présentateur à la télévision de Radio-Canada. J'ai travaillé à ses côtés à l'École Promédia qu'il a dirigée pendant de nombreuses années. J'ai découvert un pédagogue très exigeant auprès de ceux qui veulent devenir journalistes ou animateurs. On ne compte plus le nombre de jeunes qu'il a formés : on les retrouve dans tous les secteurs de la communication écrite et orale.

Passionné d'histoire, de musique, d'opéra et bien sûr, de sports, Pierre Dufault s'amuse aujourd'hui à composer des questions-réponses qui touchent tous les domaines. Chez les sportifs on dit souvent que l'important, c'est de participer. Avec Pierre Dufault, l'important, c'est d'apprendre en s'amusant.

Amis lecteurs, je vous souhaite bien du plaisir.

Jacques Laurin

À la mémoire des mes parents
qui m'ont donné le goût de l'Histoire.

INTRODUCTION

Alors que le rideau tombe sur le XXe siècle, force est de constater que malgré les énormes progrès réalisés par l'Homme, notamment dans les domaines de la science et de la technologie, l'inégalité des richesses demeure le constat le plus troublant de l'humanité. Avec 59 % de la population mondiale, l'Asie n'a que 25 % du PIB (produit intérieur brut) mondial. L'Afrique ne détient que 4 % de ce PIB mondial avec ses 800 millions d'habitants. En revanche, le milliard d'habitants de l'Amérique du Nord et de l'Europe, soit 17 % de la population mondiale, revendique 62 % du PIB global

Le dernier tome de notre série de quatre vous rappellera les 25 dernières années de notre siècle. Des années marquées par l'arrivée explosive de l'informatique, par la globalisation des marchés, par la chute de l'empire soviétique, par la consolidation de la Communauté européenne, par les récessions des années 80 et 90, par les tentatives répétées de l'ONU de mettre fin aux nombreux conflits régionaux en dépit d'une indifférence honteuse de la part des grandes nations qui n'agissent que lorsqu'il y a une menace à leurs intérêts économiques, par la dépendance fragile des pays riches au pétrole étranger, par le taux élevé de dénatalité et par extension de vieillissement de la population des pays riches et par la soif inaltérable de notre société pour les biens matériels.

Chez nous, on retiendra avant tout l'accession du PQ au pouvoir, l'échec de l'accord du lac Meech, l'élimination des déficits budgétaires, la descente aux enfers du Parti conservateur, les référendums sur la souveraineté du Québec, la rivalité Lévesque-Trudeau, l'émergence des partis régionaux sur la scène fédérale, le phénomène Stockwell Day, le traité de libre-échange nord-américain et l'évolution étourdissante dans le comportement social. Sur le plan économique, un virage spectaculaire amorcé au milieu de la dernière décennie par les gouvernements fédéral et provinciaux a éliminé les déficits, étouffé la longue récession du début des années 90 et redonné au pays une économie plus saine et plus prometteuse.

Côté divertissement, la violence et la comédie ont largement dominé les écrans du cinéma qui éprouve encore du mal à faire courir les foules. Pour sa part, la télévision continue à être fragmentée par l'abondance des postes spécialisés et un câble de plus en plus généreux. En gros, elle se porte bien. Quant à la radio, malgré une diminution de ses effectifs, elle demeure un compagnon qu'on tient pour acquis avec une programmation axée sur la bla-bla, la musique et l'information. Le dernier quart du siècle, dominé par la télé, l'aura poussée aux limites de l'essentiel. Enfin, les sports professionnels ont connu une flambée des salaires que la marché canadien n'arrive plus à concurrencer. Essoufflé en plus par un dollar dévalué, les amateurs semblent résignés au plus sombre des dénouements, celui de la disparition éventuelle de la plupart des équipes canadiennes.

Pour nous Nord-Américains, c'est l'arrivée de l'ordinateur et de l'Internet qui a davantage bousculé nos temps libres. Même si les abonnés demeurent en minorité, la présence de cette extraordinaire invention a modifié nos vies. La facilité n'aura jamais été aussi présente. Ajoutée à la télévision, aux systèmes sophistiqués de son et à tout ce qui meuble nos foyers, l'achat de bons livres a été relégué bien loin au chapitre des loisirs. Même l'exercice physique connaît une diminution importante de ses adeptes, si bien que l'embonpoint gagne de plus en plus de tours de taille. Serait-ce que le nombre de fumeurs et la consommation de boissons alcoolisées allant sans cesse en diminuant nous poussent davantage vers le frigo et notre ordinateur ?

Pendant ce temps (1998), la moitié de la population de la Terre survit avec moins de deux dollars par jour et 21 % est privée d'accès à l'eau potable. Et vivement, des ordinateurs pour le milliard d'adultes analphabètes à travers le monde. Quelle aberration, quel paradoxe, quel anachronisme que ce constat d'échec social de notre monde. Au chapitre de l'inégalité des richesses, difficile de trouver des chiffres plus représentatifs de la folie et de l'égoïsme humains.

Ce dernier volume résume bien les hauts faits, bons comme mauvais, du dernier quart de siècle. Outre les cinq catégories déjà retenues dans les trois tomes précédents, une sixième a été ajoutée. À la vérité, elle n'a pas d'enseigne particulière puisqu'elle réunit 200 questions « oubliées » du siècle tout entier dans l'ensemble des catégories.

Au total ; 2205 questions et réponses. À vous de bien jouer à l'aide d'une mémoire plus fraîche des événements des 25 dernières années.

LE 20e SIÈCLE EN 10 001 QUESTIONS

et réponses

EST-IL UN JEU ?

Il n'a pas été conçu dans ce but précis. L'ouvrage est avant tout une source de référence pour ceux qui s'intéressent à l'histoire du 20e siècle. Mais l'idée d'en faire un jeu n'a jamais été étranger au premier objectif. Qui n'aime pas les jeux, les concours ?

Dans cet optique, je vous propose de le soumettre à vos proches et amis comme un questionnaire de connaissances générales sur le 20e siècle. Vous pourrez le faire à un contre un ou mieux encore, en équipe de deux participants ou plus. Conscient de cette option, j'ai voulu récompenser ceux qui trouveraient réponse à certaines questions jugées plus difficiles que d'autres. Or, vous trouverez au fil de la lecture des réponses bonifiées de un, deux ou trois points. Tout cela en tenant pour acquis qu'une bonne réponse ordinaire vaut un point.

Dans un deuxième temps, vous trouverez des questions qui offrent un choix multiple de réponses, et d'autres qui vous offrent un jeu de plus ou moins lorsqu'il s'agit de donner une réponse en chiffres.

Il vous appartient d'en faire ce que vous voudrez. Toutes les options sont ouvertes à votre imagination. L'important, c'est de vous amuser tout en revivant votre siècle.

POLITIQUE - CONFLITS

Chapitre I

« Clyde, je t'ai connu avant que tu sois premier ministre et tu étais alors un salaud (bastard). Maintenant, tu es premier ministre et tu es toujours un salaud ».

Joe Ghiz, premier ministre de l'Île-du-Prince-Edouard. Propos adressés à Clyde Wells, premier ministre de Terre-Neuve, 1991.

« Un scélérat n'est plus un scélérat lorsque le prix du pétrole se vend à trente dollars le baril ».

Commentaire d'un analyste du Proche-Orient à la suite de la décision des États-Unis de lever la limite de la production du pétrole en Irak en 2000.

« McKenna veut faire l'autopsie de Meech ? C'est intéressant. Peut-être trouvera-t-il quelques-unes de ses balles près du cœur... »

Gil Rémillard, ministre dans le cabinet de Robert Bourassa, 1990. Remarque reliée au rôle de Frank McKenna, premier ministre du Nouveau-Brunswick dans le dossier du lac Meech.

« Si une femme comme Eva Peron peut réussir sans posséder le moindre idéal, imaginez les sommets que je pourrai atteindre avec tous les idéaux que je possède ».

Margaret Thatcher, première ministre de Grande-Bretagne, 1980.

SYNOPSIS

Est-il prétentieux d'affirmer que sans le Québec, l'histoire politique du Canada durant les années 1976-2000 aurait été sans saveur, sans éclat ? Certes, la table avait été mise durant les années 60 avec la « révolution tranquille », l'arrivée de Pierre-Elliott Trudeau et la crise d'octobre en 1970. Mais avec l'élection du Parti québécois en 1976, le décor politique canadien a été bousculé comme jamais auparavant dans l'histoire du pays. Pour la première fois de notre histoire, un gouvernement provincial menaçait de démembrer la nation. Deux référendums plus tard et au grand soulagement des fédéralistes, rien n'avait changé. Mais l'option souverainiste restait bien vivante, même à Ottawa où un parti allié au PQ, le Bloc québécois, venait s'installer au parlement pour défendre les intérêts des Québécois et en particulier ceux des indépendantistes. Pas moins de douze élections fédérales et provinciales assaisonnées de trois référendums (dont celui de Charlottetown) entre 1976 et 1998 ont polarisé l'attention des Canadiens (Québécois surtout) durant le dernier quart du siècle. Les Québécois René Lévesque, Pierre-Elliott Trudeau, Brian Mulroney, Jacques Parizeau, Jean Chrétien et Lucien Bouchard ont conservé durant cette période le monopole des débats, souvent acrimonieux, et sans cesse occupé la une des médias.

Ailleurs, l'histoire nous procurait d'innombrables événements à la fois peu prévisibles et lourds de conséquences ; la chute de l'empire soviétique, l'agonie du communisme international, la fin de la guerre froide, le démembrement de la Yougoslavie, les conflits ethniques en Afrique, la chute du mur de Berlin et la réunification des deux Allemagnes, le douloureux processus de paix au Proche-Orient, la montée de l'intégrisme musulman, l'émergence de la Chine sur le marché international, les crises économiques provoquées par les récessions des années 80 et 90 et le rôle prédominant de puissance militaire et économique joué par les États-Unis dans le monde.

Un quart de siècle d'histoire inoubliable et que vous aurez du plaisir à revivre à travers plus de 400 questions touchant à toutes les parties du globe. Mais toujours avec un regard attentif sur notre continent, notre pays, notre province.

DEGRÉ DE DIFFICULTÉ - Moyen (une note de 65 % serait très bonne)

NOMBRE DE QUESTIONS - 417

QUESTIONS RÉSERVÉES AU CANADA - 115 (dont 44 au Québec)

MOYENNE SUR 417 - 27.6 %

1) Lors de la guerre du Golfe de 1991, outre l'Arabie Saoudite et le Koweït, deux autres pays arabes ont dépêché des soldats pour combattre activement les troupes irakiennes. LESQUELS ?

L'ÉGYPTE ET LA SYRIE (un point par réponse)

2) QUI a succédé à Leonid Breshnev à la tête de l'URSS lorsqu'il est mort en 1982 ?

YURI ANDROPOV (ancien chef du KGB)

3) QUI a succédé à Frank McKenna comme premier ministre du Nouveau-Brunswick lorsqu'il a choisi de prendre sa retraite en 1998 ?

CAMILLE THÉRIAULT (par intérim. Il a été défait lors des élections de 1999)

4) Ce premier ministre italien a été retrouvé mort dans le coffre d'une voiture française dans le centre de Rome en 1978 ? QUI était-il et dites QUI a revendiqué l'assassinat ?

ALDO MORO - LES BRIGADES ROUGES (2 points de plus pour la 2e rép.)

5) QUEL ex-général américain a démissionné de son poste de secrétaire d'État américain en 1982 à la suite d'un différend avec le président Ronald Reagan et ses conseillers ?

ALEXANDER HAIG

6) Après que René Lévesque ait annoncé en 1984 que la souveraineté ne serait pas l'enjeu de la prochaine élection, COMBIEN de ministres et députés du Parti québécois ont choisi de siéger à titre d'indépendants ou de quitter la politique ?

SEPT (dont Jacques Parizeau qui a quitté son siège et le Parti québécois)

7) COMMENT appelait-on les partisans afghans qui ont combattu les soldats soviétiques durant la guerre en Afghanistan à partir de 1979 lorsque l'URSS a envahi ce pays ?

LES MOUDJAHIDINS

8) Ce loyal compagnon de Sadam Hussein était le ministre des Affaires étrangères d'Irak lorsque le Koweït a été envahi par les soldats irakiens en 1990. Il était toujours à son poste à la fin du siècle. NOMMEZ-le.

TARAK AZIZ (bonne réponse=1 point de plus)

9) NOMMEZ le ministre des Transports du cabinet fédéral et député de St Jean qui a été congédié par le premier ministre Brian Mulroney en 1984. Soupçonné de conflit d'intérêt, il a fait l'objet d'une enquête de la GRC.

ANDRÉ BISSONNETTE (l'enquête l'a blanchi de toute accusation)(B.rép=2 pts/+)

10) Premier ministre français sous Valéry Giscard-D'Estaing de 1976 à 1981, il est devenu maire de Lyon en 1995. QUI est cet homme politique ?

RAYMOND BARRE

11) QUI a été la première femme dans l'histoire des États-Unis à être choisie candidate à la vice-présidence du pays ? C'était en 1984 sous l'étiquette démocrate.

GERALDINE FERRARO (représentante de l'état de NY)

12) QUELLE importante nation du monde a perdu ses deux premiers dirigeants, décédés la même année, 1976 ?

LA CHINE (Mao Dzédong et Chou En Lai)

13) Un tireur d'élite a mortellement blessé ce premier ministre suédois dans une rue de Stockholm en 1986. Son assassin n'a jamais été capturé. QUI était cet homme d'État qui avait dirigé le pays de 1969 à 1976 et de 1982 à sa mort ?

OLOF PALME (bonne rép.=2 pts de plus)

14) En 1982, le gouvernement néo-démocrate d'Alan Blakeney a été défait par le Parti progressiste-conservateur dirigé par QUEL chef ?

GRANT DEVINE (bonne réponse=1 point de plus)

15) Le président Bill Clinton dépêche 20 000 soldats en Bosnie en 1995 pour maintenir l'ordre entre les factions musulmanes, croates et serbes. Cette décision est survenue après de longs pourparlers entre les dirigeants des différents groupes impliqués dans le conflit. On a donné à cette entente le nom de la ville américaine où les pourparlers ont eu lieu en 1995. LEQUEL ?

DAYTON (en Ohio)

16) La Rhodésie est officiellement devenu le Zimbabwe en 1980. QUI a été son premier ministre ?

ROBERT MUGABE (élu démocratiquement)

17) Lorsque des militants iraniens occupent l'ambassade américaine à Téhéran en 1979, ils prennent en otage 66 membres de l'ambassade. QU'EXIGENT-ils du gouvernement américain en retour de la libération des otages ?

LE RETOUR DU SHAH D'IRAN DES ÉTATS-UNIS (afin qu'il soit jugé pour les crimes commis durant son règne. Aux EU, il est traité pour un cancer)

18) Deux rapports sur l'avenir politique du Québec sont publiés en 1991 au Québec : le rapport Allaire commandé par le Parti libéral et QUEL autre ?

CELUI DE LA COMMISSION BÉLANGER-CAMPEAU

19) Lorsque Margaret Thatcher est devenue la première première ministre de la Grande-Bretagne en 1979, son élection faisait suit à un vote de blâme contre QUEL premier ministre travailliste à la Chambre des communes, vote qu'il a perdu par une marge d'une seule voix ?

JAMES CALLAGHAN (bonne réponse=1 point de plus)

20) En 1985, le règne des Conservateurs en Ontario prend fin après 42 ans de pouvoir. Pourtant, lors des élections, ils remportent 52 sièges contre 48 pour les Libéraux et 25 pour les Néo-démocrates. COMMENT en est-on arrivé à s'entendre sur la succession ?

LES LIBÉRAUX ONT PRIS LE POUVOIR AVEC L'ACCORD DU NPD POUR UNE PÉRIODE DE DEUX ANS

21) QUELLE île des Caraïbes les soldats américains ont-ils envahie en 1983 afin d'en expulser le régime pro-cubain qui gouvernait cette nation ?

GRENADE

22) Pour la première fois de son histoire, la France a une première ministre en 1991. Mais son règne durera à peine un peu plus d'un an, ses bourdes lui créant de sérieux ennuis. Le président Mitterrand la remplace par Pierre Bérégovoy. QUI était cette première ministre ?

EDITH CRESSON

23) En 1982, l'Argentine est dirigée par une junte militaire présidée par QUEL général qui ordonne l'invasion des îles Falklands, une possession britannique située au large de l'extrême sud de l'Argentine dans l'Atlantique ?

LEOPOLDO GALTIERI (il prétend que ces îles appartiennent à l'Argentine) (bonne réponse=3 points de plus)

24) QUELLE loi permettant l'usage de l'anglais dans l'affichage commercial, sous certaines conditions, est adoptée par le gouvernement du Québec en 1993 ?

LA LOI 86

25) Le régime de Robert Mugabe de la nouvelle nation du Zimbabwe donne le nom de Harare à sa capitale en 1980. QUEL nom remplace-t-il ?

SALISBURY

26) En 1999, le Canada a hérité d'un troisième territoire. Toute la partie Est des Territoires du Nord-Ouest a été amputée pour en faire un nouveau territoire d'une population de 27-mille habitants, la majorité des Inuits. QUEL nom ces habitants ont-ils donné à leur coin de pays ?

NUNAVUT (à l'ex. des Terr. du N-O., il n'y a pas de partis pol. traditionnels)

27) De toutes les nations importantes de l'Asie du Sud-Est, deux n'ont été admises aux Nations-Unies qu'en 1991, 43 ans après leur création. LESQUELLES ?

LA CORÉE DU NORD - LA CORÉE DU SUD (il n'existe pas de traité de paix entre ces deux nations depuis la fin de la guerre de 1950-53)

28) À partir des pistes de QUEL pays arabe les avions CF-18 canadiens décollaient-ils pour leurs missions contre l'Irak durant la guerre du Golfe en 1991 ?

QATAR (les pilotes avaient surnommé la base « Canada Dry »)

29) Après avoir siégé à l'Assemblée nationale de 1970 à 1979 comme député du Ralliement des créditistes et du Parti national populaire, il a été un des derniers députés du Crédit social à siéger à la Chambre des Communes à Ottawa en 1979 et 1980. QUI était-il ?

FABIEN ROY (de la circonscription de Beauce)

30) NOMMEZ le milliardaire qui a choisi de se présenter comme candidat indépendant à l'élection présidentielle de 1992 aux États-Unis.

ROSS PEROT

31) Trois pays de l'ancien pacte de Varsovie sont admis en 1998 au sein de l'Organisation du traité de l'Atlantique-Nord ; la Pologne, la Hongrie et QUEL autre ?

LA RÉPUBLIQUE TCHÈQUE

32) QUI a succédé à Jean Drapeau, démissionnaire, à la tête du Parti civique de Montréal en 1986 ?

CLAUDE DUPRAS

33) NOMMEZ la première république yougoslave à obtenir la reconnaissance de son indépendance de la communauté internationale en 1992.

LA SLOVÉNIE

34) QUI a succédé à Peter Lougheed comme premier ministre de la province de l'Alberta en 1985 ?

DON GETTY (ancien quart-arrière des Eskimos d'Edmonton au football)

35) En 1992, la CEE, la Communauté économique européenne, change officiellement de nom et s'appellera dorénavant COMMENT ?

L'UNION EUROPÉENNE

36) C'est en 1997 que le Zaïre a été rebaptisé d'un autre nom à la suite d'une guerre civile. LEQUEL ?

LA RÉPUBLIQUE DÉMOCRATIQUE DU CONGO

37) QUEL candidat républicain Bill Clinton a-t-il battu lors des élections présidentielles américaines de 1996 ?

BOB DOLE

38) Les Libéraux du Québec ont gagné l'élection de 1985 mais le chef du parti, Robert Bourassa, a été battu dans sa circonscription. Au début de 1986, il a repris son siège à l'Assemblée nationale après avoir été élu dans QUELLE circonscription lors d'une élection partielle ?

ST LAURENT (bonne réponse= 1 point de plus)

39) En 1996, les dirigeants de la Birmanie décident de changer le nom officiel du pays. LEQUEL lui a-t-on donné ?

MYANMAR (l'Union de .....)

40) QUEL pays asiatique accordait une aide militaire importante aux moudjahidins qui luttaient contre les forces soviétiques durant la guerre d'Afghanistan entre 1979 et 1989 ?

LE PAKISTAN (alimenté d'armes par les États-Unis)

41) QUE signifiait l'expression *Perestroïka*, politique instituée par Mikhaïl Gorbatchev en 1985 en URSS ?

RESTRUCTURATION (reconstruction) DE L'ÉCONOMIE

42) QUI a été choisi pour assumer le leadership du Parti conservateur du Canada entre février et juin 1983, après la retraite de Joe Clark ?

ERIK NIELSEN (député du Yukon)

43) QUI a succédé à Helmut Kohl au poste de chancelier de l'Allemagne lors des élections de 1998 ?

GERHARD SCHROEDER

44) QUI a succédé à Kurt Waldheim au poste de secrétaire général des Nations-Unies en 1982, poste qu'il a détenu jusqu'en 1992 ?
JAVIER PEREZ DE CUELLAR (du Pérou)

45) QUELLE nation devient en 1981 le 10e État membre de la Communauté économique européenne ?
LA GRÈCE

46) Après avoir été ignoré lors des élections provinciales québécoises de 1973, le Parti de l'Union nationale a réussi à faire élire 11 députés lors du suffrage de 1976. QUI était alors le chef de ce parti ?
RODRIGUE BIRON

47) NOMMEZ la première femme à devenir ambassadeur des États-Unis auprès des Nations-Unies. Elle a rempli ce rôle de 1981 à 1985.
JEANE KIRKPATRICK

48) QUEL premier ministre français, celui nommé par le président Jacques Chirac en 1995, s'est empressé de renvoyer 8 des 12 femmes ministres du cabinet préalable ?
ALAIN JUPPÉ (décision fortement appuyée par Chirac)

49) En 1981, une importante centrale nucléaire irakienne située près de Bagdad a été détruite par des avions israéliens F-15 et F-16. La centrale a été totalement détruite par les 14 bombes d'une tonne chacune. QUEL nom, inspiré d'une ville historique célèbre de cette région, a été donné à l'opération par Israël ?
BABYLONE

50) QUELLE est la capitale du nouveau territoire canadien du Nunavut ?
IQALUIT

51) QUEL nom portent les révolutionnaires du Pérou qui livrent des combats de guérilla au gouvernement de ce pays depuis les années 80 ?
LE SENTIER LUMINEUX (bonne réponse=1 point de plus)

52) QUELLE ancienne actrice chinoise a été condamnée à mort peu de temps après la mort de Mao Zédong en 1976 pour crime contre l'État ? Elle avait tenté avec trois autres accusés de s'emparer du pouvoir.
JIANG QING (veuve de Mao aussi acceptée. Membre de la bande des quatre)

53) Le Parti égalité a réussi à faire élire quatre députés aux élections du Québec de 1989. QUI en était le chef, lui-même un des élus ?
ROBERT LIBMAN

54) Deux opérations aux noms codés ont été lancées par les soldats américains contre l'Irak à la suite de l'occupation du Koweït par les soldats irakiens en 1990. DONNEZ les noms de ces deux opérations, la première en novembre 1990 et qui voyait arriver 200 000 militaires américains en Arabie Saoudite et la seconde qui déclenchait les combats au début de 1991.
DESERT SHIELD (Bouclier du désert) - DESERT STORM (Tempête du désert) (Trois points pour les deux réponses)

55) L'ex-Yougoslavie de 1990 était composée de six républiques. Depuis, quatre d'entre elles ont obtenu leur indépendance. Outre la Serbie, QUELLE autre république est restée sous le contrôle de ce qui reste de la Yougoslavie ?

LE MONTÉNÉGRO

56) NOMMEZ l'homme politique qui s'est présenté au congrès de leadership du Parti libéral du Canada en 1968 et à celui du Parti conservateur en 1976.

PAUL HELLYER

57) Environ un million de Rwandais perdent la vie en 1994 lors d'un génocide pratiqué par QUELLE faction de la population contre QUELLE autre ?

LES HUTUS - LES TUTSIS (un point par réponse)

58) NOMMEZ celui qui a été élu à la présidence de la Tchécoslovaquie en 1989 pour ensuite démissionner en 1992.

VACLAV HAVEL (dramaturge de profession. Il a été réélu en 1993 lorsque la République tchèque a été créée)

59) QUEL conseiller de la sécurité nationale auprès du président Ronald Reagan et avec le titre d'amiral, a été congédié en 1988 par le président à la suite de l'affaire Iran-Contras ?

JOHN POINDEXTER (bonne réponse=1 point de plus)

60) NOMMEZ le seul député québécois du NPD à avoir été élu au fédéral. C'était en 1990. Et dans QUELLE circonscription ?

PHILIP EDMONSTON - CHAMBLY (2 étapes de + pour la 2e réponse)

61) Peu de temps après son arrivée au pouvoir en URSS au milieu des années 80, Mikhaïl Gorbatchev a institué la politique de *Glastnost*. QUE signifie cette expression ?

TRANSPARENCE - OUVERTURE SUR L'URSS

62) En QUELLE année et à QUEL endroit les forces de l'OTAN ont-elles livré leur première guerre depuis la création de cet organisme en 1949 ?

EN 1995 - EN EX-YOUGOSLAVIE (Bosnie) (2 points pour la 2e réponse)

63) QUI a été le premier député de l'ADQ (L'Action démocratique du Québec) à l'Assemblée nationale en 1994 ?

YVON LAFRANCE (ex-député libéral dissident d'Iberville) (B. rép.=2 pts de +)

64) QUEL pays d'Amérique Centrale s'est donné en 1980 un premier président élu au suffrage universel depuis 49 ans ? L'élu était Jose Napoleon Duarte.

EL SALVADOR

65) Dans QUELLE circonscription le nouveau leader du Parti libéral du Canada Jean Chrétien a-t-il été élu en 1990 lors d'une élection partielle ?

BEAUSÉJOUR (N.B. - Il avait quitté la politique en 1986) (b.rép.=2 pts de +)

66) COMMENT se nommait Podgoritza, la capitale du Monténégro, avant 1992 ?

TITOGRAD (bonne réponse=1 point de plus)

67) Lors de l'élection présidentielle française de 1995, Jacques Chirac a vaincu le représentant de gauche Lionel Jospin et QUEL autre rival, de la droite celui-là ?

EDOUARD BALLADUR

68) QUEL candidat démocrate le républicain George Bush a-t-il défait lors des élections présidentielles de 1988 ?

MICHAEL DUKAKIS

69) NOMMEZ celui qui a été le ministre des Affaires étrangères d'URSS lorsque Mikhaïl Gorbatchev est devenu le secrétaire général du Parti communiste en 1985.

EDOUARD SHERVANADZE (bonne réponse=1 point de plus)

70) C'est en 1998, lors de l'entente historique du Vendredi Saint en Irlande du Nord, que les protagonistes des diverses factions de l'Ulster, de la République d'Irlande, de la Grande-Bretagne et de l'IRA sont tombés d'accord pour mettre fin politiquement à la violence en Irlande du Nord. QUI était le représentant de l'aile politique de l'IRA, le Sinn Fein, à cette réunion ?

GERRY ADAMS

71) NOMMEZ le leader des phalangistes du Sud-Liban qui à partir de la fin des années 70, a été l'allié des Israéliens dans les hostilités les opposant aux Palestiniens à la frontière israélo-libanaise.

SAAD HADDAD (bonne réponse=2 points de plus)

72) Le Parti québécois n'a pas gagné une seule élection partielle entre 1976 et 1985. COMBIEN en a-t-il perdu durant cette période ?

VINGT DEUX (Jeu de 2 + ou - alloué)

73) Deux ambassades américaines d'Afrique sont la cible de terroristes en 1998. Les explosions qu'ils provoquent tuent 263 personnes dont 12 Américains. NOMMEZ les deux villes dans lesquelles ont eu lieu ces attentats.

NAIROBI (Kenya) - DAR ES SALAAM (Tanzanie)

74) COMBIEN de navires de guerre britanniques ont été coulés par les missiles et bombes des avions de l'Argentine durant la guerre des îles Falklands en 1982 ?

QUATRE (Frégates et destroyers. Une dizaines d'autres ont été endommagés)
(Jeu de 1 navire +/- alloué)

75) Après avoir négocié le pacte de l'auto au nom du gouvernement fédéral en 1965, il est nommé négociateur-en-chef des pourparlers sur le libre échange avec les États-Unis par le gouvernement Mulroney en 1985. QUI est-il ?

SIMON REISMAN (bonne réponse=1 point de plus)

76) Depuis son annexion par l'Indonésie en 1975, cette île du Sud-Est asiatique lutte depuis lors pour obtenir son indépendance. COMMENT se nomme-t-elle ?

TIMOR ORIENTAL

77) En 1996, le leader des Serbes de Bosnie a été reconnu coupable par le Tribunal international de crimes contre l'humanité, lors du conflit opposant les diverses factions en Bosnie-Herzégovine de 1993 à 1995 ? QUI est-il ?

RADOVAN KARADZIC (il n'avait toujours pas été arrêté à la fin du siècle)

78) QUI était ministre de la Sécurité publique du Québec au moment de la crise amérindienne d'Oka et de Kanawahke en 1990 ?

SAM ELKAS

79) NOMMEZ l'habile négociateur américain qui a dirigé les pourparlers entre les diverses factions croates, serbes et musulmanes en 1995 et qui ont abouti à l'envoie de forces de l'ONU en Bosnie, afin d'assurer la paix dans les territoires octroyés aux différentes ethnies.

RICHARD HOLBROOKE (bonne réponse=1 point de plus)

80) Après huit années de régimes militaires, l'Argentine se donne un nouveau président en décembre 1983. QUI est cet homme qui promet de punir les leaders des forces armées qui ont fait exécuter des milliers d'Argentins ?

RAUL ALFONSIN (bonne réponse=2 points de plus)

81) QUI est devenu le premier Noir à être nommé ambassadeur des États-Unis auprès des Nations-Unies en 1977, poste qu'il a conservé jusqu'en 1979 ?

ANDREW YOUNG (bonne réponse=1 point de plus)

82) NOMMEZ le commandant-en-chef des forces de l'OTAN durant le conflit du Kosovo en 1999.

WESLEY CLARK (un Américain) (bonne réponse=1 point de plus)

83) Stan Waters est devenu le premier sénateur à être élu démocratiquement par les représentants de QUELLE province canadienne en 1990 ?

L'ALBERTA (le premier ministre Brian Mulroney a accepté la décision)

84) COMBIEN de gouvernements se sont succédé en Italie entre 1947 et 1995 ?

CINQUANTE SIX (Jeu de 6 + ou - alloué)

85) NOMMEZ celui qui a succédé à son frère, assassiné en 1982, à la présidence du Liban. Il y est resté jusqu'en 1988.

AMINE GÉMAYEL (bonne réponse=2 points de plus)

86) QUEL poste ministériel Lucien Bouchard détenait-il en 1988 lorsqu'il a été élu dans la circonscription fédérale du Lac St Jean à l'occasion d'une élection partielle ?

SECRÉTAIRE D'ÉTAT

87) QUELLE minorité du nord du Sri Lanka a vu l'armée indienne venir l'appuyer en 1987 dans sa lutte pour obtenir son indépendance du gouvernement sri lankais ?

LES TAMOULS

88) Sept mois après avoir été assermenté, le président Ronald Reagan congédie 12 000 membres de QUEL organisme fédéral en 1981 ?

CONTRÔLEURS AÉRIENS

89) QUI a été la première femme à être élue première ministre d'une province canadienne en 1993 ? Elle a dirigé la province jusqu'en 1996.

CATHERINE CALLBECK (Parti libéral. Île-du-Prince Edouard)

90) Pour avoir appuyé les terroristes palestiniens qui avaient causé la mort de plus de 200 Marines américains à Beirut, des avions américains ont bombardé, en guise de représailles, le domaine de QUEL leader arabe en 1987 ?

MUAMMAR KHADDAFI (de Libye)

91) Lors de la guerre des îles Falklands en 1982, les avions Harriers britanniques et les navires de la Royal Navy ont abattu 69 avions argentins durant les deux mois de ce conflit. COMBIEN d'avions britanniques ont été perdus ?

NEUF (tous des Harriers. Aucun n'a été abattu lors d'engagements aériens) Jeu de 3 avions + ou - alloué)

92) QUEL important poste George Bush détenait-il depuis 1976 avant de devenir candidat à l'investiture de la présidence du Parti démocrate en 1979-80 ?

DIRECTEUR DE LA CIA

93) Lors de l'élection fédérale de 1993, seulement deux Conservateurs ont été élus à la Chambre des communes : Jean Charest et QUEL autre ? Et de QUELLE province ?

ELSIE WAYNE - NOUVEAU BRUNSWICK (3 points pour les 2 réponses)

94) En 1994, l'Italie se donne une majorité absolue à la Chambre des députés grâce à l'élection de la coalition de droite emmenée par QUEL magnat de la finance et de l'audiovisuel, qui n'hésite pas à nommer cinq néo-fascistes aux postes de ministres ?

SILVIO BERLUSCONI (bonne réponse=1 point de plus)

95) Dans QUELLE petite ville de Bosnie-Herzégovine les soldats serbes se sont-ils livrés au pire massacre de civils musulmans dans leur campagne de purification ethnique en 1995 ?

SREBRENICA (on estime à près de 3 000 le nombre de personnes exécutées) (Bonne réponse=2 points de plus)

96) QUI a été le premier candidat du Bloc québécois à être élu à la Chambre des communes lors d'une élection partielle en 1990 ?

GILLES DUCEPPE

97) NOMMEZ les deux nations du Proche-Orient qui ont officiellement mis fin à 46 ans de luttes et de larmes lors d'une cérémonie tenue sous l'égide du président Bill Clinton en 1994 à Washington.

ISRAËL ET LA JORDANIE (1 point par réponse)

98) Cette province canadienne a été la première en Amérique du Nord à adopter une loi sur l'équité salariale en 1984. QUELLE est cette province ?

L'ONTARIO

99) **QUI a été choisi au poste de secrétaire d'État des États-Unis lorsque Bill Clinton est devenu président des États-Unis en 1993 ?**

WARREN CHRISTOPHER

100) **Lorsque François Mitterrand est devenu président de la République française en 1981, QUI a-t-il choisi au poste de premier ministre ?**

PIERRE MAUROY (il est demeuré en poste durant trois ans) (B.rép.=2 pts/+)

101) **QUEL général a réussi à soulever le peuple zaïrois en 1996-97 contre la dictature du président Sese Seko Mobutu et l'a obligé à quitter le pays ? Il s'est ensuite empressé de saisir le pouvoir.**

LAURENT KABILA (en 2000, la misère régnait toujours au Zaïre)

102) **En 1976, le gouvernement du Canada a octroyé une somme de 184 000 000 de dollars au ministère de la Défense pour l'achat de 122 chars d'assaut (tanks) construits dans QUEL pays européen ?**

LA RÉPUBLIQUE FÉDÉRALE ALLEMANDE (chars Léopard)

103) **Lorsque Robert Bourassa est redevenu chef du Parti libéral du Québec en 1983 après une absence de la scène politique de 7 ans, à QUI a-t-il succédé ?**

CLAUDE RYAN

104) **QUEL a été le premier pays communiste européen à décréter un impôt sur le revenu en 1981 ?**

LA HONGRIE

105) **NOMMEZ le pays d'Afrique du Sahel et ex-colonie française qui a fait appel aux forces françaises pour l'aider à contrer les incursions de la Libye sur son territoire en 1986-87.**

LE TCHAD (le conflit Tchad-Libye existait depuis le début des années 80)

106) **Dites COMBIEN de fois Mikhaïl Gorbatchev et Ronald Reagan se sont rencontrés entre 1985 et 1988 pour mettre fin à la course aux armes nucléaires et pour les éliminer éventuellement ? Et dites OÙ ?**

QUATRE - GENÈVE, REYKYAVIK, WASHINGTON, MOSCOU. (1 pt. par rép.)

107) **QUEL ministre du gouvernement conservateur de Brian Mulroney a été contraint de démissionner de son poste en 1986 à la suite d'allégations de conflit d'intérêt concernant un emprunt de plus de 2 000 000 de dollars pour éviter la faillite d'une entreprise conjointement détenue par lui et sa femme ?**

SINCLAIR STEVENS (min. de l'Expansion industrielle régionale)

108) **L'Argentine se donne un nouveau président en 1989. QUI est-il ?**

CARLOS MENEM (il a été réélu en 1995)

109) **Lorsque les soldats de la Phalange libanaise ont massacré des centaines de Libanais dans deux quartiers de Beyrouth en 1982, QUEL ministre israélien a été sévèrement blâmé pour n'être pas intervenu ?**

ARIEL SHARON (ministre de la Défense)

110) Dans QUELLE petite ville de l'ouest du Québec la conférence économique annuelle du G-7 a-t-elle eu lieu en 1981 ?

À MONTÉBELLO (au château Montébello)

111) Après l'éclatement de l'URSS au début des années 90, un regroupement des républiques a été proposé en 1991 afin de faciliter la transition vers une indépendance complète de chacune des 15 républiques de l'ex-URSS. QUEL nom a été donné a ce regroupement ?

CEI (Communauté des États indépendants)

112) En 1984, les premiers habitants de la Nouvelle-Calédonie représentent plus de 40 % de la population. Ils revendiquent une fois de plus l'indépendance de ce territoire de la France d'outre-mer. COMMENT se nomment-ils ?

LES CANAQUES (un nouveau statut ouvre la voie à l'autodétermination)

113) COMMENT se nommait le Burkina Faso avant 1984 ?

LA HAUTE VOLTA (l'indépendance de la France avait été acquise en 1962)

114) QUI Bill Clinton a-t-il choisi pour occuper le poste de solliciteur général après son accession au pouvoir en 1993, une première aux États-Unis ?

JANET RENO (première femme à occuper ce poste)

115) QUEL pourcentage de la population canadienne a rejeté par référendum l'accord de Charlottetown en 1992 ?

CINQUANTE SIX POUR CENT (Jeu de 2 % + ou - accepté)

116) QUI a succédé à l'Ayatollah Khomeyni à la tête de l'Iran en 1989 ?

ALI AKBAR RAFSANDJANI

117) Le Parti de l'Union nationale n'a pas gagné un seul siège à l'Assemblée nationale lors des élections de 1981. QUI en était alors le chef ?

ROCH LASALLE (il est ensuite retourné à la politique fédérale)(B.rép=1 pt/+)

118) Lorsque le scientifique et prix Nobel de la paix Andrei Sakharov a été condamné à la détention en résidence surveillée en 1980 pour avoir dénoncé la violation des droits de l'homme par les autorités soviétiques, dans QUELLE ville interdite aux étrangers a-t-il été exilé ?

GORKI (renommée Nijni Novgorod en 1990)

119) QUEL leader du Parti travailliste israélien a partagé avec QUEL leader du parti Likoud les responsabilités de premier ministre d'Israël après une quasi-égalité aux élections de 1984 ?

SIMON PERES - ITSZAK SHAMIR (ils ont appliqué le rôle de l'alternance) (3 points pour les deux bonne réponses)

120) QUEL nom a-t-on donné au rapport d'enquête du Congrès américain sur l'espionnage pratiqué par les espions chinois dans les installations de recherche nucléaire américaines entre 1974 et 1999 ?

COX (nom du Représentant républicain de la Californie qui présidait le comité d'enquête du Congrès) (bonne réponse=3 pts de plus)

121) **POURQUOI** les athlètes de Taiwan ont-ils choisi de ne pas participer aux Jeux Olympiques de Montréal deux semaines avant l'ouverture des Jeux de 1976 ?

PARCE QUE LE GOUVERNEMENT CANADIEN LEUR REFUSAIT LE DROIT DE DÉFILER SOUS LE DRAPEAU DE LA RÉPUBLIQUE CHINOISE

122) Six cents Palestiniens sont brutalement assassinés par la milice chrétienne libanaise dans deux camps de réfugiés à Beyrouth sans la moindre intervention des forces israéliennes situées tout près. **QUELS** noms portaient ces deux camps ?

SABRA ET SHATILA (2 bonnes réponses=3 points)

123) Parce qu'ils s'opposaient à la loi 178 sur l'affichage dans les entreprises commerciales (ancêtre la loi 86 de 1993), trois des quatre ministres anglophones du cabinet Bourassa ont choisi de démissionner en 1988. **NOMMEZ**-les.

CLIFFORD LINCOLN, RICHARD FRENCH, HERBERT MARX. (3 bonnes réponses=5 pts - 2 bonnes réponses=3 pts - 1 bonne rép.=1 pt)

124) **QUI** a succédé à Jacques Chirac au poste de premier ministre de la France en 1988 ? Il y restera trois ans.

LAURENT FABIUS

125) **QUELLE** nation voisine du Rwanda et anciennement sous tutelle belge, a été la scène en 1994-96 de conflits sanglants entre les factions Hutus et Tutsis ?

LE BURUNDI

126) Depuis que le traité de libre-échange a été signé entre les gouvernements du Canada et des États-Unis en 1989, la valeur des échanges commerciaux entre les deux pays a atteint les quatre cents milliards de dollars. **QUEL** pourcentage d'augmentation ce montant représente-t-il en 10 ans ?

CENT POUR CENT (jeu de 15 % + ou - alloué)

127) **QUI** était le premier ministre de la Chine qui a donné l'ordre de réprimer sans retenue les manifestations des étudiants sur la place Tiananmen en 1989 ?

LI PENG (plus de 2 000 personnes ont perdu la vie lors de la répression)

128) **QUI** était le secrétaire d'État des États-Unis durant la guerre du golfe en 1991 ?

JAMES BAKER

129) Occupé par les Israéliens depuis la guerre des Six Jours en 1967, ce territoire est restitué aux Égyptiens en 1982, trois ans après les accords du Camp David. **NOMMEZ** ce territoire.

LA PÉNINSULE DU SINAÏ

130) En 1987, les électeurs de cette province canadienne accordent leur confiance à un seul parti qui s'empare des 58 sièges de la législature. **NOMMEZ** cette province au gouvernement sans opposition.

NOUVEAU-BRUNSWICK (Parti libéral de Frank McKenna)

131) **QUELLE** femme a été investie présidente de **QUEL** important pays du Sud-Est asiatique en 1986 ?

CORAZON AQUINO - PHILIPPINES (2 points de + pour la 2e réponse)

132) QUEL président élu démocratiquement de la république d'Haïti en 1990, a été évincé à la suite d'un coup d'État militaire l'année suivante ?

JEAN-BERTRAND ARISTIDE

133) En 1989, les cinq chefs d'État du Maghreb signent à Marrakech un traité créant l'Union économique du Maghreb arabe. Outre le Maroc, la Libye, la Tunisie et l'Algérie, QUEL autre pays a entériné cette union ?

LA MAURITANIE

134) Pour la première fois de son histoire, la ville de Montréal nomme une femme à la présidence du Comité exécutif après les élections municipales de 1990. QUI est-elle ?

LÉA COUSINEAU (bonne réponse=1 point de plus)

135) À la suite d'un traité signé à Washington entre Yasser Arafat et Itzak Rabin en 1993, l'OLP obtient en retour d'une reconnaissance du droit d'exister à l'État d'Israël, une autonomie limitée dans le territoire de Gaza et dans QUELLE ville historique de l'ex-Cisjordanie ?

JÉRICHO (il y a eu d'autres concessions de part et d'autre)

136) QUEL empereur de QUEL pays d'Afrique a été renversé par son neveu en 1978 ? Dès lors, ce pays redevient une république ?

JEAN BEDEL BOKASSA - CENTRAFRIQUE

137) Lorsque le Cambodge est envahi par les soldats du Vietnam en 1979, des troupes armées d'une autre nation traversent la frontière vietnamienne et leurs dirigeants déclarent qu'il s'agit d'une opération punitive en représailles à l'invasion du Cambodge. NOMMEZ cette autre nation.

LA CHINE (Moscou menace Pékin d'intervention si les troupes chinoises ne sont pas retirées du Vietnam. Les pertes chinoises sont considérables.)

138) En 1986, le Canada choisit l'avion de chasse F-18 Hornet de McDonnell-Douglas comme successeur de QUEL autre avion de chasse surnommé le « cercueil volant » à cause de son taux élevé d'accidents ? Acquis durant les années 60, la moitié de ces 200 avions fabriqués aux États-Unis, s'étaient écrasés sans avoir engagé le combat.

CF-104 STARFIGHTER (Widowmaker - « Faiseur de veuves ») (bonne réponse=2 pts de plus)

139) Lors des élections présidentielles tenues en 1995 en France, LEQUEL des neuf candidats a remporté à la surprise des sondeurs, le premier des deux tours de scrutin ?

LIONEL JOSPIN (23.24 % des voix contre 20.64 pour Jacques Chirac)

140) Ils étaient à l'origine, des étudiants séminaristes. En 1997, ils se sont rendus maîtres de l'Afghanistan et ont imposé la charia et leurs préceptes moraux et vestimentaires, les plus durs du monde islamique. COMMENT s'appellent les membres de cette secte ?

LES TALIBANS

141) QUELLE ex-colonie française située en Afrique de l'Est à l'entrée de la mer Rouge, obtient son indépendance en 1977 ?

DJIBOUTI

142) Dans QUELLE capitale d'Amérique du Sud a eu lieu en 1997 une prise de 72 otages dans l'ambassade du Japon par le mouvement révolutionnaire Tupac Amaru ? Après 127 jours de détention, ils ont été libérés par les forces de l'ordre qui ont donné l'assaut à l'ambassade. Bilan : 17 morts dont quatorze membres du commando.

LIMA (Pérou)

143) Cet homme politique québécois a siégé durant 8 ans à l'Assemblée nationale durant les années 70 et à la Chambre des communes de 1984 à 1988. Il a été le dernier ministre de l'Éducation dans le cabinet de Robert Bourassa avant la défaite du Parti libéral en 1976. QUI est-il ?

RAYMOND GARNEAU

144) Les électeurs de cet État du nord des États-Unis ont choisi Jessie Ventura, un ex-lutteur professionnel comme gouverneur lors des élections de 1998. De QUEL État s'agit-il ?

MINNESOTA

145) QUELLE république soviétique a été la scène en 1990 d'une guerre civile dans sa province du Haut-Karabackh entre ses habitants et la majorité d'origine arménienne qui réclame le rattachement du territoire à l'Arménie ?

L'AZERBAÏJAN

146) Âgé de 36 ans, il devient en 1979 premier ministre de Terre-Neuve. QUI est-il ?

BRIAN PECKFORD (après avoir été élu chef du Parti conservateur, il succède à Frank Moores, démissionnaire)

147) Lorsque Yitzak Rabin, premier ministre d'Israël et Yasser Arafat, chef de l'OLP, ont signé une entente historique de paix à Washington en présence de Bill Clinton en 1993, les négociations ardues de plusieurs mois avaient eu lieu en secret dans QUELLE capitale du nord de l'Europe ?

OSLO (Norvège)(bonne réponse=1 point de plus)

148) Nonobstant les dictatures, les royautés et les principautés, QUEL pays a été le seul parmi les nations démocratiques du monde à élire trois membres de trois générations de la même famille au poste de premier ministre entre les années d'après-guerre et 1989 ? POUVEZ-vous les nommer ?

L'INDE (Jawaharlal Nehru, 1947-1964, Indira Gandhi, 1967-1977 et 1980-1984, fille de Nehru, Rajiv Gandhi, 1984-1989, fils d'Indira) (1 pt/rép.) (4 b. rép.=6 pts)

149) QUEL pays du bloc de l'Est a été le premier, quelques mois avant la chute du mur de Berlin en 1989, à ouvrir ses frontières afin de laisser passer plus de 4 000 réfugiés vers l'Autriche ?

LA HONGRIE (il s'agissait de citoyens de la RDA réfugiés en Hongrie)

150) De tous les produits commerciaux exportés par le Canada en 1998, QUEL pourcentage a été acheté par les Américains ?

QUATRE-VINGT QUATRE ET DEMI POUR CENT (jeu de 4 % + ou - alloué)

151) En 1988, le gouvernement fédéral a annoncé qu'il allait verser une somme de 300 000 000 de dollars en paiements directs et indirects en guise de compensation à QUEL groupe de Canadiens traités injustement durant la deuxième guerre mondiale ?

JAPONAIS (de naissance ou descendance. 22-mille d'entre-eux avaient été internés pour des raisons de sécurité militaire)

152) QUELLE ville croate de 50 000 habitants a subi un siège de trois mois avant d'être investie par les soldats serbes en 1991 ? Plus de 5 000 Croates ont perdu la vie durant cette bataille, la plus sanglante depuis le début de la désintégration de la Yougoslavie.

VUKOVAR (bonne réponse=2 points de plus)

153) Le premier ministre de ce pays asiatique est accusé en 1983 d'avoir accepté des pots-de-vin totalisant 2 500 000 de dollars de la compagnie américaine Lockeed pour qu'il influence une importante compagnie aérienne dans l'achat de gros porteurs Lockeed 1011. NOMMEZ ce pays.

JAPON (Kakuei Tanaka. Il réfute les accusations mais il est condamné à une amende équivalente aux pots-de-vin et à une peine de 4 ans de prison)

154) Lorsque le président américain Ronald Reagan a été atteint d'un coup de feu en 1981, le vice-président George Bush était à bord de l'avion présidentiel. C'est alors que le secrétaire d'État des États-Unis a déclaré à la Maison Blanche ; *« I am in control here »*, déclaration qui a été vivement dénoncée. QUI était l'auteur de cette déclaration prétentieuse ?

ALEXANDER HAIG (après le président et le vice-président, c'est le leader majoritaire du Sénat qui est au 3e rang des pouvoirs décisionnels)

155) QUEL régime le ministre des Finances québécois, Jacques Parizeau, a-t-il institué en 1979 ? Il s'adressait à tous, servait d'abris fiscal et encourageait les investissements.

LE RÉGIME D'ÉPARGNES-ACTIONS (REA)

156) QUI avait été désigné par le roi Hussein de Jordanie pour lui succéder après sa mort en 1999 ?

ABDULHAH (son fils aîné)

157) QUEL a été le seul pays de la péninsule d'Arabie à s'aligner politiquement du côté de l'Irak en 1990 lorsque les forces irakiennes ont envahi le Koweït ?

YÉMEN (République du ...)

158) Lorsque Frédérick de Klerk est devenu président de l'Afrique du Sud en 1989, à QUI a-t-il succédé ?

PIETER BOTHA (bonne réponse=1 point de plus)

159) Lorsque les journalistes demandent au président George Bush durant la campagne électorale de 1988 s'il y aura augmentation des impôts, QUE donne-t-il chaque fois comme réponse voilée ?

« READ MY LIPS » (pas d'augmentation, dite avec les lèvres sans discours)

160) Après 74 ans, la Tchécoslovaquie cesse d'exister en 1992. Dorénavant, il y aura deux nations autonomes : la République tchèque et la Slovaquie. QUELLE ville est choisie comme capitale de la Slovaquie ?

BRATISLAVA

161) Après avoir été dirigé pendant 71 ans par le même parti, ce pays de l'hémisphère occidental s'est donné un gouvernement véritablement démocratique en l'an 2000. QUEL est ce pays ?

MEXIQUE (Vicente Fox en est le président - Parti élu ; Action nationale)

162) Le dernier général américain au grade cinq étoiles est décédé en 1981. QUI était-il ?

OMAR BRADLEY (Général des armées américaines lors du Jour-J en 1944)

163) QUEL pays d'Europe occidentale fixe à zéro en 1992, son futur taux d'immigration ? Pourtant, la population étrangère du pays n'est que de 6 %, soit le même pourcentage qu'en 1931 ?

LA FRANCE

164) QUI a été élu premier ministre du Nouveau-Brunswick en 1999 ?

BERNARD LORD (Parti conservateur)

165) Le président George Bush accorde en 1992 des pardons à un ex-secrétaire de la Défense des États-Unis et cinq autres proches de l'ex-président Reagan, tous accusés et dans certains cas reconnus coupables, d'avoir trempé dans l'affaire Iran-Contra du milieu des années 80. QUI était ce secrétaire de la Défense ?

CASPAR WEINBERGER (Bush a été lui-même soupçonné)

166) QUELLE ville médiévale portuaire de Croatie a été impunément bombardée par des tirs d'artillerie serbe durant la guerre d'indépendance de 1991 ?

DUBROVNIK (importante ville touristique. A subi des dégâts considérables)

167) NOMMEZ le maire d'une ville de la région de Montréal qui détient le record québécois du plus long règne à ce poste ? Il a été élu en 1962 et était toujours maire de sa ville à la fin du siècle.

YVES RYAN (Montréal-Nord. Frère de Claude Ryan)

168) QUEL député francophone a été choisi au poste de ministre de la Défense nationale par Brian Mulroney en 1991 ?

MARCEL MASSE (il avait détenu deux autres portefeuilles entre 1984 et 91)

169) Après que le Parlement russe eut rejeté la demande du président Eltsin de nommer Victor Chernomyrdin au poste de premier ministre, QUEL diplomate a finalement hérité de ce poste en septembre 1998 ?

YEVGENY PRIMAKOV (Communiste modéré. Eltsin l'a congédié en 1999) (bonne réponse= 1 point de plus)

170) Durant les années 90, le gouvernement canadien a choisi de maintenir sa politique des 30 années précédentes concernant l'immigration. QUEL est ce pourcentage des immigrants en sol canadien ?

SEIZE POUR CENT (jeu de 2 % + ou - alloué)

171) En 1978, le président américain Jimmy Carter signe un décret législatif qui fixe à COMBIEN l'âge de la retraite obligatoire pour la majorité des travailleurs ?

SOIXANTE-DIX ANS

172) Au début de l'an 2000, COMBIEN de provinces canadiennes étaient dirigées par des partis autres que celui des Conservateurs ? Et NOMMEZ-les.

QUATRE - QUÉBEC (PQ), TERRE-NEUVE (LIB), SASK (NPD), C-B (NPD) (1 point de + pour chaque province)

173) QUI est devenu premier ministre de France après la ré-élection de François Mitterrand à la présidence du pays ?

MICHEL ROCARD

174) QUEL dirigeant asiatique est mort en 1994 après un règne de 46 ans comme premier ministre d'abord puis comme chef d'État à partir de 1972 ?

KIM IL SUNG (de la Corée du Nord, pays créé en 1948)

175) Durant le court règne des Conservateurs fédéraux en 1979-80, le premier ministre Joe Clark a choisi une femme au poste de ministre des Affaires extérieures du Canada, la première de l'histoire du Canada à détenir un poste supérieur au cabinet. QUI était-elle ?

FLORA MACDONALD

176) QUEL important leader de l'OLP a été tué lors du raid d'un commando israélien contre la base de cette organisation à Tunis en Tunisie en 1988 ?

ABU JIHAD (bonne réponse=2 points de plus)

177) Après avoir été le président de la Tanzanie depuis son indépendance en 1964 et jusqu'en 1985, il a repris le pouvoir de 1987 à 1990. QUI était ce socialiste et grand nationaliste tanzanien ?

JULIUS NYÉRÉRÉ (bonne réponse=1 point de plus)

178) QUEL est le nom de l'endroit où ont eu lieu les pourparlers entre Palestiniens, Israéliens et Américains menant aux accords conclus en octobre 1998 sur la restitution d'une partie de la Cisjordanie à l'autorité palestinienne ?

WYE PLANTATION (au Maryland) (bonne réponse=2 points de plus)

179) Lorsque Glen Clark a annoncé sa démission en 1999 après avoir été accusé de trafic d'influence, il devenait le troisième premier ministre dûment élu de la Colombie-Britannique en moins de dix ans à agir de la sorte pour les mêmes raisons. QUI a été le premier à quitter son poste en 1991 ?

BILL VANDER ZALM (Crédit social. L'autre est Mike Harcourt, NPD, en 1996)

180) QUEL pays d'Amérique du Sud s'est donné un gouvernement élu démocratiquement en 1989 après 25 ans de dictature ?

LE BRÉSIL

181) QUEL pays d'Europe occidentale a été la scène d'une tentative de putsch en 1981 lorsque des gardes civils armés de mitraillettes ont fait irruption dans l'enceinte du Parlement ?

L'ESPAGNE (ex-partisans de Franco, ils ont été maîtrisés par les forces de l'ordre dépêchées par le roi Juan Carlos)

182) QUELS deux pays du Moyen-Orient sont allés en guerre en 1980 ? Le conflit fera plus de 250-mille morts durant les 7 ans qu'il durera.

L'IRAK - L'IRAN (à la suite d'une dispute territoriale)

183) Le président de la République française est le dirigeant incontesté du parti de droite RPR depuis 1976 ? QUE signifie cette abréviation ?

RASSEMBLEMENT POUR LA RÉPUBLIQUE

184) QUEL pays d'Amérique Centrale a été le premier à être dirigé par une femme ? En 1990, Violetta Barrios Chamorro a été élue présidente de ce pays pour un mandat de 6 ans.

NICARAGUA

185) La *Stasi* était la police secrète de QUEL pays de l'Europe de l'Est ? Elle avait été créée durant les années 50 et a été démembrée et dissoute en 1989.

LA RÉPUBLIQUE DÉMOCRATIQUE ALLEMANDE (Allemagne de l'Est)

186) Dans QUEL pays l'importante crise financière de l'Asie du Sud-est a-t-elle commencée en 1997 ?

THAÏLANDE

187) En 1989, il y a une rencontre au sommet entre le président George Bush des États-Unis et Mikhaïl Gorbatchev de l'URSS à bord du paquebot russe Maxime Gorki au large de QUELLE île de la Méditerranée ?

MALTE

188) Lors des élections provinciales tenues en Saskatchewan en 1999, le parti néo-démocrate a obtenu 30 des 58 sièges à l'Assemblée législative. QUEL parti en a obtenu 23 ?

LE PARTI DE LA SASKATCHEWAN (nouveau parti composé d'anciens conservateurs, de libéraux mécontents et de réformistes)

189) Lorsque les régimes communistes se sont désintégrés dans les pays de l'Est en 1989, un d'eux a réussi, à la suite de manifestations populaires, à faire tomber le gouvernement, événement qui a été qualifiée de *« Révolution de velours »*. Dans QUEL pays cela s'est-il produit ?

TCHÉCOSLOVAQUIE

190) Dans QUELLE république de Russie une guerre civile sanglante a-t-elle éclatée en 1994 ? Elle fera plus de 80 000 morts en deux ans de combats.

TCHÉTCHÉNIE (elle a repris de nouveau en 1998)

191) QUI a été nommé ministre des Finances dans le gouvernement de Daniel Johnson en 1993 après la démission de Robert Bourassa ?

ANDRÉ BOURBEAU (député de Laporte) (bonne réponse= 1 point de plus)

192) **Lorsque Ronald Reagan a été assermenté le 20 janvier 1981 à la présidence des États-Unis, QUEL autre événement d'importance a eu lieu le même jour ?**
LES 444 OTAGES AMÉRICAINS EN IRAN ONT ÉTÉ LIBÉRÉS

193) **On a dit que des milliers de personnes avaient été tuées en 1989 sous les balles des forces de sécurité de la police d'État durant une manifestation dans la ville de Timisoara, située à l'extrémité ouest de QUEL pays ?**
ROUMANIE (à la vérité, moins d'une centaine de personnes ont été tuées. Peu de temps après, le dictateur Ceausescu et sa femme ont été exécutés)

194) **Une surprise est enregistrée lors des élections tenues en Ontario en 1990. QUEL parti dirigé par QUEL chef s'est emparé du pouvoir ?**
NÉO-DÉMOCRATE - BOB RAE (1 point par réponse)

195) **En QUELLE année les troupes soviétiques ont-elles terminé leur retraite complète de l'Afghanistan après une guerre de dix ans ?**
1989 (on estime que 12 000 Soviétiques y ont perdu la vie)

196) **NOMMEZ les candidats vice-présidentiels démocrate et républicain aux élections américaines de novembre 2000.**
JOE LIEBERMAN (Démocrate) - DICK CHENEY (Républicain)

197) **La République centrale africaine devient en 1977 l'Empire centrafricain lorsque son président se couronne empereur lors d'une cérémonie qui coûte 20 000 000 de dollars, une somme largement compensée par la France. QUI était cet empereur mégalomane ?**
BOKASSA (Jean Bedel. Il était à la tête du pays depuis 1963)

198) **QUI a été nommé ministre des Affaires extérieures du Canada après l'élection des Libéraux de Jean Chrétien en 1993 ? Son ministère est alors devenu celui des Affaires étrangères.**
ANDRÉ OUELLET

199) **QUEL président américain a décidé de remettre au gouvernement de Panama la gestion et le contrôle de la zone du canal de Panama ? Sous le contrôle du gouvernement américain depuis son ouverture en 1914, il deviendrait à la fin de 1999, selon les accords, la propriété du gouvernement panaméen.**
JIMMY CARTER (cette décision, prise à la fin des années 70, a provoqué depuis le ressentiment de plusieurs hauts dirigeants américains)

200) **En décembre 1999, le taux de chômage au Québec était tombé à 8.4 %, un chiffre qui n'avait pas été atteint depuis 1976 ? Pourtant, 30 mois plus tôt, rien ne laissait présager pareil revirement. À COMBIEN était ce taux en 1997 ?**
ONZE ET 4/10e POUR CENT (au Canada, à la fin de 1999, il était de 6.9 %) (Jeu de 1.5 % + ou - alloué)

201) **Après 30 années de combats, cette province du nord de l'Éthiopie obtient officiellement son indépendance de l'Éthiopie en 1993. NOMMEZ-la.**
ÉRYTHRÉE

202) **QUELLE province canadienne n'a pas eu de gouvernement libéral depuis 1952 ?**
LA COLOMBIE-BRITANNIQUE

203) **QUI était le secrétaire de la Défense des États-Unis au moment de la guerre du Kosovo en 1999 ?**
WILLIAM COHEN (bonne réponse=1 point de plus)

204) **À sept occasions, il a été premier ministre d'Italie et son parti, les Démocrates Chrétiens, a dominé la scène politique italienne durant plus de 40 ans entre la fin des années 40 et 1990. QUI était cet homme politique qui a fait partie de plus de 30 gouvernements et qui a été associé à la mafia ?**
GIULIO ANDREOTTI (en 1999, il a été acquitté d'avoir protégé la mafia à Rome en retour d'un appui électoral en Sicile) (Bonne rép.=1 point de plus)

205) **QUELLES étaient les cinq conditions exigées par le Québec pour qu'il entérine les accords du lac Meech avec les autres provinces et le gouvernement du Canada à la fin des années 80 ? En juin 1990, l'accord a été rejeté officiellement après avoir été accepté en principe l'année précédente ?**
1) statut de société distincte 2) un rôle accru en matière d'immigration 3) un droit de veto en matière de constitution 4) la participation à la nomination des juges à la Cour suprême 5) limitation du pouvoir de dépenses du gouvernement du Canada. (1 point par réponse - prime de 3 pts de + pour 5 rép.)

206) **QUI a été nommé ambassadeur du Canada aux États-Unis en 1994 par le premier ministre Jean Chrétien ?**
RAYMOND CHRÉTIEN (son neveu)

207) **NOMMEZ le premier pays du Commonwealth britannique à être dirigé par deux fois par une femme au poste de premier ministre, la première de 1997 à 1999 et la seconde après avoir été élue en décembre 1999.**
NOUVELLE-ZÉLANDE (Jenny Shipley, conservatrice, Helen Clark, travailliste)

208) **QUI a été élu premier président de la République de Croatie en 1990 ?**
FRANJO TUDJMAN (il a été réélu en 1995. Est décédé en 1999)(B.Rép=1 pt/+)

209) **Lors de sa campagne électorale de 1995, le leader du Parti conservateur de l'Ontario, Mike Harris, a promis de réduire les impôts sur le revenu des particuliers de QUEL pourcentage ?**
TRENTE POUR CENT (il a tenu promesse)

210) **QUEL continent était composé du plus grand nombre de pays souverains à la fin de 1999 ? Dites aussi COMBIEN de pays en font partie ?**
L'AFRIQUE - CINQUANTE-CINQ (jeu de 5 pays + ou - alloué) (1 pt par rép.)

211) **L'Union européenne, l'ex-CEE, a admis trois nouveaux pays membres au sein de son organisme en 1995, portant ainsi son nombre à 15. NOMMEZ ces trois nouveaux membres.**
AUTRICHE, FINLANDE ET SUÈDE (1 point par bonne réponse)

212) Au début des années 90, la Tanzanie a transféré le siège de son gouvernement de Dar es Salaam à QUELLE autre ville ?

DODOMA (bonne réponse=2 pts de plus)

213) QUI a succédé à Ovide Mercredi à la présidence de l'Assemblée des premières nations du Canada en 1997 ?

PHIL FONTAINE

214) Lorsque la guerre a éclaté en Bosnie-Herzégovine en 1992, LAQUELLE des factions ethniques serbe, croate et musulmane avait le plus fort pourcentage de la population ?

SERBE (40 %. Les Musulmans, 38 % et les Croates, 22 %)

215) QUEL était le nom du parti politique allemand qu'a dirigé le chancelier Helmut Kohl durant 16 ans entre 1982 et 1998, au Bundestag, le parlement d'Allemagne à Bonn et à Berlin ?

L'UNION DÉMOCRATIQUE CHRÉTIENNE (bonne réponse=2 pts de plus)

216) NOMMEZ le prince héritier du Japon qui a hérité du trône de son pays lorsque son père, l'empereur Hirohito, est décédé en 1987.

AKIHITO

217) En 1998, un précédent a été créé aux États-Unis lorsque deux fils d'un ex-président des États-Unis ont été élus gouverneurs de deux États. QUELS sont leurs noms au complet ainsi que les États où ils ont été élus ?

GEORGE W. BUSH - TEXAS - JEB BUSH - FLORIDE (1 pt par réponse)

218) De tous les chefs d'État encore en poste en l'an 2000, LEQUEL a été au pouvoir le plus longtemps sans interruption ?

FIDEL CASTRO (plus de 40 ans)

219) Lors des élections de 1976 au Québec, non seulement les Libéraux ont-ils perdu le pouvoir, mais leur chef Robert Bourassa a été battu dans sa propre circonscription de Mercier. QUEL candidat du PQ l'a battu ?

GÉRALD GODIN

220) COMBIEN de nations ont accédé à l'indépendance durant la dernière décennie du 20e siècle dans le monde ?

VINGT-TROIS (La plupart après l'effondrement de l'URSS et de la Yougoslavie. Deux ont disparu ; l'URSS et la Tchécoslovaquie) (Jeu de 2 nations +/- alloué)

221) En 1999, le parlement allemand, le *Bundestag*, a officiellement été transféré de Bonn à Berlin. NOMMEZ l'édifice, construit en 1894 et rénové complètement depuis la réunification des deux Allemagnes au début des années 90, qui est le lieu de réunion du parlement allemand.

REICHSTAG (il avait été sérieusement endommagé par un incendie en 1933 puis à nouveau durant la guerre et avait été laissé à l'abandon)

222) QUI a succédé en 1999 à Antonio Lamer au poste de juge en chef de la Cour suprême du Canada ?

LA TRÈS HONORABLE MADAME BEVERLEY McLACHLIN (première femme à accéder à ce poste) (bonne réponse=2 points de plus)

223) La France est devenue au début des années 90 la deuxième puissance navale au monde à construire un porte-avions nucléaire après les États-Unis. COMMENT se nomme ce navire de 50,000 tonnes qui devait entrer en service en l'an 2000 avec l'Aéronavale française ?

LE CHARLES DE GAULLE (la Russie ne possède pas de porte-av. nucléaire)

224) C'est en 1999 que le colonialisme européen a pris fin en Asie avec le transfert de QUELLE colonie par QUEL pays européen à QUEL pays asiatique ?

MACAU - PORTUGAL - CHINE (un point par réponse)

225) Le taux de chômage aux États-Unis a atteint en 1982 un niveau qui n'avait pas été vu depuis la grande dépression. LEQUEL ? Plus encore, le déficit fédéral franchit le cap de COMBIEN de milliards de dollars ?

DIX POUR CENT (jeu de 2 % +/- alloué) CENT MILLIARDS (jeu de vingt milliards + ou - alloué) (un point par bonne réponse)

226) NOMMEZ les trois provinces canadiennes qui ont contribué à la caisse de péréquation nationale sans en retirer un seul cent depuis 1994.

ONTARIO, ALBERTA, COLOMBIE-BRITANNIQUE (les plus riches qui viennent en aide aux provinces moins nanties, dont le Québec)

227) COMMENT s'appelle le conflit que livre le peuple palestinien aux forces d'occupation israéliennes dans les territoires occupés et de Gaza depuis 1987 afin d'obtenir son indépendance totale ?

INTIFADA (littéralement « la guerre des pierres »)

228) Depuis 1990, cette ville de Russie, port fluvial sur la Volga, se nomme Nijni Novgorod. COMMENT s'appelait-elle de 1932 à 1990 ?

GORKI (du nom du célèbre écrivain russe Maxime Gorki) (B. rép.=1 pt de +)

229) Ronald Reagan est réélu à la présidence des États-Unis en 1984 avec la plus forte marge jamais enregistrée par un Républicain. COMBIEN d'États lui ont accordé la majorité des voix au collège électoral ?

QUARANTE-NEUF (son adversaire Walter Mondale n'a gagné que son propre État, le Minnesota ainsi que le District de Columbia) (Jeu de 2 États +/- alloué)

230) L'euro, la nouvelle devise monétaire de la Communauté européenne, a été partiellement introduite au début de l'année 1999. Mais quatre pays de cette communauté de quinze nations ne faisaient pas partie de la mise en circulation de la nouvelle devise ; la Grèce dont l'économie n'est pas assez forte et trois autres nations qui ont préféré reporter l'aventure à plus tard. NOMMEZ ces trois nations.

GRANDE-BRETAGNE, SUÈDE, DANEMARK (1 point par réponse)

231) Lorsque Claude Ryan a été élu chef du Parti libéral du Québec en 1978, QUI a terminé au 2e rang lors du vote tenu pour choisir un successeur à Robert Bourassa ?

RAYMOND GARNEAU (Gérard D. Lévesque avait été chef intérimaire du Parti libéral depuis la démission de Bourassa au début de 1977)

232) C'est en 1991 que ce pays d'Afrique a choisi par élection un gouvernement de confession islamique. Mais il n'a jamais pris le pouvoir. Une junte militaire a refusé de reconnaître le résultat populaire et s'est installée au pouvoir, provoquant de terribles représailles . NOMMEZ ce pays.

L'ALGÉRIE

233) QUEL pays a consacré en 1995 le plus fort pourcentage au monde de son PNB à son budget militaire, 28.6 % ? Israël, Russie, Corée du Nord, Irak ?

CORÉE DU NORD (Russie, 11.4 %, États-Unis, 3.8 %, Canada, 1.7 %)

234) En 1990, les accords du lac Meech ont été sabotés par deux provinces, Terre-Neuve et le Manitoba. QUEL député s'est levé à la législature du Manitoba pour s'opposer aux accords, éliminant du même coup un vote unanime ?

ELIJAH HARPER (député autochtone)

235) Il a été choisi pour diriger le Conseil de la réserve fédérale américaine en 1989. QUI est ce grand argentier qui fait trembler les bourses américaines et dont le gouvernement ne semble pas vouloir se passer ?

ALAN GREENSPAN (reporté à son poste pour 4 ans en 2000)

236) Des élections provinciales ont été tenues au Québec en 1976, 1981, 1985, 1989, 1994 et 1998. LAQUELLE a donné la plus forte majorité des voix au parti élu ?

1985 (56.0 % des voix aux Libéraux contre 38.7 % pour le PQ)

237) QUEL était le pourcentage de Kosovars de descendance serbe vivant au Kosovo lorsque les forces de l'OTAN ont lancé leur attaque aérienne en 1999 ?

DIX POUR CENT (d'une population de 1,600,000 - la majorité est d'origine albanaise qui désire son indépendance) (Jeu de 2 % alloué + ou - alloué)

238) Après 166 ans de colonialisme britannique, cet archipel de l'océan Indien au large de l'Afrique, obtient son indépendance en 1976. NOMMEZ cette nouvelle nation.

SEYCHELLES

239) De tous les premiers ministre provinciaux élus depuis janvier 1976, LEQUEL a été au pouvoir le plus longtemps ?

JOHN BUCHANAN (Nouvelle-Écosse, Progressiste-conservateur, 12 ans, 1978 à 1990. Gary Filmon du Manitoba, 11 ans, Grant Devine, Sask, 8 ans et demi) (bonne réponse=2 points de plus)

240) Après avoir été battu par les forces sandisnistes en 1979, la dynastie de cette famille du Nicaragua prend fin avec la victoire des forces sandinistes. QUEL dictateur s'enfuit alors à Miami puis au Paraguay, où en 1980, il est tué par un obus de *bazooka* qui fait sauter sa Mercedes ?

ANASTASIO SOMOZA (sa famille avait dirigé le Nicaragua durant 46 ans)

241) Lorsque les bombardements de l'OTAN ont débuté au Kosovo en mars 99, les réfugiés kosovars-albanais ont cherché refuge dans trois régions frontalières principales ; l'Albanie, la Macédoine et QUELLE autre ?

LE MONTÉNÉGRO (État associé à la Serbie et qui forment la Yougoslavie)

242) Lorsque Jean Charest a accepté de devenir le nouveau chef du Parti libéral du Québec en 1998, il laissait alors la direction par intérim du Parti conservateur du Canada entre les mains d'une femme. NOMMEZ-la.

ELSIE WAYNE (la seule autre député du PC aux Communes. Lors d'un congrès au leadership du parti en 1999, Joe Clark sera alors élu chef)

243) QUEL président européen s'empresse de féliciter les autorités chinoises de leur fermeté lors du massacre de la place Tienanmen en juin 1989 ? Il n'hésite pas lui non plus à faire appel à la brutalité lorsque plus tard la même année, il ordonne à sa police secrète d'abattre des manifestants dans la petite ville de Timisoara.

NICOLAI CEAUSESCU (Roumanie. Le jour de Noël 89, après une insurrection de l'armée roumaine, il est capturé et fusillé ainsi que sa femme)

244) Lorsque Jean-Marie Le Pen, le président du Parti national de France a déclaré durant la campagne présidentielle de 1988 qu'il fallait « soumettre »ou « exterminer » les « rebelles » Canaques, de QUI parlait-il ?

DES AUTOCHTONES DE LA NOUVELLE-CALÉDONIE (qui représentent 40 % de la population et qui réclament leur indépendance)

245) Trente-quatre nations européennes et nord-américaines se réunissent à Paris en 1990 et signent une charte qui met fin à QUELLE guerre ?

FROIDE (il est dit qu'elle a débuté en 1948 avec le blocus de Berlin)

246) À QUEL événement de 1979-80 associez-vous le chiffre 444 ?

LE NOMBRE DE JOURS DE DÉTENTION DES OTAGES DE L'AMBASSADE AMÉRICAINE PAR LES ÉTUDIANTS IRANIENS À TÉHÉRAN

247) En 1991, quelques semaines après la fin de la guerre du Golfe, on annonce à Washington que le nombre d'Irakiens tués dans cette guerre de six semaines est estimé à 90 000. QUEL est le nombre d'Américains qui y ont perdu la vie selon le Pentagone ? 54, 117, 360 OU 1,225 ?

CENT DIX-SEPT (chiffre de 1991)

248) Lorsque le premier budget du gouvernement de Joe Clark est battu aux Communes en décembre 1979, les Conservateurs doivent retourner devant l'électorat. Par COMBIEN de votes ce budget a-t-il été battu ?

SIX (139-133. Peu de temps après, Trudeau sort de sa retraite et les Libéraux reprennent le pouvoir) (Jeu de 1 vote +/- alloué)

249) Alors que les syndicats allaient saisir le contrôle de toutes les entreprises commerciales dans les 20 prochaines années, le gouvernement socialiste de ce pays européen est battu aux élections générales de 1976. Un règne socialiste de 44 ans est remplacé par un gouvernement conservateur de coalition. QUEL est ce pays démocratique ?

LA SUÈDE

250) QUEL dictateur asiatique meurt en 1989 à Hawaii après avoir siphonné durant un règne de 20 ans plus de quatre milliards de dollars à son peuple ?

FERDINAND MARCOS (ex-président des Philippines de 1967 à 1986)

251) QUEL leader des Noirs américains a dit en 1970 lors d'une interview accordée au britannique David Frost ; *« Lorsque les Noirs sont sans emploi, on nous traite de paresseux ; lorsque ce sont les Blancs qui sont chômeurs, on dit que c'est une dépression » ?*

JESSE JACKSON (pasteur protestant et défenseur des droits des Noirs)

252) Ce conseiller du président américain Jimmy Carter et membre du comité de sécurité nationale durant la période 1976-1979, était qualifié de faucon par les observateurs et prônait la ligne dure envers l'URSS. Il voulait aussi que le fossé entre l'URSS et la Chine se creuse, politique qui déplaisait au secrétaire d'État Cyrus Vance. QUI était-il ?

ZBIGNIEW BRZEZINSKI (bonne réponse=2 points de plus)

253) QUEL bateau du mouvement écologique Greenpeace a été coulé par des saboteurs français alors qu'il était ancré dans le port d'Auckland en Nouvelle-Zélande en 1985 ? Un photographe portugais avait alors perdu la vie et les coupables avaient été condamnés à huit ans de prison.

RAINBOW WARRIOR (les Français s'opposaient à la présence de Greenpeace dans la région du Pacifique où se déroulaient leurs expériences nucléaires) (bonne réponse=2 points de plus)

254) Peu de temps avant et après l'échec de l'accord du lac Meech en 1990, COMBIEN de députés québécois ont choisi de quitter leurs partis et de siéger comme indépendants aux Communes ?

SEPT (dont Lucien Bouchard. Le Bloc québécois verra le jour peu après)

255) COMBIEN de soldats britanniques et argentins ont perdu la vie lors de la guerre des Malouines (îles Falklands) dans le sud de l'Atlantique en 1982 ? Le conflit a duré 2 mois.

1020 MORTS (dont 750 du côté argentin) (jeu de 200 + ou - alloué)

256) Lorsque Bill Clinton a été reconnu coupable de parjure et d'obstruction à la justice par la Chambre des représentants au Congrès américain à la fin de 1998, il faisait face à la destitution. Au début de 1999, les membres du Sénat ont choisi par vote majoritaire de l'acquitter de ces accusations. QUEL autre président, le seul autre de toute l'histoire du pays, a subi le même sort vers la vers la fin du 19e siècle ?

ANDREW JOHNSON (président de 1885 à 1889) (bonne rép.=3 pts de plus)

257) La crise économique mondiale qui a conduit la bourse de New York à un krach important en 1998, avait auparavant frappé plusieurs pays du Sud-Est asiatique, d'Amérique latine et la Russie. QUEL a été le premier pays à s'effondrer en 1995 à cause de la forte dévaluation de sa devise ? Le FMI et les États-Unis l'ont renfloué à l'aide d'un prêt de 45 milliards de dollars.

MEXIQUE (suivi de la Thaïlande, de la Malaisie, de l'Indonésie et de la Corée du Sud en 1997 et de la Russie en 1998)

258) NOMMEZ le pays africain qui a transféré le siège de son gouvernement de la ville de Lagos à celle de Abuja en 1993.

NIGÉRIA

259) COMBIEN de nations du monde étaient officiellement, selon les experts, en possession de bombes ou fusées nucléaires à la fin du 20e siècle ? 6, 8, 10 ?

DIX (E-U, RUS,G-B, FR, CHI, INDE, PAK, BELARUS, UKR, KAZ. On soupçonne fortement Israël et l'Afr. du Sud d'en posséder. L'Irak, l'Iran, les deux Corées, la Libye et l'Algérie s'évertuent toujours à en fabriquer malgré leurs démentis)

260) COMBIEN de chefs d'État différents ont dirigé l'URSS entre la fin de 1982 et le début de 1985 ? Et NOMMEZ-les ?

QUATRE - LÉONID BREZHNEV - YURI ANDROPOV - VICTOR TCHERNENKO MICHAÏL GORBACHEV (1 pt. par rép. - 5 rép.=7 pts)

261) Après la défaite au référendum de 1980, le PQ a repris le pouvoir lors des élections de 1981. COMMENT René Lévesque a-t-il baptisé la politique d'accommodement que son gouvernement a dû adopter envers le fédéral pour répondre, croyait-il, à la volonté du peuple québécois ?

LE BEAU RISQUE (politique proposée par Claude Morin)

262) COMBIEN restaient-ils de monarchies, duchés et principautés parlementaires ou constitutionnelles en 1980 en Europe ?

DIX (G-B, Dan, Suè, Nor, Esp, Liechtenstein, Monaco, Lux, Pays-Bas, Belg) (jeu de 2 + ou - alloué)

263) Depuis le départ de Mikhaïl Gorbatchev à la fin de 1991, COMBIEN de premiers ministres ont tenté tour à tour de redonner au pays un équilibre politique, économique et social sous Boris Eltsine en 8 ans ?

SEPT (Alexandre Putin, le 7e, a été nommé en 1999) (Jeu de 1 +/- alloué)

264) Outre l'affaire Lewinsky, QUELLE autre cause judiciaire le procureur spécial Kenneth Starr avait-il été appelé à mener contre Hillary et Bill Clinton en 1994 ?

WHITEWATER (le coupe Clinton était accusé d'abus de confiance et de fraude dans une transaction d'affaires en Arkansas)

265) QUEL ministère fédéral est devenu en 1982 une société de la Couronne ?

LES POSTES (est devenu Postes Canada)

266) QUI a succédé en 1997 au secrétaire général des Nations-Unies, Boutros Boutros-Ghali ? Et de QUELLE nationalité est-il ?

KOFI ANNAN - GHANÉEN (2 pts de + pour la 2e réponse)

267) NOMMEZ l'homme politique irlandais qui a été nommé premier ministre en attente de l'Irlande du Nord en avril 1998. Cette décision a été prise conjointement par les délégués catholiques et protestants de l'Ulster et stipule que l'IRA doit se désarmer avant que le nouveau leader, ses ministres et députés entrent officiellement en fonction au Parlement de Belfast.

DAVID TRIMBLE (leader du parti politique protestant de l'Irlande du Nord) (Bonne réponse=1 point de plus)

268) Vingt-et-une nations dont le Canada, le Mexique et les États-Unis sont membres de cet organisme international dont la plupart sont situés en Asie. NOMMEZ cette association, créée en 1989, qui est engagée à promouvoir une plus grande coopération économique, un marché plus libre et une plus grande prospérité dans le bassin du Pacifique.

APEC (Asia-Pacific Economic Cooperation. La réunion annuelle de 1997 a eu lieu à Vancouver) (Bonne réponse=1 point de plus)

269) QUELLE est la caractéristique unique de l'appareil d'attaque américain F-117 utilisé pour la première fois durant la guerre du Golfe en 1991 ? Il a fait son premier vol en 1982 et avait été un secret bien gardé jusque-là.

FURTIF (il est à peu indétectable par les appareils de radar)

270) Après les pays du Sud-Est asiatique en 1997 et de la Russie en 1998, QUELLE nation d'Amérique du Sud a été sérieusement ébranlée à son tour par une crise économique ?

BRÉSIL

271) QUI a fait la déclaration suivante au lendemain de l'échec de Meech en 1990 ? « Le Canada anglais doit comprendre de façon très claire que, quoi qu'on dise et quoi qu'on fasse, le Québec est aujourd'hui et pour toujours une société distincte, libre et capable d'assumer son destin ».

ROBERT BOURASSA (premier ministre du Québec)

272) L'accord de libre-échange nord-américain a été entériné par le premier ministre canadien Mulroney et le président Bush en 1989. QUELLE autre étape importante a été franchie en 1992 ?

LE MEXIQUE EST DEVENU LE TROISIÈME PARTENAIRE DU TRAITÉ

273) Cinq mois après avoir libéré les otages américains en 1981, les hautes instances islamiques iraniennes limogent leur président, alléguant qu'il est trop pro-occidental ? QUI est ce président qui s'est empressé de s'enfuir en France afin d'éviter le pire ?

ABOLHASSAN BANI-SADR (bonne réponse=3 points de plus)

274) Lorsque John Major a été élu au poste de premier ministre de Grande-Bretagne en 1989, QUELLE page d'histoire écrivait-il ?

LE PLUS JEUNE PREMIER MINISTRE DE G-B DU 20e SIÈCLE (47 ans)

275) NOMMEZ le président qui a dirigé l'Argentine durant 10 ans entre 1989 et 1999, le plus long règne d'un dirigeant depuis plus de 50 ans dans ce pays.

CARLOS MENEM (il a quitté la présidence à la fin de 1999)

276) COMMENT était choisi le président de la Chambre des communes au Parlement d'Ottawa avant 1987 ?

PAR LE PARTI AU POUVOIR (depuis 1987, il est choisi par vote secret par les députés de la Chambre. John Fraser a été le premier a être ainsi élu)

277) NOMMEZ le secrétaire d'État des États-Unis qui a détenu ce poste le plus longtemps depuis 1945, soit de 1982 à 1989.

GEORGE SCHULTZ (Cordell Hull détient le record, 11 ans, 1933-44 sous FDR)

278) QUELLE a été la première république d'URSS à proclamer son indépendance en mars 1990 ?

LITUANIE (le président Gorbatchev l'a condamnée et a dépêché des troupes dans la capitale Vilnius. L'intervention n'a que retardé le processus d'indép.)

279) La réunion au sommet des pays du G7 a été tenues sous la présidence du premier ministre du Canada Brian Mulroney en 1988 dans QUELLE capitale provinciale de l'est du Canada ?

TORONTO

280) Après un embargo de 19 ans, le président Bill Clinton a approuvé en 1993 la reprise des échanges commerciaux entre les États-Unis et QUELLE nation d'Asie ?

VIETNAM

281) Lors d'un congrès libéral tenu au Québec en août 1992, la décision est prise d'approuver l'entente de Charlottetown. C'est alors que deux membres importants du parti ainsi qu'une poignée de militants opposés à ce choix, décident de faire défection. QUI étaient ces deux importants membres dissidents ?

JEAN ALLAIRE - MARIO DUMONT (1 point par réponse)

282) QUEL traité, signé en 1992, engageait les pays de l'Union européenne à établir une Banque centrale européenne et à créer une devise monétaire commune ?

MAASTRICHT (ville des Pays-Bas)

283) QUEL ministre fédéral des Pêcheries a été surnommé Capitaine Canada en 1995 après avoir obligé QUELLE nation à respecter les droits de pêche nord-américains de flétan au large de Terre-Neuve ?

BRIAN TOBIN - ESPAGNE (un point par bonne réponse)

284) À QUEL pays associez-vous le nom du ministre des Affaires étrangères Sadegh Ghotbzadeh ? Et dites QUEL a été son sort en 1981 ?

IRAN - KHOMENI L'A FAIT EXÉCUTER APRÈS LA LIBÉRATION DES OTAGES AMÉRICAINS (pour trahison, a-t-on dit) (3 pts pour 2 bonnes rép.)

285) QUELLE est la particularité de la présidence de la Bosnie depuis 1995, date à laquelle sont intervenus les accords de Dayton mettant fin aux combats entre Serbes, Croates et Musulmans ?

ELLE EST PARTAGÉE ALTERNATIVEMENT PAR LES TROIS FACTIONS

286) En 1976, lors d'un vote libre de toute allégeance politique, les membres de la Chambre des communes votent majoritairement pour l'abolition de la peine capitale. QUELLE a été cette majorité ; de 6, 27 OU 55 voix ?

SIX (130 à 124)

287) QUEL était le nom du parti politique du richissime américain Ross Perot, candidat aux élections présidentielles de 1992 et de 1996 aux États-Unis ?

REFORM PARTY (Parti réformiste)

288) En 1996, le peuple israélien se donne un nouveau premier ministre. QUI est-il et QUEL parti représente-t-il ?

BENJAMIN NETANYAHU - LIKOUD (faible majorité de 30,000 voix)(1 pt/rép.)

289) COMBIEN de jours les forces *TERRESTRES* américaines et des autres pays de la coalition ont-elles mises pour libérer le Koweït et obliger le régime de Sadam Hussein à mettre fin à la guerre du golfe ?

QUATRE (100 HEURES) (jeu de 2 jours + ou - alloué)

290) QUEL pays de l'Asie du Sud-Est est secoué par deux sérieuses récessions en 1986-87 et en 1998 ? Le régime du premier ministre Mahatir Mohammed est sérieusement contesté par l'opposition et le peuple. Mohammed a même fait emprisonner son vice-premier ministre, l'accusant de corruption et de délits sexuels.

MALAISIE (la crise de 98 a eu lieu durant les Jeux du Commonwealth)

291) Avant de se lancer en politique, à QUELLE expérience le sénateur de l'Arizona et candidat à l'investiture présidentielle républicaine en 2000, John McCain, devait-il sa notoriété ?

PRISONNIER DE GUERRE AU VIETNAM DE 1967 À 1972 (il était pilote)

292) Au début de l'an 2000, le taux de chômage en France est de 10,7 %. Afin de réduire ce taux, le premier ministre, Lionel Jospin, fait adopter une loi qui réduit le nombre d'heures hebdomadaires de travail de la majorité des travailleurs à COMBIEN ?

TRENTE-CINQ

293) QUELLE mesure sociale le gouvernement du Québec a-t-il prise pour venir en aide financièrement aux citoyens âgés de 65 ans et plus en 1977 ?

LA GRATUITÉ DES MÉDICAMENTS (bonne réponse=1 point de plus)

294) Environ 60 territoires, dépendances et colonies demeuraient sous un certain contrôle d'une dizaine de nations importantes du monde en 1999. De ce groupe, LAQUELLE en possédait le plus cette année-là ?

FRANCE (16. La Gr.-Bretagne et les États-Unis, 15 chacune, l'Australie, 6)

295) QUEL président de QUEL pays d'Afrique du Nord est jugé inapte à diriger sa nation par son premier ministre en 1987 ? Âgé de 84 ans et atteint de sénilité, selon le premier ministre Ben Ali, il est mis à la retraite et Ali lui succède jusqu'à la tenue de nouvelles élections.

HABIB BOURGUIBA (au pouvoir depuis 30 ans) - TUNISIE (1 pt par b. rép.)

296) Durant la guerre du Golfe, COMBIEN d'avions irakiens ont été abattus par les chasseurs de la force alliée de coalition lors des engagements aériens ? Ce chiffre ne tient pas compte des avions détruits au sol ou abattus par les missiles sol-air ou autres moyens de défense anti-aérienne. 17, 30, 41 OU 59 ?

QUARANTE ET UN (la plupart par des avions américains, des F-15 surtout. Aucun avion de la coalition n'a été abattu par les avions irakiens)

297) NOMMEZ le ministre des sports du Canada qui a perdu son poste au sein du Cabinet fédéral en 1990. Il avait été dévoilé qu'il avait téléphoné à un juge qui devait rendre une décision dans une cause impliquant l'Association canadienne d'athlétisme.

JEAN CHAREST (alors ministre des Sports du Canada)

298) Dans QUEL pays européen a-t-il été décidé en 1984 d'éliminer la religion catholique romaine comme religion d'État ?

ITALIE (la décision a été celle du Vatican et du gouvernement italien)

299) QUELLE nation d'Amérique centrale a mis fin en 1992 à quinze ans de guerre civile après avoir été une dictature militaire de 1932 à 1979 ?

EL SALVADOR

300) Jusqu'en 1980, cet archipel composé de 89 îles et sous le contrôle conjoint de la France et de la Grande-Bretagne, s'appelait les Nouvelles Hébrides. En accédant à l'indépendance en 1980, cet archipel du Sud-Est asiatique a hérité d'un nouveau nom. LEQUEL ?

VANUATU (bonne réponse=1 point de plus)

301) COMBIEN de membres des forces aériennes de l'OTAN (16 pays) ont été tués au combat par les forces serbes durant la guerre du Kosovo au printemps de 1999 ? Aucun, 3, 6 OU 10 ?

AUCUN (cinq ont perdu la vie durant des exercices)

302) Une entente d'une valeur de un milliard cinq cent millions de dollars a été signée en 1983 entre la France et le Québec pour la construction de QUELLE usine qui sera située à QUEL endroit ?

UNE ALUMINERIE - BÉCANCOUR (à 150 kilomètres à l'est de Montréal)

303) QUEL ex-secrétaire du parti communiste de Tchécoslovaquie de 1968 le nouveau président Vaclav Havel choisit-il au poste de président du Parlement de Prague après la soi-disant « révolution de velours » de décembre 1989 ?

ALEXANDRE DUBCEK (héros national du Printemps de Prague en 1968)

304) En 1976, l'Espagne se retire de ce territoire de l'Afrique de l'Ouest. Le Maroc s'empresse d'annexer les deux tiers du territoire riche en phosphate et la Mauritanie, l'autre tiers. Aussitôt, un groupe de rebelles revendique tout le territoire et reçoit l'appui de l'Algérie. NOMMEZ ce territoire.

SAHARA OCCIDENTAL (un long conflit a suivi et le problème reste entier)

305) Après avoir obtenu l'assurance du gouvernement américain que les risques d'accidents étaient à peu près nuls, le gouvernement canadien de Pierre-Elliott Trudeau a donner l'autorisation à l'aviation américaine de faire des vols d'essai de QUELLE arme nouvelle au-dessus du sol canadien en 1983 ?

MISSILE DE CROISIÈRE (le premier, largué d'un B-52, a volé au-dessus des provinces des prairies en février 1984)

306) Économiquement assommé par l'instabilité politique de ses gouvernements depuis les années 30, ce pays d'Amérique du Sud détenait le titre de nation au plus faible revenu per capita d'Amérique du Sud en 1985 et au taux d'inflation le plus élevé, un peu moins de 3000 %. NOMMEZ ce pays.

BOLIVIE (depuis lors, l'économie s'est beaucoup améliorée grâce à une plus grande stabilité politique)

307) En 1978, le Congrès américain a autorisé à titre posthume l'attribution du nouveau titre de « général six étoiles des armées des États-Unis » à QUEL général décédé près de 180 ans auparavant ?

GEORGE WASHINGTON (1er président américain et commandant en chef de l'armée continentale de 1789 à 1796. George Pershing a aussi reçu le même titre militaire en 1919 mais pas celui de 6 étoiles)

308) QUEL a été le pourcentage des votants admissibles qui ont exercé leur droit de vote lors du référendum sur l'indépendance du Québec en 1980 ?

QUATRE-VINGT SIX POUR CENT (jeu de 3 % + ou - alloué)

309) QUELLE nation a été reconnue coupable de génocide par un tribunal des Nations-Unies en 1998, un précédent dans l'histoire de cet organisme ? Le génocide systématique a fait un million de morts et provoqué la fuite de plus de deux millions de réfugiés vers les pays voisins.

RWANDA (les Tutsis ont massacré les Hutus)

310) Pour se venger des forces de la coalition qui venaient de lui infliger une écrasante défaite, à QUEL moyen Sadam Hussein a-t-il fait appel pour nuire à l'avance des soldats alliés et pour punir le Koweït ?

IL A FAIT SAUTER LES PUITS DE PÉTROLE KOWEÏTIENS (en juin 1991, 732 puits de pétrole étaient en flammes)

311) QUELLE décision du gouvernement conservateur de Joe Clark en 1979 et concernant l'État d'Israël a été jugée inopportune par l'Opposition et dénoncée par les pays arabes du Proche-Orient ?

DE DÉMÉNAGER L'AMBASSADE DU CANADA DE TEL AVIV À JÉRUSALEM

312) À QUEL important secrétaire du cabinet de Ronald Reagan le président George Bush a-t-il accordé un pardon en 1989 pour son implication dans l'affaire Iran-Contra (Irangate) ?

CASPAR WEINBERGER (ce geste a été traduit par plusieurs observateurs comme une implication de Bush lui-même dans cette histoire)

313) QUEL regroupement de communautés minoritaires du Québec est fondé en 1982 ? Il choisit Eric Maldoff comme premier président.

ALLIANCE QUÉBEC

314) NOMMEZ le président d'une république européenne qui a été accusé en 1986 d'avoir participé à la déportation des Juifs vers les camps de la mort alors qu'il portait l'uniforme allemand durant la 2e guerre.

KURT WALDHEIM (président d'Autriche et ex-sec.-général de l'ONU. Il n'a pas démissionné et a réussi à détourner les accusations)

315) Après une présence de près de 100 ans, les marins et aviateurs américains quittent leurs bases de ce pays d'Asie pour de bon en 1992. LEQUEL ?

PHILIPPINES (la base navale de Subic Bay et la base aérienne Clark étaient les plus importantes des Américains en Asie du Sud-Est)

316) COMBIEN de fois Jean Drapeau a-t-il été élu maire de la ville de Montréal entre 1954 et 1986 ?

HUIT FOIS (dont 7 fois consécutives)

317) QUEL premier ministre de l'Ontario a perdu son propre siège lors des élections provinciales de 1990 ?

DAVID PETERSON (libéral. Le NPD de Bob Rae a gagné l'élection)

318) En COMBIEN de zones d'occupation la province du Kosovo a-t-elle été divisée par l'OTAN et l'ONU après la fin des bombardements en mai 1999 ? NOMMEZ aussi les pays qui ont obtenu la juridiction sur chacune des zones d'occupation.

CINQ - USA, G-BRETAGNE, FRANCE, ALLEMAGNE, ITALIE (1 pt par b. rép.)

319) C'est en 1993 qu'est décédée Madame Jeanne Sauvé, première gouverneur général du Canada (1985-1989). QUEL était son nom de fille ?

BENOIT (elle avait épousé Maurice Sauvé en 1948) (bonne rép.=2 pts de plus)

320) COMBIEN de nations de l'Europe de l'Est ont fait une demande d'adhésion à la Communauté européenne en 1998 ? 7, 11 OU 14 ?

ONZE (des négociations ont été entreprises avec six d'entre-elles)

321) Les nouveaux chasseurs américains F-22 coûtent au gouvernement américain 206 000 000 de dollars CHACUN. 339 ont été commandés pour un montant de soixante-dix milliards de dollars. En comparaison au F-22, COMBIEN coûte chacun des bombardiers furtifs B-2, utilisés pour la première fois dans la guerre du Kosovo au printemps de 1999 ? 3, 7 OU 11 fois plus ?

ONZE FOIS PLUS (deux milliards deux cent trente millions de dollars chacun)

322) QUELLE province du Mexique devient la scène de sanglants combats entre les rebelles Zapatista et l'armée nationale en 1994 ? C'est le refus du gouvernement d'adopter des réformes agraires qui est à l'origine du conflit.

CHIAPAS (située dans le sud du pays)

323) En 1983, le gouvernement de la Côte d'Ivoire a décidé de transférer progressivement le siège du gouvernement de la ville d'Abidjan à QUELLE autre ville ?

YAMOUSSOUKRO (bonne réponse=1 point de plus)

324) NOMMEZ les membres de trois familles connues à travers le monde qui ont vu trois des leurs (père, mère, fille, fils, frère ou sœur) accéder à la tête d'un pays, d'un État ou d'une province. Les membres de familles royales ou impériales sont exclus. NOMMEZ aussi les trois pays, États ou provinces.

INDE (Nehru, Indira Ghandi, sa fille, Rajiv, fils d'Indira, tous premiers ministre de l'Inde) QUÉBEC (Daniel Johnson, Pierre-Marc et Daniel, ses fils, tous premiers ministre du Québec) ÉTATS-UNIS (George Bush, président et ses deux fils George W. et Jeb, gouverneurs des États du Texas et de la Floride) (Un point par bonne réponse - Total possible de 14 points)

325) Depuis 1948, le Canada a été représenté par 17 ambassadeurs différents aux Nations-Unies. Ce n'est qu'en 1992 que la première femme a été choisie à ce titre. QUI est-elle ?

LOUISE FRÉCHETTE (son mandat a pris fin en 1995) (b. rép.=2 pts de plus)

326) NOMMEZ l'ex-champion du monde de patinage artistique qui a été nommé ministre de la Jeunesse et des Sports dans le cabinet de François Mitterrand en 1984.

ALAIN CALMAT (bonne réponse=2 points de plus)

327) Avant de devenir candidat à l'investiture républicaine en prévision des élections présidentielles de 2000, à QUELLE activité, autre que celle de sénateur, Bill Bradley doit-il une bonne partie de sa notoriété ?

JOUEUR DE BASKETBALL PROFESSIONNEL (il a déjà porté les couleurs des Knicks de New York, 2 fois champions de la NBA entre 1970 et 1973)

328) QUI a tenu le rôle de chef de l'opposition par intérim du Québec de novembre 1987 à mai 1988 après la démission du chef du Parti québécois Pierre-Marc Johnson, désillusionné par l'absence d'unité au sein du parti ?

GUY CHEVRETTE

329) Des 15 pays de l'Union européenne, LEQUEL affichait un taux de chômage de 22.5 % au début de 1995, le plus élevé de l'Union ?

L'ESPAGNE

330) Lors du congrès au leadership du Parti libéral du Canada en 1984, John Turner a remporté la victoire sur six autres candidats au 2e tour de scrutin. QUI a terminé au 2e rang ?

JEAN CHRÉTIEN (peu de temps après, il quittait la politique)

331) Lorsque les Musulmans et Croates de la Bosnie-Herzégovine ont déclaré leur indépendance de la Yougoslavie en 1992, la guerre civile a éclaté. Une fois la paix rétablie à la fin de 1995, le pouvoir a été partagé entre les Serbes orthodoxes, les Croates catholiques et les Musulmans. À QUELLE origine ethnique les Musulmans bosniaques appartiennent-ils ?

TURQUIE (sous l'empire Ottoman, les envahisseurs turcs s'étaient établis en majorité dans la région de la Bosnie-Herzégovine)

332) À la suite d'un référendum, QUEL pays choisit par un vote de 57,2 % en 1994 de ne PAS envoyer 600 casques bleus pour aider l'ONU dans ses missions de paix à travers le monde. La proposition de le faire avait été soumise par le gouvernement fédéral de ce même pays.

LA SUISSE (autre effort d'ouverture diplomatique du gouv. rejeté)

333) QUI a été nommé ministre de la Justice du Québec et des Affaires intergouvernementales par le premier ministre Robert Bourassa en 1989 ?

GIL RÉMILLARD

334) En 1984, le Front sandiniste de libération nationale remporte 60 des 90 sièges de l'Assemblée nationale lors des élections tenues au Nicaragua. QUI est alors devenu président de cette République ?

DANIEL ORTEGA (bonne réponse=1 point de plus)

335) Lorsqu'il y a eu le coup d'État des colonels en Grèce en 1967, cette artiste est devenue la voix de la liberté en exil. Après le retour de la démocratie en 1975, elle est revenue dans son pays où elle est devenue au début des années 80, ministre de la Culture au sein d'un gouvernement socialiste. QUI était-elle ?

MELINA MERCOURI (actrice. Elle est décédée en 1994)

336) Lors des rencontres au sommet de 1985 et 1986 de Ronald Reagan et de Mikhaïl Gorbachev sur le désarmement nucléaire des deux nations, QUEL système révolutionnaire de défense Reagan a-t-il refusé d'éliminer malgré l'insistance du leader soviétique ?

STAR WARS (guerre des étoiles. À peine éprouvé, ce système n'avait pas d'équivalent en URSS. Les négociations ont échoué)

337) Dans QUEL pays le précédent suivant a-t-il été créé en 1994 ? Chandrika Kumaratunga est élue présidente du pays et elle désigne sa mère, Sirima Bandaranaïke, comme première ministre.

SRI LANKA (Sirima Bandararaïke, 78 ans, avait été première ministre de 1960 à 1965 et de 1970 à 1977. Toutes deux étaient encore en poste en 1999)

338) Après avoir été élue députée conservatrice dans le gouvernement de Brian Mulroney en 1984, elle est devenue la même année, ministre d'État à la Jeunesse. QUI est-elle ?

ANDRÉE CHAMPAGNE (députée de St Hyacinthe)

339) QUEL parti minoritaire l'Autrichien Joerg Haider dirige-t-il au Conseil national de ce pays depuis les élections d'octobre 1999 ? Et QUEL pourcentage du vote populaire son parti a-t-il obtenu lors de ces élections.

LIBERTÉ (parti de droite) - 27 % (Haider est aussi gouverneur de la province de Carinthie) (Jeu de 3 % +/- alloué) (2 bonnes réponses=3 points)

340) QUEL pays a demandé en 1994 l'extradition de Margaret Thatcher, première ministre d'Angleterre, afin qu'elle soit jugée pour crime de guerre commis en 1982 contre un bâtiment de guerre de ce pays ?

L'ARGENTINE (l'accusation porte sur l'ordre donné par Thatcher de couler le croiseur argentin Belgrano durant la guerre des Falklands. Plus de 350 marins avaient alors péri après le torpillage du croiseur par un sous-marin)

341) NOMMEZ l'ex-général des forces armées du Canada qui a été nommé en 1999 pour superviser le désarmement des membres de l'armée républicaine irlandaise (IRA), condition *sine qua non* à l'établissement d'un gouvernement de coalition protestant-catholique en Irlande du Nord.

JOHN DE CHASTELAIN (après une brève période, ce gouvernement a été dissous en fév. 2000 devant la lenteur de l'IRA à respecter son engagement)

342) COMBIEN les campagnes d'investiture au leadership du parti républicain ont-elles coûté au candidat Steve Forbes en 1996 et 2000 ? Chaque fois, il a choisi d'abandonner la lutte.

SOIXANTE-SIX MILLIONS DE DOLLARS (jeu de 16 000 000$ +/- alloué)

343) En octobre de 1991, 52 % des Canadiens étaient dirigés par des gouvernements néo-démocrates provinciaux. NOMMEZ les trois provinces canadiennes alors dirigées par le NPD.

ONTARIO (Bob Rae) - SASKATCHEWAN (Roy Romano) - COLOMBIE-BRITANNIQUE (Mike Harcourt) (1 point par bonne réponse)

344) NOMMEZ le cheikh saoudien qui a été le numéro 1 mondial du pétrole de 1962 à 1986, date à laquelle il a été démis de ses fonctions par le roi Fahd. Fin diplomate, il arrivait presque toujours à réconcilier les positions des diverses parties radicales et modérées des autres pays arabes producteurs de pétrole.

AHMED YAMANI (bonne réponse=2 points de plus)

345) QUEL prince, époux d'une reine européenne, a été contraint de renoncer à tous ses titres et postes politiques et militaires en 1976, après avoir été accusé de complicité dans une histoire de scandale entourant la vente d'avions commerciaux par la compagnie américaine Lockheed ?

PRINCE BERNHARD (mari de la reine Juliana des Pays-Bas)

346) QUEL ministre canadien des Pêcheries a été contraint de démissionner en 1985 parce qu'il avait autorisé la vente d'un million de boîtes de conserve de thon avarié ? Peu de temps après, il était nommé président des Communes.

JOHN FRASER (bonne réponse=2 points de plus)

347) De QUEL organisme des Nations-Unies le gouvernement des États-Unis a-t-il décidé de se retirer en 1983, alléguant qu'il était mal administré et qu'il faisait preuve de discrimination politique, contraire aux politiques américaines ?

UNESCO (Org. cult. scient. et éduc. des Nations-Unies)

348) **Le parlement européen (institution de l'Union européenne) était composé de 626 députés en 1999, tous élus par les habitants des membres de l'Union. LEQUEL des 15 pays de l'Union européenne a le plus de députés ?**

L'ALLEMAGNE (99. La France, l'Italie et la Grande-Bretagne ; 87 chacun)

349) **Il y a eu fusion en 1983 de la ville de Baie Comeau et de QUELLE autre ville ?**

HAUTERIVE

350) **Durant l'exercice financier de 1996-97, le gouvernement fédéral du Canada affichait une dette de 574 milliards de dollars. L'intérêt sur cette dette était de 47 milliards de dollars. QUEL pourcentage du budget fédéral de cet exercice, ce montant payé en intérêts sur la dette représentait-il ? Aucun autre ministère du gouvernement ne commandait un pourcentage aussi élevé.**

TRENTE-TROIS POUR CENT (jeu de 3 % + ou - alloué)

351) **QUEL État américain a vu ses habitants se révolter contre les taxes trop élevées en 1978 ? Appelée Proposition 13, un amendement constitutionnel est adopté afin de réduire de 57 % les taxes foncières des propriétaires de cet État.**

CALIFORNIE (65 % des électeurs l'ont approuvé lors d'un référendum. Cette décision unique influencera les autres États à en faire autant au fil des ans)

352) **LAQUELLE des 21 républiques autonomes de Russie a constamment fait la une des journaux depuis 1994 ?**

LA TCHÉTCHÉNIE (à majorité musulmane. Deux guerres entre rebelles indépendantistes et l'armée soviétique ont fait des milliers de morts)

353) **En 1980, ce pays européen de 250 000 habitants, devient le premier au monde à élire au suffrage universel une présidente de la République ? NOMMEZ-le.**

L'ISLANDE (Vigdis Finnbogadottir. Trois femmes avaient précédemment hérité du pouvoir ailleurs dans le monde mais à titre de premières ministres)

354) **QUEL est le deuxième prénom du gouverneur de l'État du Texas et candidat républicain à l'investiture présidentielle de l'an 2000, George W. Bush ? Et QUEL en est l'origine ?**

WALKER - NOM DE FILLE DE SA GRAND'MÈRE (2 bonnes rép.=4 pts)

355) **En 1984, la province du Nouveau-Brunswick a célébré son bicentenaire. Mais en 1784, cette colonie britannique est venue bien près de recevoir un autre nom. LEQUEL ?**

NEW IRELAND (le roi d'Angleterre, George III, a imposé Nouveau-Brunswick) (bonne réponse=3 points de plus)

356) **QUEL pays d'Afrique, le plus populeux de ce continent, s'est donné un gouvernement civil en 1999 après 16 ans de dictature militaire ?**

NIGERIA (population de 110 000 000)

357) Au début de 1999 en France, se tient une conférence des représentants de l'OTAN et des Kosovars albanais afin de mettre fin aux combats au Kosovo. La Yougoslavie choisit de ne pas y participer et est menacée de bombardements aériens si elle ne respecte pas les accords conclus lors de cette conférence qui a été tenue à QUEL endroit et qui porte son nom ?

RAMBOUILLET (accords de .....)

358) À QUELLE mesure le gouvernement du Québec a-t-il fait appel à la fin de 1988 pour maintenir la loi sur l'affichage en français après que la cour Suprême l'ait jugée inconstitutionnelle ? Ainsi est née la loi 178.

LA CLAUSE NONOBSTANT

359) QUEL sérieux candidat à l'investiture du Parti démocrate américain en prévision des élections présidentielles de 1988, a perdu toute crédibilité auprès du public américain en 1987, après qu'on ait découvert qu'il avait eu une relation amoureuse avec une actrice de 29 ans, Donna Rice ?

GARY HART (il a abandonné la course en mai 87 pour ensuite la reprendre 7 mois plus tard. Peu de temps après, il abandonnait de nouveau)

360) QUELLE province de l'Est du Canada a manifesté son intention au début de l'an 2000 d'instituer son propre impôt provincial sur le revenu ?

NOUVELLE-ÉCOSSE (l'Alberta et le Manitoba aussi à la fin des années 90)

361) QUEL pays membre du Commonwealth a choisi par voie de référendum en 1999 de ne pas devenir une république et de conserver ses liens avec la couronne britannique ?

L'AUSTRALIE (54 % des votants ont dit OUI à l'union avec la couronne)

362) Après avoir quitté les rangs de l'OTAN en 1966, ce pays décide de réintégrer cet organisme militaire trente ans plus tard. NOMMEZ-le.

LA FRANCE

363) Depuis 1989, c'est le désordre général dans ce petit pays de la côte ouest africaine, victime d'une terrible guerre civile qu'aucun intervenant étranger, même les Américains, n'arrive à réprimer. Indépendant depuis 1847, ce pays n'avait jamais connu la guerre auparavant. NOMMEZ ce pays.

LIBÉRIA (le seul pays africain à ne pas avoir vécu le colonialisme au XXe s.)

364) NOMMEZ le leader républicain de la Chambre des représentants qui a été blâmé pour la perte de sièges à cette Chambre ainsi qu'au Sénat aux mains des Démocrates lors des élections de 1998.

NEWT GINGRICH (il a résigné ses postes de leader et de représ. au Congrès)

365) C'est en 1990 que la tribu des Mohawks de la région d'Oka (Kanesatake) a choisi de tenir tête aux forces policières du Québec qui tentaient de faire lever un barrage routier, entraînant la mort d'un policier. À QUELLE nation amérindienne la tribu des Mohawks appartient-elle ?

IROQUOISE (composée de cinq tribus)

366) Né d'une famille juive, Bruno Kreisky a été le chef du parti socialiste de QUEL pays d'Europe de 1967 à 1983 et dirigeant de 1970 à 1983. Décédé en 1990, il avait été le seul chef d'État au monde à figurer dans l'annuaire, afin que n'importe lequel de ses concitoyens puisse l'appeler.

AUTRICHIEN (chancelier)

367) QUEL a été le seul pays à couler un navire de guerre à l'aide d'un sous-marin nucléaire durant les années 80 ?

GRANDE-BRETAGNE (le sous-marin nucléaire Conqueror a coulé le croiseur argentin Belgrano dans le sud de l'Atlantique durant la guerre des Falklands en 1982)

368) QUI a détenu le portefeuille de ministre des Finances durant les huit années du gouvernement conservateur de Brian Mulroney entre 1984 et 1993 ?

MICHAEL WILSON

369) Le roi de ce pays a préféré quitter son trône durant 36 heures plutôt que de signer un projet de loi dépénalisant l'avortement voté plus tôt par la Chambre des députés. Cette décision a permis la promulgation de la loi sans créer une crise constitutionnelle. NOMMEZ le pays et son roi qui a recouvré tous ses pouvoirs peu de temps après l'adoption de la loi.

BELGIQUE - BEAUDOIN (l'article 82 de la constitution du pays permet cette « impossibilité » de « régner » du roi) (2 bonnes réponses=3 points)

370) NOMMEZ le secrétaire de presse du président Ronald Reagan qui a été atteint à la tête en 1981 par une balle tirée par un tireur fou qui tentait d'assassiner le président à Washington ? Il a survécu à ses blessures mais est demeuré paralysé.

JAMES BRADY (bonne réponse=2 points de plus)

371) NOMMEZ les deux partis qui ont réussi à faire élire des députés pour la première fois depuis 1930 à l'Assemblée législative de l'Alberta en 1989.

NPD (16) - LIBÉRAUX (8) (jusque-là, les Albertains n'avaient élu que des Conservateurs et des Créditistes)

372) En juin 1990 disparaît le seul point de passage à l'Est pour les Occidentaux. Pendant 29 ans, les Berlinois ont vu l'inscription *Attention, vous quittez le secteur américain,* chaque fois qu'ils se rendaient à Berlin-Est. QUEL nom portait ce poste de contrôle, disparu avec la chute du mur ?

CHECKPOINT CHARLIE

373) QUEL leader de ce pays du Proche-Orient a été assassiné par un fanatique du même pays en 1995 ?

YITZHAK RABIN (premier ministre d'Israël. À Tel Aviv)

374) À QUEL poste Boris Eltsine a-t-il été élu au suffrage universel en juillet 1991 ?

PRÉSIDENT DE LA RÉPUBLIQUE DE RUSSIE (M. Gorbatchev était encore le chef de l'U.R.S.S. à ce moment-là)

375) QUEL pays possédait le plus grand nombre de soldats de carrière per capita en 1996 ; Israël, États-Unis, Corée du Nord, Irak, Russie ?

CORÉE DU NORD (26.8/1000 de pop. - Russie, 16.1, Irak, 14.8, Israël, 8.6, États-Unis, 4.1, Canada, 1.5)

376) Lorsque François Mitterrand a été élu président de la République française en 1981, il a nommé quatre membres de QUEL parti minoritaire à son cabinet ?

COMMUNISTE

377) QUE vous rappelle le nom de Bobby Sands, mort en 1981 en Irlande du Nord ?

MEMBRE DE L'IRA MORT DES SUITES D'UNE GRÈVE DE LA FAIM (durant son jeûn, il a été élu député au Parlement britannique. 9 autres membres de l'Irish Republican Army l'ont imité et sont morts par la suite)

378) QUI est devenu en 1986 le vice-premier ministre canadien, le président du Conseil privé et le leader parlementaire du gouvernement à la Chambre des communes ?

DON MAZANKOWSKI (bonne réponse=1 point de plus)

379) En 1999, Juan Carlos a été le premier souverain espagnol à se rendre dans QUELLE ancienne colonie espagnole, devenue indépendante en 1898 ?

CUBA

380) Avant de devenir député libéral à l'Assemblée nationale en 1981, il a obtenu un doctorat en droit de l'Université de Londres en 1971 et a été secrétaire puis vice-président de la Power Corporation du Canada de 1973 à 1981. Entre 1985 et 1993, il a été ministre et président du Conseil du Trésor dans le gouvernement de Robert Bourassa. QUI est-il ?

DANIEL JOHNSON (fils. Il est devenu premier ministre du Québec en 1993)

381) QUEL nouveau secrétaire d'État à la Santé de la France a été choisi par le secrétaire-général de l'ONU, Kofi Annan, comme administrateur civil au Kosovo en juillet 1999 ? Sorte de régent, il aura comme tâche principale de faire régner l'ordre dans cette province ravagée par les bombardements.

BERNARD KOUCHNER (aussi co-fondateur de Médecins sans frontières)

382) En QUELS termes le président américain Ronald Reagan a-t-il qualifié l'URSS lors d'un discours en 1983 ?

EMPIRE DIABOLIQUE (« Evil Empire ». Paroles qu'il a ravalées part la suite après s'être lié d'amitié avec Mikhaïl Gorbatchev durant son 2e mandat)

383) Avec l'élection des Libéraux de Clyde Wells en 1989 à Terre-Neuve, cinq provinces canadiennes étaient dirigées par des gouvernements libéraux. En 1994, même situation. COMBIEN en dirigeaient-ils en 2000 ?

UNE (Terre-Neuve)

384) QUI a été la première femme américaine à devenir candidate à la course à la présidence des États-Unis en 1999 ? Mais quelques mois plus tard, elle a choisi de se retirer de l'investiture républicaine lors des primaires à cause du coût prohibitif de la campagne.

ELIZABETH DOLE (femme de Bob Dole, adversaire de Bill Clinton en 1996)

385) QUEL poste Lucien Bouchard détenait-il avant d'être élu député conservateur de la circonscription de Lac-St-Jean au fédéral en 1988 ?

AMBASSADEUR DU CANADA À PARIS (de 1985 à 1988)

386) Le gouvernement de l'Allemagne demande officiellement pardon à l'Espagne en 1998 pour le bombardement de QUELLE ville espagnole 61 ans plus tôt ?

GUERNICA (durant la guerre civile d'Espagne, des avions allemands et italiens avaient bombardé impunément cette petite ville basque, faisant des centaines de morts chez les civils)

387) QUEL pays de l'Europe de l'Ouest est devenu en 1981 le plus féminisé au monde avec un pourcentage de 34 % de députées féminines au Parlement ?

NORVÈGE (la première ministre se nomme Gro Harlem Brundtland)

388) NOMMEZ les deux républiques frontalières de la Tchétchénie qui ont été envahies par des milliers de réfugiés tchétchènes durant les deux guerres entre la république rebelle et l'armée russe entre 1994 et 2000.

DAGUESTAN - INGOUCHIE (2 bonnes réponses=3 points)

389) NOMMEZ la députée albertaine de l'ex-Reform party qui est devenue leader parlementaire du nouveau parti de l'Alliance canadienne à la Chambre des communes à Ottawa en mars 2000.

DEBORAH GRAY (elle a succédé à Preston Manning qui a démissionné de son poste de chef du parti réformiste en mars 2000)

390) Raymond Poincaré a été le dernier président de la France à se rendre en visite officielle dans ce pays d'Europe de l'Ouest. C'était en 1913. Quatre-vingt six ans plus tard, Jacques Chirac visite ce même pays. LEQUEL ?

L'ESPAGNE (Chirac est allé déposer une gerbe au monument célébrant la révolte du 3 mai 1808 contre les troupes de Napoléon à Madrid)

391) Lorsque Joe Clark a été élu chef du Parti conservateur en 1979, QUEL candidat a terminé au 2e rang lors du scrutin ?

BRIAN MULRONEY

392) Par COMBIEN de votes le camp du Non a-t-il gagné le référendum de 1995 sur la souveraineté du Québec ?

54 000 (jeu de 4000 + ou - alloué)

393) Devenu premier ministre de la Chine en 1999, il a rendu une visite officielle au président Bill Clinton et au premier ministre Jean Chrétien en 1998. QUI est-il ?

ZHU RONGJI (bonne réponse=1 point de plus)

394) Après les Philippines qui invitent les Américains à quitter leurs bases navale et aérienne en 1992, c'est au tour d'un important pays européen de demander le départ des 5000 militaires américains et de leurs 72 F-16 dans un délai de trois ans. NOMMEZ ce pays.

L'ESPAGNE

395) La province de Terre-Neuve hérite d'un nouveau nom. Ainsi en a décidé le gouvernement de cette province en 1999. QUEL est ce nouveau nom ?

TERRE-NEUVE ET LABRADOR

396) Accusé de complicité de corruption dans les matches de l'équipe de football Olympique de Marseille en 1994, ce député a perdu son immunité parlementaire et a été contraint d'abandonner la présidence du club de Marseille. QUI est-il ?

BERNARD TAPIE (il est jugé inadmissible à quelque élection que ce soit pour une période de 5 ans)

397) NOMMEZ la république de 24 000 000 d'habitants de l'Asie du Sud-Est qui s'est donnée pour la première fois depuis sa création en 1949, un gouvernement élu au suffrage universel en 1996.

TAIWAN (ex-Formose. Non-admise à l'ONU. La Chine considère l'île comme une province chinoise et réclame son retour)

398) Situé au nord de l'Écosse et à l'ouest de la Norvège, cet archipel de 18 îles dont une seule est habitée, est qualifié de communauté autonome à l'intérieur du Danemark. Depuis l'annonce d'une présence quasi-certaine de gisements sous-marins de pétrole, la population insulaire a manifesté en 2000 le désir de devenir politiquement et économiquement indépendante du Danemark. De QUEL archipel s'agit-il ?

FÉROÉ (Îles) (les négociations ont commencé au printemps de 2000 avec le gouvernement danois. Les tenants de l'indépendance demandent que la reine du Danemark demeure le chef d'état et que la monnaie soit la même)

399) QUEL ministre du cabinet de Pierre Trudeau a démissionné en 1976 après l'acceptation par le gouvernement fédéral de permettre le bilinguisme dans les communications entre les pilotes d'avions et les contrôleurs des aéroports de Dorval, de Mirabel et de St Hubert ?

JEAN MARCHAND (une grève des pilotes opposés à cette décision a éclaté une semaine avant les Jeux Olympiques de Mtl. Une commission d'enquête créée par Trudeau a jugé en 1979 que la sécurité aérienne n'était pas menacée par l'utilisation des deux langues par les pilotes et les contrôleurs)

400) QUELLE nation domine le classement mondial des impôts les plus élevés, tant au chapitre des particuliers que des corporations ?

SUÈDE (Canada ; 3e rang (particuliers) - 9e rang (corporations))

401) QUELS sont les deux véritables prénoms du président américain Bill Clinton, élu en 1992 et réélu en 1996 ?

WILLIAM JEFFERSON (1 point par prénom)

402) QUELLE province canadienne a été la première à effacer son déficit budgétaire en 1994-95 ?

SASKATCHEWAN

403) Après 33 ans à la présidence de la Côte d'Ivoire, il meurt en 1993. QUI était cet homme politique africain ?

FÉLIX HOUPHOUËT-BOIGNY (bonne réponse=1 point de plus)

404) QUEL homme politique québécois a admis en 1992 avoir reçu une rémunération des services secrets de la GRC à titre d'informateur ?

CLAUDE MORIN (alors qu'il était ministre des Affaires internationales (1974-1981) dans le gouvernement de René Lévesque)

405) Margaret Thatcher, ex-première ministre de Grande-Bretagne, a été accueillie en 1992 dans QUELLE célèbre enceinte de Westminster à titre de membre ?

CHAMBRE DES LORDS (elle devenait alors une baronne)

406) De QUELLE province canadienne l'Indo-Canadien Ujjal Dosanijh est-il devenu premier ministre en 2000 à la suite de la démission du premier ministre élu en 1999 ?

COLOMBIE-BRITANNIQUE (Dan Miller a succédé par intérim à Glen Clark. Lors du congrès d'investiture du NPD en janvier 2000, Dosanijh a été élu chef)

407) Abstraction faite de la Grèce, QUEL pays d'Europe affichait en 1995 la plus faible présence de femmes au sein de son gouvernement ?

LA FRANCE (35 des 577 députés à l'Assemblée nationale ; une moy. de 6 %)

408) NOMMEZ celle qui a été ministre de la Santé et des Services sociaux de 1985 à 1989 dans le cabinet de Robert Bourassa.

THÉRÈSE LAVOIE-ROUX (elle a été nommée sénatrice par Brian Mulroney en 1990)

409) C'est en 1985 que ce nouveau parti voué à la conservation, à l'écologie et à l'environnement, fait élire son premier représentant dans un gouvernement, celui des Sociaux-Démocrates de Hesse en Allemagne. QUEL nom porte ce nouveau parti ?

LES VERTS

410) Lorsque le dollar canadien a subi une forte baisse de 10 cents entre la fin de 1997 et la fin de 1998, passant de 73 à 63.21 cents, QUEL avantage cette dévaluation a-t-elle procuré à l'économie canadienne ?

AUGMENTATION CONSIDÉRABLE DE NOS EXPORTATIONS (le taux de chômage a chuté au niveau de 1975 et notre surplus commercial a été élevé. L'aspect négatif a été la faiblesse du dollar pour les importations)

411) QUEL pasteur protestant et démocrate noir de l'Illinois a été candidat à l'investiture présidentielle du Parti démocrate en 1984 ? Faute d'appui, il s'est retiré de la course avant le congrès de nomination du parti.

JESSE JACKSON

412) COMBIEN de soldats de la KFOR (Kosovo Force), représentant 19 pays de l'ONU, se trouvaient au Kosovo au début de l'an 2000 pour maintenir la paix entre les Kosovars albanais et serbes ? 25 000, 45 000 ou 65 000 ?

QUARANTE-CINQ MILLE (dont 6 500 Américains, le plus fort contingent et 1 500 Canadiens)

413) QUEL député conservateur, élu dans la circonscription de Chicoutimi lors des élections fédérales de 1997, a choisi au printemps de 2000 de quitter le parti de Joe Clark pour siéger comme Indépendant aux Communes ?

ANDRÉ HARVEY (il a tout de suite été sollicité par les Libéraux et le parti de l'Alliance canadienne)

414) Ministre des Affaires étrangères sous François Mitterrand, il est accusé d'avoir accepté une commission de onze millions de dollars en 1991 après la vente de six frégates par la France au régime de Taiwan. QUI est ce politicien ?

ROLAND DUMAS (peu de temps avant de quitter la présidence en 1995, Mitterrand l'a nommé président du Conseil constitutionnel, l'équivalent du juge en chef de la Cour suprême au Canada. Depuis lors, d'autres accusations de trafic d'influence et d'abus de pouvoir lui ayant rapporté d'autres millions de dollars, ont été portées contre lui)

415) NOMMEZ le célèbre coureur de demi-fond britannique, auteur de trois records du monde en 1979 (800m, 1500m et le mille), qui a été élu député conservateur au parlement de Londres en 1992.

SEBASTIAN COE

416) QUEL député anglophone du Parti Égalité a quitté les rangs de ce parti dirigé par Robert Libman en 1991, à la suite d'une dispute, pour ensuite rallié le Parti québécois l'année suivante ?

RICHARD HOLDEN (bonne réponse=2 points de plus)

417) Jamais le Parti libéral du Canada n'avait obtenu une majorité des sièges aussi forte que celle de 1993 en Ontario. Des 99 sièges en jeu, COMBIEN ont été remportés par le parti de Jean Chrétien ?

QUATRE-VINGT DIX-HUIT (jeu de 1 siège +/- alloué)

CINÉMA - RADIO - TÉLÉVISION

Chapitre 11

« Je n'ai jamais qualifié tous les comédiens de bêtes à cornes. J'ai plutôt dit que tous les comédiens (et comédiennes) devraient être traités comme du bétail ».

Alfred Hitchcock, producteur et réalisateur de films, 1978.

« Jadis, lorsqu'un désastre se produisait, les gens se rendaient à l'église, priaient et se tenaient la main. Aujourd'hui, dès qu'un événement se produit, tous accourent vers un téléviseur pour regarder CNN ».

Don Hewitt, réalisateur de l'émission de télé Sixty Minutes. 1993

« Si Hollywood persiste à produire la plupart de ses films pour un auditoire d'adolescents, les Oscars risquent d'être atteints d'acné l'an prochain ».

Mel Brooks, acteur-réalisateur, 1986.

« L'important dans ce métier, c'est de ne jamais perdre le sens de l'émerveillement. Sans cela, il vaudrait mieux passer à autre chose ».

René Lecavalier, animateur-commentateur de Radio-Canada. Message qu'il a livré à l'auteur de ce livre en 1976.

SYNOPSIS

Que seraient devenus le cinéma et la télévision des vingt dernières années du siècle en Amérique du Nord sans la présence de la violence ? Une violence physique et psychologique manifestée sous toutes ses formes, réelle et fictive. Si on ajoute le sexe, la drogue, la permissivité, l'appât du gain à n'importe quel prix et tout ce qui est synonyme de scandale, vous avez la recette des films et des émissions qui se vendent bien. Les producteurs et scénaristes l'ont compris et le public en est ravi. C'est qu'il croit sans doute se reconnaître.

Si la production de films a considérablement diminué dans l'Occident depuis les années 70, les revenus ont en revanche connu une hausse vertigineuse. L'évolution fulgurante de la technologie nous a procuré une impeccable qualité technique. Ajoutons les innovations nées des merveilles de l'informatique et l'accueil du public est assuré. Mais cette hausse des profits de l'industrie cinématographique est redevable en grande partie à un rival, la télévision, qui durant les années 50 et 60 avait porté de durs coups aux grands studios de cinéma. L'arrivée du magnétoscope, le compagnon inséparable de 90 % de l'auditoire nord-américain à la fin des années 90, est venue garnir les coffrets du cinéma grâce à la location et à la vente de ses films. *« If you can't beat them, join them »* aurait dit un quidam.

Si les cinéphiles et téléphages ne semblent pas se lasser des films violents, ils aiment aussi les comédies. Car à l'exception des films de Disney, d'horreur et quelques rares récits historiques, on a rapidement appris à se passer des westerns et des productions musicales, bibliques et biographiques. Autre monde, autres excès.

La télévision n'a pas évolué aussi rapidement que le cinéma sur le plan technique même si le câble a contraint les dirigeants des grandes chaînes à se spécialiser davantage. L'information n'a jamais été aussi présente sur nos écrans, les sports, les « sitcoms » et les téléromans aussi. Oui, la télévision prive le cinéma d'une clientèle plus considérable mais lui procure en retour plus de revenus à l'aide de la location de ses films. Un mariage de convenances, rien de moins.

Confrontée à de si puissants concurrents, la radio a appris pour sa part à vivre plutôt modestement à l'aide de musique, d'informations et de tribunes téléphoniques. Hélas, certaines stations ont choisi de devenir hystériques avec la complicité d'animateurs qui provoquent un auditoire complaisant à l'aide de propos haineux, provocants et grossiers... une espèce de violence verbale née des sales gueules américaines et imitées à notre manière au Canada et au Québec sans provoquer la moindre vague au CRTC. Mais en général, la radio a accepté avec des effectifs considérablement réduits depuis 20 ans, de s'en tenir à l'essentiel.

Ce chapitre ne s'arrête pas seulement aux grands noms et moments des trois industries nord-américaines des 25 dernières années. Il consacre un nombre important de ses questions au cinéma et à la télévision des autres pays dont le Canada (le Québec surtout) et l'Europe (la France surtout).

DEGRÉ DE DIFFICULTÉ - Plutôt difficile. Une note de 50 % et plus est excellente.
NOMBRE DE QUESTIONS - 388
QUESTIONS CONSACRÉES AU CANADA - 121 (dont 99 au Québec)
POURCENTAGE SUR 388 - 31.8 %

1) Ce qui devait être une émission spéciale consacrée à la prise des otages en Iran en 1979, est devenue une émission régulière de fin de soirée au réseau ABC et était toujours à l'horaire à la fin du siècle. DONNEZ-en le titre AINSI que le nom de l'animateur qui n'a jamais quitté l'émission en 21 ans.

   ABC NIGHTLINE - TED KOPPEL (2 bonnes réponses=3 points)

2) Pour la première fois de l'histoire de la télévision canadienne, un débat télévisé tenu entièrement en français par trois chefs de partis politiques canadiens, a été présenté en 1984. Outre Brian Mulroney et John Turner, QUI était l'autre participant ?

   ED BROADBENT (du parti néo-démocrate)

3) Ce film britannique de 1981 a été proclamé le meilleur de l'année à Hollywood. L'action se déroule en 1924 à Paris durant les jeux Olympiques. QUEL est son titre ?

   CHARIOTS OF FIRE

4) COMBIEN ont coûté au réseau américain ABC les droits de télédiffusion des jeux Olympiques de Montréal en 1976 ?

   VINGT-CINQ MILLIONS DE DOLLARS

5) Un nouveau trophée, indépendant de ceux remis au festival de Cannes, est attribué en 1976 aux lauréats du cinéma français. QUEL nom porte-il ?

   CÉSAR

6) Le film *Les Liaisons Dangereuses,* version américaine de 1988, mettait en vedette Michelle Pfeiffer, John Malkovich et QUELLE autre grande actrice américaine dans le rôle de la femme sans scrupule qui manipule la vie de tous ceux qui l'entourent ?

   GLENN CLOSE

7) Après une absence d'un an, Suzanne Lévesque revient à la radio de CKAC en 1977 où elle anime tous les matins entre 9.30 et midi une émission qui porte QUEL titre ?

   TOUCHE-À-TOUT

8) Afin de concurrencer la télésérie *Dallas* au réseau CBS, ABC lance en 1981 l'émission *Dynasty.* Mais *Dallas* conserve son auditoire. Pour épicer *Dynasty* et ainsi la rendre plus attrayante, les producteurs créent le personnage d'Alexis, « l'intrigante ». QUELLE actrice d'origine britannique jouait ce rôle ?

   JOAN COLLINS

9) QUEL film du réalisateur Costa Gravas a remporté la Palme d'or du festival de Cannes en 1982 ? Jack Lemmon et Sissy Spacek en étaient les vedettes.

   MISSING (une autre Palme d'or a été attribuée au film Yol en 1982)

10) QUI jouait le rôle du détective déterminé à capturer le présumé meurtrier joué par Harrison Ford dans le film de 1993, *The Fugitive ?*

   TOMMY LEE JONES

11) Deux films remportent en 1993 la Palme d'or du Festival des films de Cannes: *Adieu ma concubine* et QUEL autre réalisé par Jane Campion ?
LA LEÇON DE PIANO (bonne réponse=1 point de plus)

12) Après avoir été nommé au poste de commissaire des Langues officielles du Canada en 1970, poste qu'il a occupé jusqu'en 1977, il est devenu durant les années 80 président du Conseil de la radio-télévision et des télécommunications canadiennes. QUI est-il ?
KEITH SPICER

13) En 1996, la plus grosse entreprise de communications média au monde est créée aux États-Unis lorsque le réseau de télévision CNN fusionne avec QUEL autre géant américain des communications ?
TIME WARNER

14) QUELLE comédienne québécoise a été proclamée co-lauréate du Festival de Cannes de 1977 au titre de meilleure actrice pour son rôle dans le film *J.A. Martin, Photographe ?*
MONIQUE MERCURE

15) QUEL acteur américain jouait le rôle principal dans la mini-série télévisée américaine *Shogun* en 1980 ?
RICHARD CHAMBERLAIN

16) QUELLE actrice française jouait le rôle de *Roxanne* dans le film *Cyrano* en 1990 et dont le rôle-titre était joué par Gérard Depardieu ?
ANNE BROCHET

17) Durant les années 80, le marché de location de films a atteint des proportions inespérées. Des 10 films les plus loués par les consommateurs, quatre étaient des réalisations de Steven Spielberg. QUEL acteur était la vedette de trois de ces quatre films ?
HARRISON FORD (dans le rôle d'Indiana Jones)

18) Lors de la fusion des stations de radio CJMC et CKAC en 1994, plusieurs autres stations des réseaux Télémédia et Radiomutuel ont été fermées dont LAQUELLE dans la ville de Québec ?
CKCV (du réseau Télémédia)

19) Harrison Ford et Julia Ormond sont les têtes d'affiche de cette comédie de 1995 et dont l'action se déroule à Paris. C'est une nouvelle version du film de 1954 avec Humphrey Bogart, Audrey Hepburn et William Holden. NOMMEZ-la.
SABRINA

20) QUI jouait le rôle de *Gandhi* dans le film du même titre en 1982 ?
BEN KINGSLEY

21) Une mini-série télévisée mettant en vedette Richard Chamberlain dans le rôle d'un prêtre est présentée en 1983. LAQUELLE ?
THE THORN BIRDS («Les oiseaux se cachent pour mourir» aussi accepté)

22) Philippe Noiret est la vedette de ce film franco-italien de 1989, réalisé par Giuseppe Tornatore et gagnant d'un Oscar au titre de meilleur film étranger. QUEL est son titre ?
CINÉMA PARADISO

22) QUELLE chaîne spécialisée de nouvelles a vu le jour en 1989 au Canada ?
NEWSWORLD (du réseau CBC)

23) QUI a été le premier acteur connu et populaire à gagner un Oscar au titre de meilleur réalisateur en 1977 pour le film *Annie Hall ?*
WOODIE ALLEN

24) QUEL grand pays d'Afrique a finalement autorisé la présence de la télévision sur une base expérimentale dans sa plus grande ville en 1976, après l'avoir interdite sous prétexte qu'elle était une source de corruption morale ?
L'AFRIQUE DU SUD (à Johannesbourg)

25) QUELLE télésérie à contenu politique l'auteure Solange Chaput-Roland a-t-elle écrite en 1981 ?
MONSIEUR LE MINISTRE

26) Richard Gere tombe amoureux d'une prostituée jouée par Julia Roberts dans ce film d'amour de 1990. QUEL en est le titre ?
PRETTY WOMAN

27) La télésérie *Charlie's Angels,* lancée en 1976 au réseau ABC, a été la plus populaire de l'année. QUEL acteur jouait le rôle de *Charlie Townsend*, le propriétaire de l'agence de détectives que l'on entendait dicter ses instructions mais qu'on ne voyait jamais à l'écran ?
JOHN FORSYTHE (bonne réponse=2 points de plus)

28) Louise Portal connaît un tournant important dans sa carrière en 1978 lorsqu'elle joue avec brio dans QUEL film de la réalisatrice Anne-Claire Poirier ?
MOURIR À TUE-TÊTE (bonne réponse=1 point de plus)

29) C'est le film japonais *Kagemusha* qui a remporté la Palme d'or au festival de Cannes en 1980. QUI en était le réalisateur, le plus célèbre du Japon ?
AKIRA KUROSAWA

30) QUELLE journaliste-animatrice aguerrie co-animait avec Lizette Gervais l'émission radiophonique *La Vie Quotidienne* à l'antenne de Radio-Canada en 1977 ?
ANDRÉANNE LAFOND (bonne réponse=1 point de plus)

31) L'acteur Robert deNiro est devenu un spécialiste des rôles de tueur sans scrupule durant les années 70. QUEL était le titre du film de 1976 de Martin Scorsese et dans lequel il jouait le rôle d'un assassin psychopathe ?
TAXI DRIVER

32) QUI jouait le rôle de « *Monsieur Moineau* » dans la série télévisée *Les Moineau et les Pinson* à Télé-Métropole à partir de 1981 ?
FERNAND GIGNAC

33) Après deux ans de préparation et sept mois de tournage, le réalisateur Robert Hossein présente en première en 1982 le film *Les Misérables,* tiré de l'œuvre de Victor Hugo. NOMMEZ l'acteur qui joue le rôle de Jean Valjean.

LINO VENTURA

34) Les revenus de l'industrie cinématographique ont connu une diversification radicale durant les années 90, si bien que les recettes aux guichets des cinémas américains et canadiens ne représentaient plus que COMBIEN du pourcentage total des revenus en 1995 ? 20 %, 33 % OU 40 % ?

VINGT POUR CENT (la location vidéo allait chercher le plus fort pourcentage. S'ajoutaient le marché étranger et les produits dérivés)

35) QUELLE télésérie de 12 épisodes a enregistré des cotes d'écoute record aux États-Unis en 1977 ? Elle était une adaptation du roman de Alex Haley et racontait une période douloureuse du début de l'histoire américaine.

ROOTS (le 8e épisode a obtenu une cote de 130 000 000 d'auditeurs)

36) QUEL film de 1988 de Marie-Josée Raymond et de René Malo d'après une chronique de Claude Fournier, mettait en vedette Aurélien Recoing, Pierre Chagnon, Gabrielle Lazure et Gratien Gélinas ?

LES TISSERANDS DU POUVOIR (bonne réponse=2 points de plus)

37) QUELLE actrice a acquis une notoriété instantanée pour son rôle dans le film *Color Purple* de Steven Spielberg en 1985 ?

WHOOPI GOLDBERG

38) QUI était l'auteure du téléroman *Terre Humaine* qui mettait en vedette Jean Duceppe au début des années 80 ?

MIA RIDDEZ (bonne réponse=1 point de plus)

39) Roger Ebert faisait équipe avec QUEL autre critique de films à la télévision américaine et dont l'écoute était la plus élevée des années 90 pour ce genre d'émission ? Il est décédé en 1999 à l'âge de 53 ans.

GENE SISKEL

40) QUEL film d'action de 1977 a véritablement lancé la carrière de Harrison Ford ?

STAR WARS

41) C'est un Canadien, Michael McLear, qui a été le producteur exécutif du plus célèbre document visuel de la guerre du Vietnam de 1946 à 1975. COMMENT se nommait ce documentaire d'une douzaine d'heures, présenté durant les années 80 dans tous les grands pays du monde et acclamé pour sa qualité ?

THE TEN THOUSAND DAY WAR (bonne réponse=1 point de plus)

42) Alec Guiness et Peggy Ashcroft sont les vedettes de ce film britannique de 1985 du réalisateur David Lean, son dernier. Maurice Jarre a mérité un Oscar pour la trame musicale et Peggy Ashcroft, l'Oscar de meilleure actrice de soutien. QUEL est son titre ?

A PASSAGE TO INDIA

43) En 1998, 1500 cinéastes, réalisateurs et critiques de films, ont été sondés afin de choisir les 100 meilleurs films des 100 dernières années. QUEL film a été choisi au premier rang ?

CITIZEN KANE (film de 1941 d'Orson Welles)

44) QUELLE émission de télévision américaine a obtenu la plus forte cote d'écoute de tous les temps pour un seul épisode ? C'était en 1983.

M.A.S.H (dernier épisode de la série)

45) QUEL acteur québécois qui avait tourné des films en Grande-Bretagne et en Amérique et qui avait joué le rôle du pamphlétaire Arthur Buies dans la série télévisée *Les Belles Histoires*, est décédé en 1976 ?

PAUL DUPUIS

46) Jack Nicholson a reçu l'Oscar attribué au meilleur acteur pour son rôle dans le film de 1997, *As Good as it Gets*. NOMMEZ l'actrice, co-vedette du film, qui a reçu le même honneur.

HELEN HUNT

47) Durant les années 60, 70 et 80, le couple Ti-Gus et Ti-Mousse a fait rigoler les Québécois sur scène, à la radio et à la télévision. QUELS étaient leurs noms ?

RÉAL BÉLAND - DENISE ÉMOND (2 bonnes réponses=3 points)

48) Isabelle Adjani et Daniel Auteuil sont les vedettes de QUEL film français de 1993 racontant le massacre des protestants durant la nuit de la St Barthélemy en 1572?

LA REINE MARGOT

49) NOMMEZ la première animatrice américaine à devenir chef d'antenne à un bulletin majeur d'information à un des trois grands réseaux américains en 1976 et au salaire d'un million de dollars par année.

BARBARA WALTERS (ABC)

50) La violence règne dans ce film de 1990 de Martin Scorsese et mettant en présence Ray Liotta, Robert De Niro et Joe Pesci. QUEL en est le titre ?

GOODFELLAS

51) QUI a été le premier descripteur des matches de la ligue Nationale de football à la télévision de Radio-Canada durant les années 60 ?

YVES LÉTOURNEAU (Raymond Lebrun lui a succédé)

52) COMMENT se nommait l'émission d'affaires publique, lancée par Gilles Proulx à la radio de CJMS en 1984 ?

LE JOURNAL DU MIDI (qui s'est poursuivi de 1994 à 2000 à CKAC)

53) NOMMEZ l'actrice française qui a joué dans le film de 1996 du réalisateur Brian De Palma, *Mission Impossible*.

EMMANUELLE BÉART

54) Michel Côté et Louise Marleau sont les têtes d'affiche de ce film de 1989 et qui raconte les aventures de quatre hommes à la chasse de conquêtes d'un soir de week-end. NOMMEZ ce film.

CRUISING BAR

55) Tom Selleck était le personnage principal de cette série policière télévisée par le réseau CBS à partir de 1980. QUEL était le nom de cette émission ?

MAGNUM P. I.

56) QUEL film policier français avec Jean-Paul Belmondo comme tête d'affiche, a été tourné entièrement à Montréal en 1989 ?

HOLD-UP (bonne réponse=1 point de plus)

57) QUEL acteur a succédé à Sean Connery, George Lazenby et Roger Moore dans le rôle de James Bond en 1987 ?

TIMOTHY DALTON (The Living Daylights)

58) QUI a été la première animatrice de l'émission de télévision *La Course autour du monde* à l'antenne de Radio-Canada en 1980-81 ?

REINE MALO (bonne réponse=1 point de plus)

59) NOMMEZ l'acteur britannique qui joue le rôle d'un terroriste irlandais de l'IRA qui tente de venger son frère abattu par un ex-agent de la CIA joué par Harrison Ford dans le film *Patriot Games* de 1992.

SEAN BEAN (bonne réponse=1 point de plus)

60) NOMMEZ l'actrice qui a gagné deux Oscars au titre de meilleure actrice de l'année en 1988 et 1991 pour les rôles dans les films *The Accused* et *Silence of the Lambs.*

JODIE FOSTER

61) QUEL comédien a été le seul à jouer un rôle principal dans la série télévisée *Les Plouffe* durant les années 50 et 60 et dans la version filmée de 1981 ?

ÉMILE GENEST

62) QUEL film a rapporté les plus fortes recettes aux guichets, 225 000 000 de dollars, durant les années 80 ?

E. T. (Extra Terrestrial de Steven Spielberg)

63) QUELLE télésérie (sitcom) a reçu sans interruption le trophée Emmy à titre de meilleure comédie télévisée de 1993 à 1998 au réseau NBC ?

FRASIER

64) QUEL animateur, avocat de profession, a succédé à Jacques Proulx à l'émission du matin à CKAC en 1987 ?

LOUIS-PAUL ALLARD

65) QUEL réalisateur français célèbre joue un rôle de premier plan, celui d'un professeur, dans le film de 1977 de Steven Spielberg, *Close Encounters of the Third Kind ?*

FRANÇOIS TRUFFAUT

66) QUI jouait le rôle de *Rosanna* dans le téléroman *Le Temps d'une paix* au réseau de Radio-Canada durant les années 80 ?

NICOLE LEBLANC

67) QUI jouait le rôle d'un criminel de guerre nazi réfugié au Brésil (probablement Josef Mengele), dans le film de 1978, *The Boys from Brazil ?*

GREGORY PECK (bonne réponse=1 point de plus)

68) QUI a réalisé le film *The Last Emperor,* gagnant des titres de meilleur film et de meilleur réalisateur, à la soirée des Oscars de 1987 ?

BERNARDO BERTOLUCCI

69) QUELLE a été la série télévisée de comédie la plus populaire des années 90 aux États-Unis ? Elle a été à l'horaire de 1992 à 1998.

SEINFELD

70) En 1985, Jean Beaudin a réalisé un film consacré à une œuvre littéraire populaire québécoise d'Yves Beauchemin. QUEL en est le titre ?

LE MATOU

71) Ces deux ex-vedettes de l'émission de télévision *Saturday Night Live* sont les têtes d'affiche de deux films à succès en 1984, *Ghosbusters* et *Beverly Hills Cop.* QUI sont-ils ?

EDDIE MURPHY et BILL MURRAY (2 bonnes réponses=3 points)

72) La comédienne Isabelle Adjani fait preuve de talent inouï au début des années 80 en jouant tous les genres de rôles. Après *La Gifle* et *l'Histoire d'Adèle H.,* elle tourne en 1983 un film qui nous la fait voir fragile comme une enfant, comme garce ou violente comme une tigresse. QUEL est le nom de ce film réalisé par Jean Becker ?

L'ÉTÉ MEURTRIER

73) QUEL célèbre journaliste-animateur a choisi de laisser son poste de chef d'antenne du bulletin de nouvelles du début de soirée au réseau NBC en 1981 ? Tom Brokaw et Roger Mudd lui ont succédé.

JOHN CHANCELLOR (il est demeuré avec NBC pour les émissions spéciales)

74) QUI partageait la vedette avec Bo Derek dans le film *10* en 1979 ?

DUDLEY MOORE

75) QUI était l'animateur de la série télévisée *Le 20e Siècle* au canal D entre 1995 et 1997 ? La série était une version française d'une série réalisée pour le réseau américain A & E par le réseau CBS.

PIERRE NADEAU

76) NOMMEZ le film dramatique de 1994 qui mettait en vedette Geneviève Bujold et Marthe Keller. Il raconte l'histoire d'une ex-pianiste qui tente de retrouver son fils qu'elle a abandonné 25 ans auparavant.

MON AMIE MAX

77) Malgré ses talents de chanteuse et de danseuse, Liza Minelli n'a joué que dans deux films musicaux : *Cabaret* en 1972 et QUEL autre réalisé par Martin Scorsese en 1979 ?

NEW YORK NEW YORK (bonne réponse=1 point de plus)

78) Miss Piggy était un des personnages de QUELLE émission de marionnettes et dont la popularité à été instantanée dès sa première saison en 1976 ? Et dites QUI en était le créateur ?

THE MUPPET SHOW - JIM HENSON (2 points de plus pour la 2e réponse)

79) En 1975, Jean-Claude Labrecque avait réalisé *Les Vautours*. En 1984, il y donne suite avec les mêmes personnages et un panorama des années soixante bien assaisonné d'événements politiques du Québec et des États-Unis et des mouvements sociaux de cette époque. QUEL est le titre de ce film joué entr'autres comédiens par Gilbert Sicotte, Anne-Marie Provencher, Monique Mercure et Roger Lebel ?

LES ANNÉES DE RÊVE (bonne réponse=1 point de plus)

80) NOMMEZ l'animateur de radio qui a signé un contrat d'une valeur, dit-on, de 900 000 dollars par année pour animer l'émission du matin d'une station de radio de Montréal en 1995 ?

PATRICE LÉCUYER (CKMF)

81) Le film *Hunt for Red October* réalisé en 1990, met en présence Sean Connery dans le rôle d'un capitaine de sous-marin soviétique. QUI joue le rôle de l'agent américain qui épie ses moindres gestes ? Et DITES qui est l'auteur du roman du même titre qui a inspiré le film ?

ALEC BALDWIN - TOM CLANCY (2 points par bonne réponse)

82) QUI jouait le rôle de *Clarence* dans le téléroman *Des Dames de Cœur* de Lise Payette en 1986 ? Elle était mieux connue pour un autre talent.

MONIQUE LEYRAC (grande interprète de la chanson)

83) Après *The Six Million Dollar Man,* nous avons eu droit à une version féminine. QUEL était le titre de l'émission et QUI jouait le rôle principal ?

THE BIONIC WOMAN - LINDSAY WAGNER (2 pts de plus pour la 2e rép.)

84) QUI joue le rôle du supposé con dans le film de 1998 *Dîner des Cons ?*

JACQUES VILLERET

85) Ginette Reno et Pierre Bourgault font du cinéma en 1992. Dans QUEL film du réalisateur Jean-Claude Lauzon jouent-ils ?

LÉOLO

86) L'opéra *Carmen* de Georges Bizet a été mis sur film en 1984 par des producteurs franco-italiens. QUEL mezzo-soprano de naissance porto-ricaine jouait le rôle titre ? Et QUEL ténor réputé jouait le rôle de Don José ?

JULIA MIGENEZ-JOHNSON - PLACIDO DOMINGO (2 bonnes rép.=3 pts)

87) QUEL acteur jouait le rôle du célibataire vivant avec deux colocataires féminines dans la comédie télévisée *Three's Company* à partir de 1977 ?

JOHN RITTER

88) QUEL réseau radiophonique international d'État français fondé en 1975, est devenu indépendant en 1987 ?

RADIO-FRANCE INTERNATIONAL

89) Le film *Dinosaure* des studios Disney et porté à l'écran en 2000, serait le plus coûteux de l'histoire du cinéma au monde. QUEL a été son coût de production ?

DEUX CENT MILLIONS DE DOLLARS (jeu de 20 000 000 + ou - alloué)

90) Outre l'émission quotidienne *The Journal,* QUELLE a été l'émission d'affaires publiques la plus populaire au réseau de la CBC durant les années 80 et 90 ?

THE FIFTH ESTATE

91) QUELLE comédie satirique française projetée à l'écran en 1976, se moque de la bourgeoisie française ? Réalisé par Jean-Charles Tacchella, ce film met en vedette Marie-France Pisier, Marie-Christine Barrault et Victor Lanoux.

COUSIN, COUSINE (bonne réponse=2 points de plus)

92) QUEL acteur canadien joue avec Sean Penn dans QUEL film dramatique de Brian de Palma de 1989 et donc l'action se déroule au Vietnam ?

MICHAEL J. FOX - CASUALTIES OF WAR (3 pts pour 2 bonnes réponses)

93) John Voight et Jane Fonda ont été proclamés les meilleurs acteurs de l'année 1978 pour leurs rôles dans QUEL film consacré aux conséquences psychologiques provoquées par la guerre du Vietnam ?

COMING HOME

94) QUEL acteur jouait le rôle du capitaine de navire dans la télésérie *The Love Boat, (La Croisière s'amuse),* diffusée à partir de 1977 ?

GAVIN MCLEOD

95) Le vingtième film de François Truffaut nous offre la vie d'un théâtre parisien sous l'Occupation. Catherine Deneuve et Gérard Depardieu dominent une excellente distribution. QUEL est le titre de ce film ?

LE DERNIER MÉTRO

96) QUI a été l'analyste des épreuves olympiques et internationales de natation au réseau français de télévision de Radio-Canada de 1976 à l'an 2000 ?

JEAN-MARIE DE KONINCK (professeur de mathématiques et entraîneur de natation à l'université Laval)

97) NOMMEZ l'acteur, mieux connu comme chanteur, qui joue avec George Burns dans la comédie de 1977, *Oh God.*

JOHN DENVER (Burns joue le rôle de Dieu)

98) Plus de 225 épisodes originaux de cette émission humoristique ont été présentés entre 1970 et 1977 au réseau TVA. QUEL en était le titre ?

SYMPHORIEN

99) C'est l'histoire d'une jeune femme sculpteur et sa passion pour son art et pour Auguste Rodin. Ce film dramatique de 1988 met en vedette Isabelle Adjani et Gérard Depardieu. QUEL en est le titre ?

CAMILLE CLAUDEL

100) Ce film mi-documentaire mi-fiction de 1987, *La Guerre Oubliée*, du réalisateur-scénariste Richard Boutet, met en vedette Jacques Godin, Jean-Louis Paris et QUELLE artiste mieux connue pour ses talents de chanteuse ?

JOE BOCAN (elle joue très bien le rôle d'une Madelon de tous les pays)

101) C'est l'émission *Seinfeld* qui a été la plus populaire auprès des Américains durant la saison 1997-1998. NOMMEZ la télésérie dramatique qui a pris le 2e rang aux États-Unis et qui a été la plus regardée au Canada durant la même période.

E.R. (Emergency Room)

102) QUI a reçu l'Oscar de meilleur acteur en 1984 pour son rôle du compositeur *Antonio Salieri* dans le film *Amadeus* ?

MURRAY ABRAHAM (bonne réponse=1 point de plus)

103) NOMMEZ la journaliste québécoise qui a rallié l'équipe de l'émission d'affaires publiques *The Fifth Estate* à titre de journ.-animatrice au réseau CBC en 1997.

FRANCINE PELLETIER

104) En 1993 et 1996, le réalisateur André Téchiné réunit les deux mêmes têtes d'affiche (acteur-actrice) pour ses films *Ma Saison préférée* et *Les Voleurs*. NOMMEZ-les.

CATHERINE DENEUVE - DANIEL AUTEUIL (2 b. rép.=3 pts)

105) Entre 1988 et 1994, cette comédie télévisée au réseau CBS a reçu deux trophées Emmy comme meilleure émission de comédie et la vedette de l'émission a gagné cinq Emmys à titre de meilleure comédienne. NOMMEZ l'émission et l'actrice.

MURPHY BROWN - POLLY BERGEN (2 pts de + pour la 2e rép.)

106) NOMMEZ l'acteur américain, qui a en plus d'être l'acteur principal de ce film, en a aussi assuré la réalisation. À ce titre, il a reçu un Oscar en 1981. Dites aussi de QUEL film il s'agissait.

WARREN BEATTY - REDS (2 points de plus pour la 2e réponse)

107) Diane Sawyer a été la première femme à faire partie de l'équipe de l'émission d'affaires publiques *Sixty Minutes* au réseau CBS durant les années 80. QUELLE autre femme lui a succédée au début des années 90 ?

LESLIE STAHL

108) QUEL film de 1981 du réalisateur Marcel Vigne mettait en vedette Gérard Depardieu dans le rôle d'un paysan soupçonné d'être un imposteur lors de son retour à sa famille après sept ans d'absence ?

LE RETOUR DE MARTIN GUERRE

109) QUEL film québécois du réalisateur Jean-Claude Lauzon a remporté treize trophées Génie à Toronto en 1988, un précédent ?
UN ZOO LA NUIT

110) QUEL comédien jouait le rôle de l'entraîneur du National de Québec dans la télésérie *Lance et Compte* au réseau de Radio-Canada en 1987 ?
YVON PONTON

111) Depuis 1990, QUELLE catégorie de programmation musicale a dominé la radio américaine ? 20.7 % des 12 000 stations de radio l'ont adoptée.
COUNTRY

112) QUI jouait le rôle-titre dans le film de 1995 d'Oliver Stone, *Nixon* ?
ANTHONY HOPKINS

113) QUEL film de 1985 détenait en date de 1995 le record absolu de la location de films québécois dans les clubs vidéo ?
ELVIS GRATTON

114) COMMENT se nommait la populaire émission de variétés qu'animait Michel Drucker à la télévision française durant les années 80 ?
CHAMPS- ÉLYSÉES

115) QUI a été le premier animateur de l'émission de télévision *L'Heure de Pointe* au réseau de Radio-Canada en 1977 ?
WINSTON MACQUADE (bonne réponse=1 point de plus)

116) QUEL acteur a remporté l'Oscar au titre de meilleur acteur de l'année pour son rôle dans le film *The Color of Money* en 1986 ?
PAUL NEWMAN

117) Le concert *Live Aid* de 1985 pour venir en aide à la population africaine frappée par une famine, est vu à la télévision par 1 600 000 000 de personnes à travers le monde et génère des recettes de 70 000 000 de dollars. Ce concert est présenté simultanément en direct de Londres et de QUELLE autre ville aux États-Unis ?
PHILADELPHIE (le disque We Are The World a rapporté 50-millions de $$)

118) QUEL film québécois réalisé par Denys Arcand a reçu le Prix du Jury au Festival de Cannes en 1989 ?
JÉSUS DE MONTRÉAL

119) Cette animatrice américaine de télévision a joué dans le film *Color Purple* en 1985. Son jeu lui a valu une nomination à la soirée des Oscars en 1986. QUI est-elle ?
OPRAH WINFREY

120) QUELLE comédie télévisée américaine lève pour la première fois en 1997 le voile sur le lesbianisme ?
ELLEN (bonne réponse=2 points de plus)

121) À la suite d'une maladie cérébro-vasculaire, le comédien Yvon Dufour a été contraint de mettre un terme à sa carrière de comédien en 1982. Dans QUEL téléroman jouait-il à ce moment-là le rôle d'un curé ?

LE TEMPS D'UNE PAIX

122) QUEL populaire chanteur français a joué avec Jean Reno dans le film de 1996, *Jaguar ?*

PATRICK BRUEL

123) Harrison Ford partage la vedette avec QUELLE actrice dans le film de 1988, *Working Girl,* du réalisateur Mike Nicols ?

MELANIE GRIFFITH (bonne réponse=1 point de plus)

124) QUEL film a remporté les Oscars de meilleur film, meilleur réalisateur, James Brooks, meilleure actrice, Shirley MacLaine et meilleur acteur de soutien, Jack Nicholson en 1983 ?

TERMS OF ENDEARMENT

125) NOMMEZ l'animatrice qui partage quotidiennement l'antenne avec le psychiatre Pierre Mailloux à l'émission *Un Psy à l'écoute* à CKAC depuis le milieu des années 90.

MANON LÉPINE

126) QUI était la vedette féminine de la comédie télévisée *WKRP in Cincinnati* au réseau CBS de 1979 à 1982 ?

LONI ANDERSON (elle jouait le rôle d'une standardiste)

127) QUEL film de Robert Lepage de 1995 dont l'action se situe en 1952 à Québec, nous rappelle par moments le film *I Confess* d'Alfred Hitchcock ? Lothaire Bluteau, Jean-Louis Millette et Pascal Rollin sont au nombre des interprètes.

LE CONFESSIONNAL

128) QUEL acteur-réalisateur américain a été doublement récompensé pour le film *Ordinary People* en 1980 : un Oscar au titre de meilleur film et un autre au titre de meilleur réalisateur ?

ROBERT REDFORD

129) Après avoir connu un vif succès avec l'émission *The Odd Couple,* Jack Klugman devient en 1976 la vedette de QUELLE émission traitant de médecine ?

QUINCY, M.E. (Medical Examiner)

130) Dans QUELLE émission de télévision du réseau ABC l'acteur Robin Williams jouait-il le rôle d'un extra-terrestre envoyé sur la terre pour étudier notre mode de vie ?

MORK AND MINDY

131) QUEL acteur australien est devenu une vedette instantanée après avoir joué dans le film *Crocodile Dundee* en 1986 ?

PAUL HOGAN

132) La France se donne une nouvelle chaîne de télévision en 1985, la Cinq. Mais elle ne sera pas dirigée par des Français. C'est à une société de QUEL autre pays que les autorités françaises ont accordé le contrat de gestion ?

L'ITALIE (la Société Fininvest de Silvio Berloscuni, prop. de 3 réseaux ital.)

133) Kevin Kostner est le principal acteur de ce film qui a remporté l'Oscar de meilleur film de l'année en 1990. QUEL en est le titre ?

DANCES WITH WOLVES

134) En 1985 et 1986, le réalisateur Claude Berri tourne deux films adaptés d'une célèbre œuvre littéraire de Marcel Pagnol, *L'Eau des collines*. NOMMEZ-les.

JEAN DE FLORETTE - MANON DES SOURCES (2 bonnes rép.=3 pts)

135) QUEL entrepreneur américain fait l'acquisition de la filmathèque de la compagnie MGM en 1988 pour créer QUEL nouveau réseau de télévision ?

TED TURNER - TNT (Turner Network Television) (1 point par réponse)

136) Cette excellente intervieweuse de la radio est choisie par le service des Affaires publiques de la CBC en 1982 au poste d'animatrice de l'émission *The Journal* à la télévision du réseau anglais de la CBC. QUI était-elle ?

BARBARA FRUM (elle est décédée en 1992)

137) NOMMEZ l'actrice-chanteuse qui jouait le rôle de *Geneviève*, l'adjointe du directeur d'une agence artistique dans la comédie télévisée *Du Tac au Tac* à la télévision de Radio-Canada de 1976 à 1982.

FRANCE CASTEL

138) Le rôle de *Lois Lane* dans le film *Superman* en 1978 et les trois qui ont suivi durant les années 80, était joué par QUELLE actrice canadienne ?

MARGOT KIDDER

139) QUEL film, proclamé le meilleur de l'année en 1992 au Canada, a aussi valu au réalisateur canadien David Cronenberg et à l'actrice québécoise Monique Mercure deux autres trophées trophées Génie ?

NAKED LUNCH (bonne réponse=2 points de plus)

140) QUEL acteur peu connu en 1985 est devenu une grande vedette de Hollywood par la suite, grâce en partie à l'émission de télévision *Moonlighting* au réseau ABC ? Cybill Shepherd était la vedette de cette série-comédie policière qui a gardé l'antenne de 1985 à 1989.

BRUCE WILLIS

141) Philippe Noiret joue le rôle d'un des trois acteurs vieillissants qui partent en tournée avec une troupe de théâtre médiocre dans ce film de 1995. QUEL en est le titre ?

LES GRANDS DUCS (bonne réponse=2 points de plus)

142) Après avoir reçu un Oscar au titre de meilleure actrice de soutien en 1979 pour son rôle dans *Kramer Vs Kramer*, Meryl Streep gagne l'Oscar de meilleure actrice pour son rôle dans QUEL film de 1982 ?

SOPHIE'S CHOICE

143) QUELLE émission de télévision américaine présentée en heure de grande écoute a pris fin en 1990 après 33 ans de diffusion, un record ?

WALT DISNEY (il y a eu plus d'un titre)

144) En 1982, elle gagne un Oscar au titre de meilleure actrice de soutien pour son rôle dans le film *Tootsie*. En 1995, elle est proclamée meilleure actrice de l'année pour son jeu dans le film *Blue Sky*. QUI est cette actrice ?

JESSICA LANGE (bonne réponse=1 point de plus)

145) En 1992, la radio-AM de Radio-Canada présente une émission quotidienne de chansons françaises et québécoises qui a pour titre *Les Refrains d'abord*. Elle devient un grand succès et garde l'antenne durant sept saisons. QUI en était la conceptrice et animatrice ?

MONIQUE GIROUX

146) QUI a remplacé au pied levé le comédien Pierre Dufresne dans la télésérie *Le Temps d'une Paix* en 1984, lorsque ce comédien qui incarnait le rôle de *Joseph-Arthur* est mort subitement ?

JEAN BESRÉ

147) QUEL film a été seulement le deuxième western de l'histoire du cinéma à recevoir l'Oscar de meilleur film de l'année en 1992 ?

UNFORGIVEN (Cimarron avait été le premier en 1932)

148) Un des plus beaux films jamais réalisés par un Québécois est porté à l'écran en 1994. Il s'agit du film *Le Violon rouge*. QUI l'a réalisé ?

FRANÇOIS GIRARD (bonne réponse=1 point de plus)

149) Après six ans d'existence, cette chaîne de télévision française met fin à ses émissions en 1992. QUELLE était cette chaîne et QUELLE autre chaîne culturelle, franco-allemande celle-là, a pris la relève 5 mois plus tard ?

LA CINQ - ARTE (2 points de plus pour la 2e réponse)

150) Au Québec, l'industrie de la télévision remet des prix *Gémeaux* et *Métrostars* aux plus méritants. Ailleurs au Canada, les trophées remis aux artistes de la télévision portent un nouveau nom depuis 1986. LEQUEL ?

GEMINI (Gémeaux. Avant 1986, on remettait des trophées ACTRA)

151) QUEL comédien a reçu le titre de meilleur acteur de soutien pour son rôle de truand dans le film de 1990, *Goodfellas* ?

JOE PESCI

152) QUI a succédé à René Lecavalier à la description des matchs à *La Soirée du hockey* à la télévision de Radio-Canada en 1984 ?

RICHARD GARNEAU

153) NOMMEZ le réalisateur d'origine canadienne qui nous a donné le film *Moonstruck* en 1987.

NORMAN JEWISON

154) En 1989, la diffusion de l'opéra du Métropolitain de New York sur les ondes de la radio de Radio-Canada célébrait QUEL anniversaire ?
CINQUANTIÈME (la première diffusion avait eu lieu en 1940)

155) Télé-Métropole lance un nouveau talk-show en fin de soirée en 1979. QUI était l'animateur de cette émission appelée *Bonsoir le monde ?*
MICHEL JASMIN

156) QUI joue le rôle principal dans le film américain de 1995, *The American President ?*
MICHAEL DOUGLAS

157) En 1964, il nous a donné le film *Le Chat dans le sac*. Puis il réalise le documentaire *24 heures ou plus* .... un film tourné en 1972 mais gardé en coffre-fort à l'ONF jusqu'en 1977 parce que la direction de cet organisme le jugeait inacceptable. Le message fondamental livré dans ce film *« il faut remettre en question le système »* révélait trop l'engagement du cinéaste, selon Sydney Newman, patron de l'ONF. QUI est ce réalisateur ?
GILLES GROULX (bonne réponse=2 points de plus)

158) Dans la foulée des émissions à succès *Dallas* et *Dynasty*, une nouvelle télésérie du même genre est lancée à la télévision américaine en 1984. QUEL nom portait-elle ?
SANTA BARBARA (bonne réponse=1 point de plus)

159) QUI est l'auteur du téléroman *Le Temps d'une paix* présenté à la télévision de Radio-Canada durant les années 80 ?
PIERRE GAUVREAU

160) Ce film belge raconte l'histoire du plus célèbre castrat de l'histoire. Son nom est le titre du film. LEQUEL ?
FARINELLI (chanteur soprano italien du 18e siècle) (bonne rép.=1 pt de plus)

161) QUI était l'animateur et intervieweur de l'émission d'informations *Le Premier jour* le dimanche matin à l'antenne de CKAC durant les années 80 ?
MICHEL VIENS

162) QUELLE a été la première chaîne de télévision privée de France ? Elle a été inaugurée en 1984.
CANAL PLUS

163) Daniel Auteuil, Emmanuelle Béart et André Dussolier sont les vedettes de ce film d'amour et de musique réalisé par Claude Sautet en 1993. NOMMEZ-le.
UN CŒUR EN HIVER (bonne réponse=2 points de plus)

164) QUEL nouveau réseau de télévision câblée américain consacré à la musique pop voit le jour en 1981 ?
MTV (Music Television)

165) QUEL groupe vocal a composé et interprété la musique et les paroles des chansons entendues dans le film de 1977, *Saturday Night Fever* avec John Travolta ?
BEE GEES

166) QUEL grand acteur britannique a réalisé le film *Gandhi*, meilleur film de l'année en 1982 ?

RICHARD ATTENBOROUGH

167) Pour faire concurrence à l'émission *Hill Street Blues*, le réseau NBC lance en 1981 une série policière qui met en vedette Don Johnson. QUEL était le titre de cette émission très populaire ?

MIAMI VICE

168) QUI est le producteur des deux films québécois à succès *Les Boys I* et *Les Boys II*, projetés à l'écran en 1997 et 1999 ?

LOUIS SAÏA

169) Ce film français, unique et éloquent du réalisateur Claude Lanzmann, est un documentaire de 9 heures présenté en deux parties et racontant l'holocauste du 2e conflit mondial. QUEL est le nom de ce film de 1985 ?

SHOAH (bonne réponse=1 point de plus)

170) QUI était l'acteur principal du film d'Oliver Stone de 1989, *Born on the Fourth of July* ?

TOM CRUISE

171) Cette émission scientifique animée par David Suzuki est à l'antenne de la CBC depuis 1960. QUEL en est le titre ?

THE NATURE OF THINGS

172) QUELLE actrice québécoise est la partenaire de Pierce Brosnan dans le film britannique de Richard Attenborough de 1999, *Grey Owl* ?

ANNIE GALIPEAU (Québécoise)

173) Meg Ryan et Billy Crystal sont les vedettes de cette comédie réalisée par Rob Reiner en 1989. QUEL est le titre de ce film ?

WHEN HARRY MET SALLY

174) QUELLE émission de comédie télévisée de 1976 a lancé la carrière de John Travolta ?

WELCOME BACK KOTTER (bonne réponse=2 points de plus)

175) De tous les films projetés au Québec en 1995, QUEL pourcentage a été réservé aux films réalisés par la France ?

QUATRE ET DEMI POUR CENT (contre 2.8 % pour les films québécois) (jeu de 21/2 % + ou - alloué)

176) La personnalité de Hollywood au plus grand nombre de mariages, une actrice plutôt médiocre, a pris époux pour la dernière fois en 1986. De QUI s'agit-il et COMBIEN de fois s'est-elle mariée ?

ZSA ZSA GABOR - NEUF FOIS (Mickey Rooney et Elizabeth Taylor en ont huit chacun à leur actif) (2 pts pour la 2e réponse)

177) Philippe Noiret et Romy Schneider sont les vedettes de ce film de Robert Enrico et qui remporte le César de meilleur film de 1976. NOMMEZ-le.

LE VIEUX FUSIL (Noiret et Schneider ont aussi reçu un César pour leur jeu)

178) QUI jouait le rôle de Maurice Richard dans la biographie télévisée en deux épisodes du célèbre Rocket à l'automne de 1999 ?

ROY DUPUIS

179) Cette production de 1988 de Steven Spielberg et des studios Disney est le premier de l'histoire a offrir durant tout le film, un mariage d'animation et de jeu par de véritables acteurs ? QUEL en est le titre ?

WHO FRAMED ROGER RABBIT (bonne réponse=1 point de plus)

180) QUELLE chanson interprétée par Stevie Wonder a remporté l'Oscar de la meilleure chanson de l'année en 1984 ? Elle a été entendue dans le film *Woman in Red* avec Gene Wilder.

I JUST CALLED TO SAY I LOVE YOU

181) NOMMEZ l'émission de variétés qui a conservé l'antenne le plus longtemps au réseau de la CBC, une durée de 27 ans. Elle a été lancée en 1965 et a pris fin en 1992. Elle mettait en vedette un chanteur country et western.

THE TOMMY HUNTER SHOW

182) Après avoir été ignoré depuis 1966, le cinéma français remporte enfin la Palme d'or en 1987 grâce à QUEL roman de Georges Bernanos adapté pour l'écran par Maurice Pialat et joué avec brio par Gérard Depardieu et Sandrine Bonnaire ?

SOUS LE SOLEIL DE SATAN (bonne réponse=1 point de plus)

183) QUELLE présentation en direct la radio de Société Radio-Canada choisit-elle de ne pas conserver en 1997 après en avoir assuré l'exclusivité depuis plus de 50 ans ?

LE HOCKEY DES CANADIENS DE MONTRÉAL (CKAC acquiert les droits)

184) Ce film dramatique, une production canadienne de 1991, met en vedette Patricia Tulasne, Matthias Habich et Lénie Scoffiée. QUEL en est le titre ?

LA DEMOISELLE SAUVAGE (bonne réponse=2 points de plus)

185) QUI était la vedette féminine de la comédie télévisée américaine *Three's Company* de 1977 jusqu'au milieu des années 80 ?

SUZANNE SOMERS

186) Onze chaînes publiques de télévision d'Europe s'unissent en 1993 pour offrir un réseau consacré exclusivement aux informations. QUEL nom porte-t-il ?

EURONEWS (en cinq langues ; français, anglais, allemand, espagnol, italien)

187) QUELLE présentation annuelle est reconnue comme étant régulièrement la plus regardée de la télévision canadienne anglaise depuis 1975 ?

LA FINALE DE FOOTBALL POUR LA COUPE GREY (elle obtenait les meilleures cotes d'écoute depuis le début des années 60)

188) Fortement ébranlé par l'arrivée de la télévision, le cinéma a subi une terrible baisse d'assistance entre 1946 et 1996. QUEL était en 1996 le pourcentage du chiffre d'assistance de 1946 ? 20 %, 35 % ou 50 % ?

VINGT POUR CENT (la plus forte assistance de l'histoire date de 1929)

189) En QUELLE année Télé-Métropole (canal 10) a-t-il diffusé les Jeux olympiques pour la première fois ?

1976 (Jeux d'hiver à Innsbruck en Autriche)

190) Le grand ténor Luciano Pavarotti a tenu le rôle principal dans un film américain de 1982, le seul de sa carrière. QUEL en est le titre ?

YES, GIORGIO

191) QUI était l'animateur-journaliste-écrivain de l'émission d'interviews politiques *Firing Line* présentée sans interruption de 1966 à 1999 au réseau américain PBS ?

WILLIAM BUCKLEY JR (au verbe tranchant et reconnu comme étant de la droite) (bonne réponse=2 points de plus)

192) QUI joue le rôle-titre dans le film canadien de 1979, *Cordélia* ? Gaston Lepage et Raymond Cloutier font aussi partie de la distribution.

LOUISE PORTAL (bonne réponse=1 point de plus)

193) Peter Finch et Faye Dunaway ont reçu l'Oscar de meilleurs acteur et actrice de l'année pour leur jeu dans QUEL film de 1976 ?

NETWORK

194) Après avoir partagé la co-animation des bulletins de nouvelles du réseau national CTV avec Harvey Kirck durant les années 70, il a été choisi pour remplir les mêmes tâches, seul. Il était toujours au poste à la fin du siècle. QUI est-il ?

LLOYD ROBERTSON (il avait précédemment fait carrière avec la CBC à Ottawa au début des années 60)

195) QUEL événement exceptionnel présenté en direct à la télévision américaine a tellement accaparé l'intérêt des téléspectateurs en 1995, que les romans savons (*soaps*) ont dramatiquement chuté dans les cotes d'écoute ?

L'AFFAIRE O.J. SIMPSON (notamment le procès en direct)

196) Ce film de 1978, *Sonate d'automne (Höstsonaten)*, une production germano-norvégienne, réunit deux grands noms du cinéma. Si les prénoms sont différents, celui de famille est le même. QUEL est-il ?

BERGMAN (Ingrid, actrice et Ingmar, réalisateur. Leur premier film ensemble)

197) Malgré un budget de 36 000 000 de dollars et la présence de Kris Kristofferson et d'Isabelle Huppert, ce film western de Michael Cimino est mal reçu par les critiques et devient un des plus cuisants échecs de l'histoire de cinéma. QUEL est le titre de ce film ?

HEAVEN'S GATE (La Porte du paradis) (bonne réponse=2 points de plus)

198) Au milieu des années 80, ces deux émissions policières de la télévision américaine luttaient pour le 1er rang des émissions les plus regardées. Une s'appelait *Miami Vice*. COMMENT se nommait l'autre ?

HILL STREET BLUES

199) QUI a réalisé le film de 1995, *Les Misérables* ? Il s'inspire de l'œuvre d'Hugo mais dans un décor du 20e siècle qui nous montre Jean-Paul Belmondo dans le rôle d'un homme simple qui choisit d'aider une famille juive à fuir les Nazis. Annie Girardot et Jean Marais font aussi partie de la distribution.

CLAUDE LELOUCH

200) Réalisée par Gilles Carle, cette télésérie franco-québécoise de 1984 ressuscite un populaire feuilleton des années 50 au Québec. QUEL titre porte la nouvelle série ?

LE CRIME D'OVIDE PLOUFFE (il y a aussi eu un film signé G. Carle en 81)

201) De 1944 à 1948, Bing Crosby a été l'acteur qui a attiré le plus grand nombre de cinéphiles dans les cinémas américains. Cette série de cinq années consécutives de succès aux guichets par un seul acteur n'a été répété qu'une seule fois depuis .... de 1978 à 1982. NOMMEZ celui qui a réussi cet exploit ?

BURT REYNOLDS (bonne réponse=2 points de plus)

202) En QUELLE année la télévision française (France) a-t-elle finalement accepté de présenter des réclames publicitaires ?

1983 (sur une seule chaîne d'abord, la 3) (jeu de 2 ans + ou - alloué)

203) Dans QUELLE série télévisée américaine série l'acteur britannique Pierce Brosnan a-t-il fait ses débuts en 1983 ?

REMINGTON STEELE (série policière)

204) QUEL film, une production suédo-danoise de 1988, a remporté l'Oscar au titre de meilleur film étranger à Hollywood ? Inspiré d'un roman en quatre tomes de Martin Andersen Nexo, il met en vedette Max von Sydow.

PELLE LE CONQUÉRANT (bonne réponse=1 point de plus)

205) QUEL film de Bernardo Bertolucci a reçu neuf Oscars en 1988 dont ceux de meilleur film et de meilleur réalisateur ?

LE DERNIER EMPEREUR (The Last Emperor)

206) Après un succès fou aux États-Unis, ce feuilleton en dessins animés de 1981, est diffusé par la télévision belge alors qu'une quarantaine d'autres pays cherchent à le diffuser. La série a été réalisée à partir des albums du dessinateur belge Peyo et nous fait voir de petits hommes bleus à bonnet blanc. QUEL nom portait ce feuilleton ?

LES SCHTROUMPFS (Smurfs aussi accepté)

207) Durant les années 80, ce maître de l'animation remporte deux Oscars à Hollywood pour les films *Crac* et *L'Homme qui plantait des arbres*. QUI était-il ?

FRÉDÉRIC BACK (de Radio-Canada)

208) QUEL magazine a produit en 1980 QUEL film d'une violence excessive et que plusieurs ont qualifié en plus de pornographique ? La production a coûté à l'éditeur Bob Guccione la somme de quinze millions de dollars.

PENTHOUSE - CALIGULA (1 point par bonne réponse)

209) Après le succès de la comédie *All in the Family*, le réseau CBS ramène Carroll O'Connor en 1979 dans une nouvelle comédie de situation (Sitcom) dont le titre est sans équivoque. LEQUEL ?

ARCHIE BUNKER'S PLACE

210) QUI jouait admirablement le rôle-titre dans le film *Danton*, une production franco-polonaise de 1982 ?

GÉRARD DEPARDIEU

211) QUELLE journaliste a été correspondante pour la radio-télévision de Radio-Canada à Ottawa de 1975 à 1984 pour ensuite jouer le même rôle à Washington et à Londres jusqu'en 1995 ?

FRANCINE BASTIEN (bonne réponse=2 points de plus)

212) QUELLE vedette de la chanson américaine jouait le rôle principal dans le film *Moonstruck* du réalisateur canadien Norman Jewison en 1987 ?

CHER

213) QUEL animateur de *talk show* de fin de soirée a tenté de faire concurrence à Jay Leno et David Letterman en 1989 ? L'émission visait davantage un auditoire plus jeune que les deux autres émissions.

ARSENIO HALL (premier animateur noir d'un talk show aux É-U))

214) COMBIEN de places les matchs de football du Super Bowl détenaient-ils à la fin du siècle dans la liste des 50 émissions ayant obtenu les plus fortes cotes d'écoute à la télévision américaine depuis 1967 ?

VINGT ET UNE (d'un total de 33 matches) (jeu de 4 matches + ou - alloué)

215) Il est devenu en 1975 l'animateur-commentateur attitré des grandes compétitions sportives du réseau CBS, poste qu'il a conservé jusqu'en 1990. QUI était cette personnalité très cotée ?

BRENT MUSBERGER (est au réseau ABS depuis le début des années 90)

216) QUEL Canadien a réalisé le film *Aliens* en 1986 ainsi que les deux films d'action *The Terminator* en 1984 et *The Terminator* 2 en 1991 ?

JAMES CAMERON

217) QUEL rôle jouait la comédienne Janine Sutto dans la populaire série *Symphorien* à l'antenne de Télé-Métropole durant les années 70 et 80 ?

BERTHE L'ESPÉRANCE

218) Les stations du réseau public américain PBS doivent faire leurs frais avec les dons du public. QUEL pourcentage de l'enveloppe budgétaire totale ces contributions volontaires représentent-elles ?

SOIXANTE-QUATRE POUR CENT (les subventions des gouv. s'élèvent à 21 %)
(jeu de 6 % + ou - alloué)

219) Le réalisateur Pierre Falardeau bouleverse son auditoire en rappelant 20 ans plus tard dans QUEL film, les événements politiques de 1970 au Québec ?

OCTOBRE

220) QUEL ex-entrâineur d'athlétisme français a été l'analyste des épreuves olympiques d'athlétisme avec Richard Garneau de 1968 à 1988 à la télévision de Radio-Canada ?

JO MALLÉJAC (bonne réponse=1 point de plus)

221) Dans le film de 1976, *Network*, QUEL acteur joue le rôle du « prophète fou des ondes » et dont l'expression lancée avec hargne *« We're mad as hell. We're not going to take it anymore »*, reste mémorable ?

PETER FINCH

222) QUELLE émission de radio a atteint durant les années 80, la plus forte cote d'écoute au Canada ? Elle a été diffusée à CKAC et au réseau Télémédia de 1975 à 1992.

LE FESTIVAL DE L'HUMOUR QUÉBÉCOIS

223) Le réseau de sports américain ESPN fait connaître sa liste des 100 plus grands athlètes du 20e siècle à la fin de 1999. Un de ces athlètes n'est toutefois pas un être humain. De QUI s'agit-il ?

SECRETARIAT (pur-sang, vainqueur de la triple couronne du turf en 1973)

224) QUELLE comédie théâtrale de Jean Poiret a été portée à l'écran à trois reprises en 1978, 1985 et 1988 ? Michel Serrault et Ugo Tognazzi ont joué dans les trois productions.

LA CAGE AUX FOLLES

225) Linda Malo jouait le rôle-titre de QUELLE télésérie québécoise en 1996 ?

JASMINE

226) QUELLE actrice offre une prestation de grande qualité dans le film *Casino* de Martin Scorcese en 1995 ?

SHARON STONE

227) QUEL pourcentage des foyers québécois ne possédait pas la télévision câblée à la fin des années 90 ? 15 %, 28 % OU 40 % ?

VINGT-HUIT POUR CENT (en 1970, 17 % des foyers étaient câblés)

228) QUEL film français a remporté 10 Césars, un record, dont ceux de meilleur film, meilleur réalisateur et meilleurs acteur et actrice en 1981 ?

LE DERNIER MÉTRO (de François Truffaut)

229) QUELLE actrice joue un des deux principaux rôles dans la série télévisée américaine *The X-Files* de la 2e moitié des années 90 ?

GILLIAN ANDERSON (trophée Emmy, meilleure actrice, 1997)

230) En 1987, le réseau Télévision Quatre-Saisons diffuse la première dramatique quotidienne de la télévision québécoise. QUEL est son titre ?

LA MAISON DESCHÊNES (bonne réponse=1 point de plus)

231) QUI incarne le rôle d'un ancien truand dans le film de 1980, *Atlantic City,* réalisé par Louis Malle ?

BURT LANCASTER

232) Ce film franco-belge de Bernard Blier a reçu l'Oscar au titre de meilleur film étranger de 1979 à Hollywood. QUEL était ce film qui mettait en vedette l'actrice canadienne Carole Laure et Gérard Depardieu ?

PRÉPAREZ VOS MOUCHOIRS (bonne réponse=2 points de plus)

233) C'est le ministère de l'Éducation du Québec qui a créé cette émission de télévision éducative pour enfants en 1977. QUEL était son titre ?

PASSE-PARTOUT (diffusée à Radio-Québec)

234) QUI jouait les rôles de *La Belle et la bête* dans la série télévisée du même titre au réseau CBS de 1987 à 1990 ?

LINDA HAMILTON - RON PERLMAN (3 pts pour les 2 réponses)

235) Il a été un des meilleurs animateurs de la radio du matin durant les années 70, 80 et jusqu'en 1997 au poste CJAD de Montréal. QUI est-il ?

GEORGE BALCAN

236) QUEL rôle jouait l'actrice Glenn Close dans le film de 1997, *Air Force One ?* C'est Harrison Ford qui jouait le rôle du président des États-Unis.

VICE-PRÉSIDENTE

237) En 1985, le film américain *Joshua, Then and Now* est porté à l'écran. Tourné à Montréal, il met en vedette James Woods et une comédienne québécoise, fille d'un ex-ministre péquiste. NOMMEZ-la.

GABRIELLE LAZURE

238) NOMMEZ les deux comédiens qui jouaient le rôle de détectives dans le film de 1985 de Claude Zidi, *Les Ripoux ?*

THIERRY L'HERMITTE - PHILIPPE NOIRET (1 point par réponse)

239) Après 28 ans d'antenne ininterrompue, cette émission télévisée pour enfants prend sa retraite de Radio-Canada en 1985. NOMMEZ-la.

BOBINO

240) QUEL comique français de scène, de télévision, de radio et de cinéma partage la vedette avec Louis de Funès en 1976 dans le film *L'Aile ou la cuisse ?*

COLUCHE (vrai nom ; Michel Colucci)

241) QUEL commanditaire américain a versé près de neuf millions de dollars pour la présentation de quatre publicités de 30 secondes chacune (une par quart), lors de la télédiffusion du Super Bowl le 30 janvier 2000 ?

ANHEUSER-BUSCH (bière Budweiser. Le seul à acheter 4 publicités)

242) QUEL film allemand de 1981 raconte l'histoire d'un sous-marin et surtout de son équipage durant la 2e guerre mondiale ? Jurgen Procknow joue avec brio le rôle du capitaine.

DAS BOOT

243) En 1990, la télévision française lance un magazine hebdomadaire télévisé d'actualités sous forme de grands reportages venant de partout dans le monde? En l'an 2000, l'émission était toujours présentée. QUEL est son nom?
ENVOYÉ SPÉCIAL (vue au Québec à TV5) (bonne réponse=1 point de plus)

244) Les charmes de Bo Derek se manifestent éloquemment dans ce film de 1979 qui met aussi en vedette Dudley Moore et Julie Andrews. NOMMEZ-le.
10

245) Ce drame policier québécois de 1997 met en vedette Serge Dupire, Macha Grenon et Jacques Godin. QUEL est le titre de ce film?
LA CONCIERGERIE (bonne réponse=2 points de plus)

246) Ce film italien a été proclamé meilleur film étranger de l'année 1998 à Hollywood. Et l'acteur principal du film a reçu l'Oscar à titre de meilleur acteur. NOMMEZ le film ET l'acteur?
LIFE IS BEAUTIFUL - ROBERTO BEGNINI (3 pts pour les 2 réponses)

247) Le célèbre roman de Gabrielle Roy, *Bonheur d'occasion,* a été mis sur film en 1983 par QUEL réalisateur-scénariste québécois? Mireille Deyglun et Michel Forget faisaient partie de la distribution.
CLAUDE FOURNIER

248) QUEL compositeur français bien connu a écrit la musique de la comédie musicale *Yentl,* portée à l'écran en 1983 et mettant en vedette Barbra Streisand?
MICHEL LEGRAND

249) Les scènes de tribunal, les juges et les avocats surtout, sont les éléments dominants de cette série feuilleton à succès présentée au réseau NBC de 1986 à 1994. NOMMEZ-la.
LA LOI DE LOS ANGELES (L.A. Law)

250) QUI jouait le rôle de Malcolm X dans le film du même nom en 1992?
DENZEL WASHINGTON

251) Rémy Girard, Raymond Bouchard et Pauline Lapointe sont les principaux acteurs de cette comédie québécoise de 1993 et dont l'action se déroule en Floride. NOMMEZ-la.
LA FLORIDA

252) QUELLE chaîne de la télévision d'État française a été privatisée en 1987?
TF1 (une surprise car on aurait cru que ce serait A2 ou FR3)

253) Entre 1977 et 1986, deux réalisateurs ont produit 8 des 10 films aux plus fortes recettes de l'histoire du cinéma. Pourtant, aucun de ces films n'a remporté l'Oscar au titre de meilleur film de l'année. QUI sont ces réalisateurs?
STEVEN SPIELBERG - GEORGE LUCAS (2 bonnes réponses=3 points)

254) Alors âgée de 13 ans, Sophie Marceau est une des vedettes de ce film de 1981 qui met aussi en présence Claude Brasseur et Brigitte Fossey dans les rôles de parents de la jeune Sophie. Le film connaît un succès fou en France. Le réalisateur Claude Pinoteau décide d'y donner une suite en 1982 et ajoute le chiffre 2 au titre du film, le même que le premier. LEQUEL ?

LE BOUM (bonne réponse=1 point de plus)

255) NOMMEZ le téléroman qui est devenu au début des années 80 le prolongement d'un autre téléroman des années 70, *Les Berger*, à TVA.

LE CLAN BEAULIEU

256) QUI est le principal maître d'œuvre *(anchorman)* du réseau d'information CNN depuis l'ouverture de ce réseau d'information en 1980 ?

BERNARD SHAW (il avait alors 40 ans)

257) QUEL acteur jouait le rôle de l'amoureux de Meryl Streep dans le film britannique de 1981, *The French Lieutenant's Woman* ?

JEREMY IRONS (bonne réponse=1 point de plus)

258) Ce drame biographique de 1987 est une évocation de la vie et de la carrière d'un sculpteur québécois. Paul Hébert, Albert Millaire et Marcel Sabourin en sont les principaux acteurs. QUEL est le titre de ce film ?

ALFRED LALIBERTÉ, SCULPTEUR, 1878-1953

259) Le film *Annie Hall* du réalisateur Woody Allen a remporté les Oscars aux titres de meilleur film, meilleure actrice, meilleur réalisateur et meilleur scénario en 1977. Allen n'était pas à la cérémonie qu'il qualifie de perte de temps. Mais sa compagne de vie d'alors y était pour recevoir son trophée à titre de meilleure actrice. QUI était-elle ?

DIANE KEATON

260) Elena Sofanova joue le rôle d'une cantatrice et Romane Bohringer celui de celle qui l'accompagne au piano dans ce film français de Claude Miller de 1992 et dont l'action se situe à Paris durant la guerre. QUEL en est le titre ?

L'ACCOMPAGNATRICE

261) Après avoir conservé les droits de télévision des Jeux olympiques d'été depuis 1960, la Société Radio-Canada les a perdus aux mains des réseaux CTV et TVA en QUELLE année ?

1992 À BARCELONE. (L'écart dans la soumission qui a atteint seize millions de dollars était de 100 000 dollars. En 1996, Radio-Canada a repris ces droits)

262) QUEL acteur joue le rôle du détective Andy Sipowicz dans la série policière *N.Y.P.D. Blue* au réseau ABC depuis 1993 ?

DENNIS FRANZ (gagnant de 4 Emmys comme meilleur acteur)

263) Ce film canadien raconte l'histoire d'une prostituée qui confronte un juge en menaçant de révéler des noms de magistrats figurant sur sa liste de clients. Geneviève Brouillette, Michel Côté et Sylvie Bourque sont les vedettes de ce film de 1995 réalisé par Jean-Marc Vallée. NOMMEZ-le.

LISTE NOIRE (bonne réponse=1 point de plus)

264) QUELLE actrice britannique, fille d'un célèbre acteur, tient le rôle principal dans le film *My Cousin Rachel,* une production britannique de 1982 ? Inspirée de l'œuvre dramatique de Daphné du Maurier, il est une reprise du film du même titre tourné en 1952 avec Olivia DeHavilland et Richard Burton.

GERALDINE CHAPLIN

265) QUELLE station de radio FM anglophone de Montréal diffusait ses émissions en anglais et en français en 1976 ? Elle a ainsi réussi à soutirer un fort pourcentage des jeunes auditeurs aux stations de langue française de Montréal.

CHOM-FM

266) À QUEL animateur le réseau français de télévision Antenne 2 a-t-il confié en 1976, la présentation de toutes les émissions entre midi et 21 h. 30 le dimanche ? Au nombre de ses émissions ; *L'École des fans.*

JACQUES MARTIN (on a dit qu'il gagnait alors 900 000 francs par année)

267) Après 21 années ininterrompues d'émissions de compétitions sportives par et pour les jeunes garçons et filles, cette présentation hebdomadaire prend fin en 1993 à la télé de Radio-Canada. QUEL en était le titre ?

LES HÉROS DU SAMEDI (création du réalisateur Henri Parizeau en 1972)

268) Au Festival de Cannes en 1979, deux films, un allemand et l'autre américain, obtiennent conjointement la Palme d'or attribuée au meilleur film de l'année. Un retrace vingt ans de l'histoire de l'Allemagne et l'autre est une éblouissante parabole sur la guerre du Vietnam. NOMMEZ-les.

LE TAMBOUR - APOCALYPSE NOW (3 pts pour 2 bonnes réponses)

269) Durant les années 80, ce compositeur et chef d'orchestre a écrit la musique de sept des huit films aux recettes les plus élevées de l'histoire du cinéma, dont *Jaws, E.T., Star Wars* et *Raiders of the Lost Ark.* Ses œuvres lui ont valu quatre Oscars. QUI est-il ?

JOHN WILLIAMS (il avait aussi succédé à Arthur Fiedler à la direction des Boston Pops au début des années 80)

270) Cette populaire comédienne québécoise était l'auteur des textes et jouait le rôle de Denise Dussault, propriétaire d'un restaurant dans cette comédie télévisée, présentée à Radio-Canada de 1979 à 1982. QUI est-elle et QUEL était le nom de l'émission ?

DENISE FILIATRAULT - CHEZ DENISE (3 pts pour les 2 réponses)

271) En 1982, cette présentatrice du journal de 20 heures sur Antenne 2 en France, devient en peu de temps une « star » de l'information. Plus de quinze millions de téléspectateurs la regardent chaque soir. En 1983, elle est nommée rédactrice en chef d'Antenne 2. On la surnomme la « Reine Christine ». QUI est-elle ?

CHRISTINE OCKRENT (bonne réponse=2 points de plus)

272) Le film *A League of their Own,* porté à l'écran en 1992, met en vedette Madonna et QUELLE autre actrice qui est devenue depuis lors une animatrice d'un *talk show* quotidien à la télévision américaine ?

ROSIE O'DONNELL

273) *Le Soleil se lève en retard*, une comédie sentimentale de 1976 du cinéaste André Brassard, met en vedette Rita Lafontaine, Denise Filiatrault et QUEL humoriste québécois ?

YVON DESCHAMPS

274) QUI étaient les deux vedettes, acteur et actrice, de la série *Hart to Hart*, une histoire d'un riche homme d'affaires et de sa femme écrivain qui jouent aux détectives amateurs ? La série a été présentée à la télévision américaine de 1979 à 1983.

ROBERT WAGNER - STEPHANIE POWERS (2 bonnes réponses=3 points)

275) QUEL pays a produit le plus de films annuellement entre le début des années 70 et le milieu des années 90 ? Son année la plus productive a été 1990 avec 948 films.

L'INDE (2e ; Japon jusqu'au milieu des années 80. Depuis dépassé par les E-U)

276) À Hollywood, ce sont les Oscars. À Paris, les Césars et à Cannes, la Palme d'or. QUELLES sont les plus importantes récompenses remises aux plus méritants aux festivals de films de Venise et de Berlin ?

LION D'OR (Venise) - OURS D'OR (Berlin) (3 pts pour 2 bonnes réponses)

277) Au nombre des 50 émissions les plus regardées de l'histoire de la télévision américaine entre 1947 et 1998, se trouvent 21 matchs du Super Bowl. Les jeux Olympiques ne détiennent que deux positions, toutes deux pour les mêmes Jeux d'hiver et marqués par un événement d'intérêt collectif. LESQUELS ?

EN 1994 À LILLEHAMMER (Norvège. L'affaire Tonya Harding-Nancy Kerrigan en patinage artistique avait captivé l'intérêt des Américains)

278) QUEL était en 1998 le pays le plus câblé d'Europe de l'Ouest avec un taux de 97 % ? La France, l'Italie, la Belgique ou la Suède ? QUEL pays détenait le 2e rang avec un pourcentage de 84.6 % ? La Suisse, l'Allemagne ou la Grande-Bretagne ?

BELGIQUE - SUISSE (le Québec en 98 ? 72 %)

279) QUEL anniversaire le cinéma canadien a-t-il fêté en 1989 ?

LE 50e DE LA CRÉATION DE L'OFFICE NATIONAL DU FILM

280) QUELLE mini-série télévisée consacrée à un épisode inoubliable de la 2e guerre mondiale, a été un énorme succès aux États-Unis en 1978 ? Trois trophées Emmy lui ont été décernés aux titres de meilleure mini-série, meilleur acteur (Michael Moriarty) et meilleure actrice (Meryl Streep).

HOLOCAUST

281) QUELLE actrice partage la vedette avec Tom Hanks dans le film de 1993, *Sleepless in Seattle* ?

MEG RYAN

282) Ce film britannique a été reçu comme finaliste dans 13 catégories différentes à la soirée des Oscars de 1998, plus que *Saving Private Ryan*. COMBIEN en a-t-il gagné et QUEL en est le titre ?

SEPT (dont celui de meilleur film) - SHAKESPEARE IN LOVE (2 b. rép.=3 pts)

283) Des 26 000 000 de Québécois qui sont allés au cinéma en 1998, QUEL pourcentage a choisi d'aller voir des films américains ?

81.7 POUR CENT (cinéma québécois; 7.1 % - cinéma international; 10.2 %) (Jeu de 2.3 % + ou - alloué)

284) QUI joue le rôle d'agent secret et tueuse professionnelle de *Joséphine* dans le film français très violent de 1990, *Nikita,* du réalisateur Luc Besson ?

ANNE PARILLAUD (bonne réponse=1 point de plus)

285) Il est non seulement le co-auteur du livre *Century,* un ouvrage volumineux sur l'histoire du 20e siècle, mais il a aussi animé et fait la narration de la version télévisée d'une durée de 12 heures en 6 épisodes de ce livre en 1999 au réseau ABC. QUI est-il ?

PETER JENNINGS (il est de naissance canadienne)

286) Après les Césars pour le cinéma en 1975, c'est au tour en 1985 de la télévision de rendre hommage aux plus méritants en France. COMMENT se nomme cette cérémonie de remise de trophées dans 21 catégories ?

LES 7 D'OR (Apostrophes, meilleure émission culturelle, 7 sur 7, meilleure émission d'actualités) (bonne réponse=2 points de plus)

287) En 1952, le film *The Turning Point* a été finaliste dans onze catégories à la soirée des Oscars mais n'en a gagné aucun. En 1985, QUEL film de Steven Spielberg a également reçu onze nominations sans gagner un seul Oscar ?

THE COLOR PURPLE (bonne réponse=2 points de plus)

288) QUI a été le premier réalisateur de la série télévisée québécoise *Lance et Compte* en 1987 ?

JEAN-CLAUDE LORD (bonne réponse=1 point de plus)

289) QUEL film canadien (comédie) de 1982 a rapporté onze millions de dollars de recettes aux guichets canadiens, un record de tous les temps du cinéma canadien à ce chapitre ? Il a aussi été bien accueilli par les Américains, si bien qu'on en a tourné deux autres avec des titres à peu près identiques.

PORKY'S (Les Boys I (1997) est 2e avec des recettes de plus de 6 000 000)

290) Trois films français sont tournés au Vietnam (ex-Indochine) en 1992. NOMMEZ le premier, adapté d'un best-seller de Marguerite Duras (prix Goncourt 1985) et produit par Claude Berri.

L'AMANT

291) QUELLE biographie en 4 épisodes Ingrid Bergman a-t-elle acceptée de tourner pour la télévision en 1982-83 même si elle savait qu'elle était atteinte d'un cancer ? Ce sera son dernier rôle.

UNE FEMME NOMMÉE GOLDA (histoire de Gold Meir. Prod. américaine)

292) Lech Walesa participe en 1994 à une cérémonie en Pologne en hommage à un réseau de radio qui cesse d'émettre après 42 ans de diffusion. NOMMEZ-le.

RADIO FREE EUROPE (à l'aide d'une puissante antenne, ses émissions étaient dirigées en plusieurs langues vers les pays du Rideau de fer)

293) LEQUEL de ces réseaux américains câblés possédait le plus grand nombre d'abonnés en 1999 ; Discovery Channel, CNN, ESPN ou A&E ?

DISCOVERY CHANNEL

294) NOMMEZ les deux films de Steven Spielberg qui lui ont donné 10 Oscars en 1994 dont celui de meilleur réalisateur, son premier à ce titre.

SCHINDLER'S LIST (7 Oscars) - JURASSIC PARK (3 Oscars) (1 pt par rép.)

295) QUI a été durant les années 70 et 80 le lecteur aux grandes lunettes du *National News* en fin de soirée et maître d'œuvre (anchorman) des émissions spéciales de nouvelles au réseau CBC ?

KNOWLTON NASH

296) Cette production franco-britannique de Roman Polanski a donné le coup d'envoi à cette comédienne de 18 ans ? QUI est cette comédienne qui a été la vedette du film *Tess* et qui a reçu un César comme meilleure actrice ?

NASTASSJA KINSKI (bonne réponse=1 point de plus)

297) QUELLE amusante comédie politique de 1993 met en vedette Kevin Cline dans le rôle d'un président américain imposteur et de Sigourney Weaver dans le rôle de la femme du vrai président ?

DAVE (bonne réponse=1 point de plus)

298) QUELLE discipline sportive obtient régulièrement les meilleures cotes d'écoute des émissions de sport télévisées aux États-Unis ? Entendons par-là les émissions présentées sur une base régulière par des athlètes des deux sexes durant les années 1988 à 1998.

PATINAGE ARTISTIQUE

299) QUEL film québécois a remporté pour l'année 1998 huit trophées Génie, remis annuellement depuis 1980 pour rendre hommage aux artisans de l'industrie du cinéma canadien ?

LE VIOLON ROUGE (meilleur film, meilleur réalisateur; François Girard)

300) NOMMEZ les deux animateurs de radio les plus grivois, tranchants, opiniâtres et controversés des années 90 à la radio américaine ?

HOWARD STERN - RUSH LIMBAUGH (3 pts pour 2 bonnes réponses)

301) QUI a écrit les scénarios des quatre films *Rocky* avec Silvester Stallone à partir de 1976 et qui a aussi réalisé les trois derniers ?

SILVESTER STALLONE (après 32 soumissions de scénarios divers, celui de Rocky a été le premier de Stallone à être accepté par des producteurs)

302) Cette comédie française de l'auteure Coline Serreau connaît en 1985 un succès à la fois retentissant et inattendu dans les cinémas de France. Plus de quatre millions de spectateurs vont voir ce film qui remporte le César de meilleur film de l'année et l'Oscar de meilleur film étranger. On l'a tellement aimé aux États-Unis qu'on en a fait une version américaine. NOMMEZ ce film ?

TROIS HOMMES ET UN COUFFIN (Three Men and a Baby. 1987)

303) QUEL comédien jouait le rôle de Gérald Martineau, trésorier de l'Union nationale, dans la minisérie *Duplessis* à l'antenne de Radio-Canada en 1987 ?

DONALD PILON (bonne réponse=1 point de plus)

304) QUEL journaliste et lecteur de nouvelles de grande compétence du réseau CBS à choisi de signer un contrat avec le réseau NBC en 1981, peu de temps après avoir appris que le successeur de Walter Cronkite au poste de lecteur du bulletin de début de soirée était Dan Rather ?

ROGER MUDD (il était convaincu qu'il serait choisi pour succéder à Cronkite) (bonne réponse=2 points de plus)

305) QUI jouait le rôle de *Lex Luthor,* l'ennemi juré de *Superman* dans les deux premiers films de 1978 et 1981, *Superman* et *Superman II ?*

GENE HACKMAN

306) Il joue du trombone et elle chante. Le film s'appelle *New York, New York* et Martin Scorsese en est le réalisateur. QUI joue le rôle du musicien et QUI joue celui de la chanteuse ?

ROBERT DE NIRO - LIZA MINNELLI (2 bonnes réponses=3 pts)

307) Chaque jour de tournage, il fallait 4 heures de travail aux maquilleurs pour transformer Robin Williams en QUEL personnage dans ce film de 1993 ?

MRS DOUBTFIRE (le seul Oscar pour ce film est allé aux trois maquilleurs)

308) Grâce à la chanson *Ne partez pas sans moi,* la Suisse remporte le Grand Prix Eurovision de 1988 à Dublin en Irlande. QUI en était l'interprète ?

CÉLINE DION

309) QUEL film québécois a remporté les trophées canadiens Génie aux titres de meilleur film, meilleur acteur et meilleure actrice de soutien et meilleur réalisateur en 1987 ?

LE DÉCLIN DE L'EMPIRE AMÉRICAIN (de Denys Arcand)

310) QUELLE grande page d'histoire violente des États-Unis a été brillamment racontée dans une minisérie de onze heures au réseau PBS en 1990 ?

LA GUERRE DE SÉCESSION (durant les années 1860)

311) Dans QUELLE ville québécoise la Société Radio-Canada a-t-elle inauguré une nouvelle station de radio au début de l'an 2000 ?

ROUYN-NORANDA (certaines émissions de Radio-Canada étaient diffusées depuis longtemps en Abitibi par une station privée affiliée à Radio-Canada)

312) Ce n'est qu'en 1977 que ce pays de l'île d'Hispanolia a réalisé son premier long métrage de fiction locale. Il a pour titre *Olivia.* NOMMEZ ce pays.

HAITI

313) NOMMEZ la comédienne et chanteuse à ses heures qui joue un rôle plutôt scabreux avec Michel Piccoli dans le film de 1981, *La Fille prodigue.*

JANE BIRKIN (d'origine anglaise)

314) QUEL couple nouvellement marié et aux noms célèbres accorde une interview à Diane Sawyer en 1995 ? On estime à soixante millions le nombre de téléspectateurs qui ont regardé cette émission.
MICHAEL JACKSON - LISA MARIE PRESLEY (1 point par réponse)

315) Dans QUELLE émission de télévision les humoristes Claude Meunier et Serge Thériault se sont-ils fait connaître au début des années 90 ?
LES LUNDIS DES HA-HA

316) NOMMEZ les deux actrices qui jouaient les rôles de *Vicki Vale* dans le film *Batman* en 1989 et de *Catwoman* dans *Batman Returns* en 1992 ?
KIM BASINGER - MICHELLE PFEIFFER (2 bonnes réponses=3 points)

317) QUI joue le rôle-titre du film de 1992, *Le Retour de Casanova ?*
ALAIN DELON (il incarne un Casanova vieillissant et pathétique)

318) La compagnie Turner Broadcasting a provoqué la colère des réalisateurs, des acteurs et actrices et des cinéphiles qui lui reprochaient de violer les vieux films pour la télévision en faisant QUOI en 1986 ?
LA COLORISATION DES FILMS NOIR ET BLANC

319) Le film de 1980, *Atlantic City,* était une production franco-canadienne. Il mettait en vedette Burt Lancaster, Susan Sarandon et Michel Piccoli. Louis Malle en était le réalisateur. QUEL Québécois en était le producteur ?
DENIS HÉROUX

320) COMMENT se nommait le *talk show* qu'animait Réal Giguère à l'heure du souper au Canal 10 en 1979 ?
PARLE, PARLE, JASE, JASE

321) QUEL film à succès de 1984 avec Bill Murray et Dan Aykroyd, a été produit et réalisé par un Canadien, Ivan Reitman ?
GHOSTBUSTERS

322) QUEL reporter de la chaîne de télévision CNN a été le premier à décrire en direct l'assaut aérien des Américains contre la ville de Bagdad en 1991 ?
PETER ARNETT (bonne réponse=2 points de plus)

323) En 1977, la fréquentation des salles de cinéma en France atteint son plus bas niveau depuis 20 ans. L'année suivante, l'industrie produit un nombre record de films, 326. La fréquentation des salles augmente alors de 5 %. Plus de la moitié de ces films appartiennent toutefois à la même catégorie. LAQUELLE ?
PORNOGRAPHIE

324) QUEL film a remporté les quatre principaux titres à la soirée des Oscars en 1991, c'est-à-dire meilleurs film, acteur, actrice et réalisateur ?
THE SILENCE OF THE LAMBS (Le Silence des agneaux)

325) QUI jouait le rôle de *Patof,* cette populaire émission pour enfants, durant les années 70 à Télé-Métropole ?
JACQUES DESROSIERS

326) NOMMEZ l'actrice française qui est la partenaire de Pierce Brosnan dans le film de James Bond de 1999, *The World is not Enough.*

SOPHIE MARCEAU

327) QUEL film de 1995 du réalisateur et acteur Kevin Costner est devenu le plus cher à produire de l'histoire du cinéma, rien de moins qu'un budget de cent quatre-vingt millions de dollars ?

WATERWORLD (a nécessité 600 jours de tournage)

328) Il est devenu durant les années 80 l'intervieweur le plus célèbre de Grande-Bretagne. Sa carrière a débuté en 1962 en Angleterre avec l'émission *That Was The Week That Was.* Sa popularité a débordé aux États-Unis où il a réalisé plusieurs interviews dont *The Nixon Interviews,* après la démission de ce dernier de la présidence américaine en 1974. QUI est-il ?

DAVID FROST

329) Cet animateur est entendu la nuit sur les ondes de CKAC depuis 1977. Il était toujours à son poste à la fin du siècle. QUI est-il ?

JACQUES FABI

330) Cet acteur britannique a lancé sa carrière en 1921 au théâtre *Old Vic* de Londres. Trois ans plus tard, il tournait son premier film. Plus à l'aise et plus réputé pour ses rôles sur scène, il a néanmoins joué dans une soixantaine de films. En 1981, il a gagné son seul Oscar pour son rôle de valet dans le film *Arthur* avec Dudley Moore. QUI était ce grand acteur britannique ?

JOHN GIELGUD (Sir. Il a joué dans 4 films en 1996 alors qu'il avait 92 ans. Il est décédé en juin 2000)

331) QUEL film du réalisateur Louis Bélanger a remporté cinq Prix Jutra lors de la remise de ces trophées en 2000 à Montréal dont ceux de meilleur film, de meilleur acteur et de meilleure réalisation ?

POST MORTEM

332) QUEL film de 1984 nous fait revivre l'époque des bandes rivales de gangsters et d'un célèbre club de jazz de New York durant les années 20 et 30 ? Richard Gere et Gregory Hines en sont les vedettes et la musique de Duke Ellington est très entendue.

THE COTTON CLUB

333) Après l'émission à succès *Passe-Partout,* Radio-Québec poursuit sa lancée éducative à la télévision avec une nouvelle série quotidienne en 1988. QUEL était le titre de cette émission qui gardera l'antenne jusqu'en 1995 ?

LE CLUB DES 100 WATTS (bonne réponse=1 point de plus)

334) Henri Bergeron, le premier annonceur de la télévision française de Radio-Canada en 1952, est décédé en 2000 à l'âge de 75 ans. De QUELLE province était-il natif ?

MANITOBA (Saint Boniface)

335) Le « best seller » *Wired*, écrit par Bob Woodward et publié en 1984, raconte l'histoire de ce comédien américain dont la carrière avait débuté à l'émission *Saturday Night Live* en 1975. Sept ans plus tard, il était retrouvé sans vie, victime d'une surdose d'héroïne et de cocaïne. QUI était-il ?

JOHN BELUSHI

336) Ce personnage historique du XXe siècle est joué par Robert Duvall dans cette version biographique de 1992, une coproduction télévisée de quatre pays dont le Canada. Duvall joue le rôle-titre du film. LEQUEL ?

STALINE

337) QUEL acteur joue le rôle-titre dans la mini-série télévisée *Ike* en 1983, série reprise en France l'année suivante ? C'est l'actrice Lee Remick qui joue le rôle de *Kay Sommersby*, confidente et maîtresse de Eisenhower (Ike).

ROBERT DUVALL (le scénario de Melville Shavelson a été préféré à deux autres soumis par Mamie Eisenhower, femme du général et futur président)

338) QUEL film du réalisateur allemand Wim Wenders et mettant en vedette Harry Dean Stanton et Nastassja Kinski, a remporté la Palme d'or du long métrage au Festival de Cannes de 1984 ?

PARIS, TEXAS (bonne réponse= 1 point de plus)

339) En 1976, le réseau ABC a versé 25 000 000 de dollars pour les droits de télévision des jeux Olympiques d'été de Montréal. QUEL montant le réseau NBC a-t-il payé pour les droits exclusifs des Jeux de Sydney en 2000 ? 350, 570, 715 OU 935 millions de dollars ?

715 000 000 DE DOLLARS (28 fois de plus qu'en 1976. Le Canada avait payé 360 000 dollars pour les droits de 76. Pour 2000 ; 28 000 000 $)

340) QUEL pourcentage des cinéphiles français a privilégié les productions américaines dans les salles cinématographiques de France en 1995 ?

SOIXANTE POUR CENT (jeu de 5 % + ou - alloué)

341) Dans le film *Dick Tracy* de 1990, le principal rôle féminin est tenu par une actrice-chanteuse dont la chanson *Sooner or Later (I Always Get My Man)* remporte un Oscar au titre de meilleur chanson extraite d'un film. QUI est cette artiste ?

MADONNA (Warren Beatty joue le rôle-titre)

342) Le réseau anglais de télévision de la CBC obtient un succès considérable avec deux émissions humoristiques depuis le milieu des années 90 ; *This Hour has 22 Minutes* et QUELLE autre ?

ROYAL CANADIAN AIR FARCE

343) Il avait joué le rôle d'un tueur dans le film *Psycho* en 1960. Il est mort en 1992 à l'âge de 60 ans, victime du sida. QUI était-il ?

ANTHONY PERKINS

344) Le ministre de l'Économie et des Finances de France, Dominique Strauss-Kahn, quitte le gouvernement en novembre 1999 après avoir été accusé de « faux et usage de faux ». Sa femme est une animatrice bien connue de la télévision française. NOMMEZ-la.

ANNE SINCLAIR

345) Dans le film de 1995, *Le Roi Lion* des studios Disney, QUEL comédien prête sa voix grave au lion *Mufasa,* père de *Simba ?*

JAMES EARL JONES (bonne réponse=1 point de plus)

346) Ce film a été annoncé comme étant le dernier du réalisateur suédois Ingmar Bergman. Il est une autobiographie de sa famille et lui a valu l'Oscar au titre de meilleur film étranger en 1984 à Hollywood. QUEL en est le titre ?

FANNY ET ALEXANDRE

347) Après le succès de la télésérie *Les Filles de Caleb,* la romancière Arlette Cousture nous donne une suite au début des années 90. QUEL était le nom de cette nouvelle émission de télévision ?

BLANCHE

348) Lorsqu'elle a joué dans le film *The Whales of August* en 1987, elle en était à son 103e film, à sa 8e décennie de cinéma et était âgée de 91 ans. Elle est décédée en 1993. QUI était cette prolifique actrice ?

LILLIAN GISH (elle a tourné son 1er film en 1912)

349) NOMMEZ le commentateur de sport américain qui a fêté en l'an 2000 ses 50 ans de descripteur de matchs de baseball des Dodgers de Brooklyn et de Los Angeles à la radio et à la télévision ?

VIN SCULLY

350) QUEL pourcentage du film de 1999, *La Guerre des étoiles (la Menace fantôme)* a été réalisé en numérique, c'est-à-dire sur ordinateur ? 59 %, 74 % OU 89 % ?

89 POUR CENT (seulement 23 min. des 2h. 13 du film sont authentiques)

351) Ce film français du réalisateur Philippe de Broca porte le titre d'un roman de Balzac mais il n'y est pour rien puisqu'il s'agit d'un scénario original. Il devient le premier film célébrant le bicentenaire de la Révolution et paraît au début de 1988. Philippe Noiret, Lambert Wilson et Sophie Marceau en sont les vedettes. QUEL est son titre ?

CHOUANS (roman de Balzac, « Les Chouans ») (bonne réponse=2 pts de +)

352) Lorsque la série télévisée *Mission Impossible* des années 1966 à 1973 a vécu un deuxième souffle en 1988 sous le nom de *Mission Impossible, 20 ans après,* QUEL a été le seul acteur de la première série à jouer dans la seconde ?

PETER GRAVES (dans le rôle de Jim Phelps)

353) Meilleur film de l'année en 1979, il procure à Dustin Hoffman l'Oscar au titre de meilleur acteur et à Meryl Streep, le titre de meilleure actrice de soutien. QUEL est le titre de ce film ?

KRAMER VS KRAMER (aussi, meilleur réalisateur et meilleur scénario)

354) Sur QUEL réseau l'émission satirique *This Hour Has 22 Minutes* est-elle présentée depuis 1995 ? Elle a remporté nombre de trophées.

CBC (elle était toujours à l'horaire en l'an 2000)

355) QUI est le seul acteur de Hollywood à avoir été mis en nomination dans quatre catégories différentes ; meilleur acteur, meilleur réalisateur, meilleur producteur et meilleur scénariste durant les années 60, 70, 80 et 90 ?

WARREN BEATTY (il a gagné un Oscar, comme réal. pour Reds en 1981)

356) Catherine Deneuve, Susan Sarandon et QUEL chanteur populaire britannique partagent la vedette du film de 1983, *The Hunger*. C'est l'histoire d'une vampire qui jette son dévolu sur une femme médecin qu'a consulté son compagnon lorsqu'il s'est senti vieillir ?

DAVID BOWIE

357) Ce film, soit disant biblique du réalisateur Martin Scorcese, a été tellement condamné par les milieux religieux en 1988 que plusieurs cinémas ont refusé de le projeter. QUEL est le titre de ce film dont le rôle de Jésus est joué par Willem Dafoe ?

THE LAST TEMPTATION OF CHRIST (La dernière tentation du Christ)

358) Les trophées Métrostar existent depuis le milieu des années 80 au Québec. QUI détient le record du plus grand nombre de trophées remportés au fil des lors de ce gala annuel ? Et dites COMBIEN ?

JEAN-LUC MONGRAIN - SEIZE (jeu de 2 +/- alloué) (2 b. rép.=3 points)

359) QUEL acteur canadien a été une des vedettes des films *Batman Forever* et *Ace Ventura* en 1995 et *The Cable Guy* en 1996 ?

JIM CARREY

360) La chaîne française TF1 lance en 1989 une série policière avec l'acteur Roger Hanin dans le rôle d'un commissaire de police. QUEL nom porte cette émission présentée à TV5 et dont la longévité dépasse les 10 ans ?

NAVARRO (Le système Navarro aussi accepté)

361) Après *Das Boot*, le réalisateur Joseph Wilsmaier nous fait revivre en 1992 le cauchemar allemand de la plus célèbre bataille du 2e conflit mondial. Elle donne son nom au film. LEQUEL ?

STALINGRAD

362) En 1946, ce film du romancier américain James Cain, mettait en vedette John Garfield et Lana Turner. Il a été reporté à l'écran en 1981 dans une nouvelle version au contenu sexuel plus violent avec Jessica Lange et Jack Nicholson comme têtes d'affiche. QUEL est le nom de ce film dont l'action se situe durant la grande dépression des années 30 ?

THE POSTMAN ALWAYS RINGS TWICE (bonne rép.=2 points de plus)

363) QUELS comédiens québécois jouaient les rôles de *Marc Gagnon* et de *Pierre Lambert* dans la télésérie *Lance et Compte* à Radio-Canada en 1985 ?

MARC MESSIER - CARL MAROTTE (1 point par réponse)

364) Cette comédie dramatique de Claude Sautet raconte les tribulations d'un ex-danseur devenu serveur de restaurant. Yves Montant, Nicole Garcia et Jacques Villeret partagent la vedette de ce film de 1983. QUEL est son titre ?

GARÇON (bonne réponse=1 point de plus)

365) QUEL commentateur britannique de golf a été congédié par le réseau américain CBS en 1995 pour avoir tenu des propos sexistes envers les femmes golfeuses durant une interview télévisée et dans un quotidien ?

BEN WRIGHT (il aurait dit qu'il y avait trop de golfeuses lesbiennes sur le circuit de la LPGA. Aussi, que leurs seins nuisaient à leur élan dans l'exécution de leurs coups. Il n'a été engagé à nouveau comme descripteur qu'en 2000)

366) Le premier film du réalisateur Gilles Noël met en vedette Macha Grenon et Michel Côté. Un policier épie une voleuse de cartes de crédit afin de découvrir ses motifs. QUEL est le titre de ce film de 1995 ?

ERREUR SUR LA PERSONNE

367) Roman Polanski en est le réalisateur et Harrison Ford, la vedette. QUEL est le titre de ce film d'espionnage de 1988 et dont l'action se déroule à Paris ? Une scène de poursuite en voiture en plein trafic est plutôt mémorable.

FRANTIC (bonne réponse=1 point de plus)

368) Avec QUEL animateur l'ex-politicien Jean Cournoyer a-t-il fait équipe en 1976 à la radio de CKVL pour présenter l'émission *Face à face* ?

MATHIAS RIOUX (Cournoyer venait de perdre ses élections. Rioux est entré en politique avec le PQ durant les années 90, a été élu et est devenu ministre)

369) Ce film de 1995 est une chronique de Claude Lelouch qui transpose un chef-d'œuvre de Victor Hugo dans la réalité du 20e siècle. Plusieurs grands acteurs dont Jean-Paul Belmondo et Annie Girardot, font partie de la distribution. QUEL est le nom de ce film ?

LES MISÉRABLES DU 20E SIÈCLE

370) QUELLE actrice blonde, fille d'un populaire acteur des années 40 et 50 à Hollywood, a succédé à Farrah Fawcett en 1977, seulement un an après le début de la série télévisée *Charlie's Angels* ?

CHERYL LADD (fille d'Alan Ladd) (Bonne réponse=1 point de plus)

371) QUELLE animatrice a succédé à Louise Arcand à la présentation des nouvelles de début de soirée à la télévision de Radio-Canada en 1984 ? Cette décision avait provoqué l'ire de Mme Arcand qui avait intenté une poursuite contre Radio-Canada pour discrimination d'âge.

MARIE-CLAUDE LAVALLÉE (elle est restée à Montréal Ce Soir de 1984 à 1992)

372) QUEL grand acteur de Hollywood a réalisé le film de 1994, *Quiz Show* ?

ROBERT REDFORD (il ne joue pas dans ce film mais un réalisateur connu, Martin Scorcese, joue bien le rôle d'un commanditaire de l'émission-quiz)

373) La jeune actrice québécoise Karine Vanasse a été proclamée meilleure actrice de l'année lors de la remise des trophées Jutra en 1999 pour son rôle dans QUEL film de Léa Pool ?

EMPORTE-MOI (bonne réponse=1 point de plus)

374) La vedette française de la scène, de la radio et de la télévision Thierry Le Luron, est mort en 1986 à l'âge de 34 ans. À QUEL talent devait-il sa très grande notoriété ?

IMITATEUR (bonne réponse=2 points de plus)

375) *La Dame en couleurs*, film tourné en 1984, a été le dernier long métrage de ce cinéaste québécois dont le corps a été retrouvé dans les eaux du Laurent en 1986. Il n'avait que 56 ans. QUI était ce grand réalisateur ?

CLAUDE JUTRA

376) QUELLE colonie britannique a été le 3e producteur de films au monde durant les années 80 avec plus de 2 000 films ? Seuls les États-Unis et l'Inde en ont produit davantage.

HONG KONG

377) QUELLE série (sitcom) télévisée américaine l'acteur canadien Michael J. Fox a-t-il été contraint d'abandonner en 2000 en raison de son état de santé ?

SPIN CITY (Fox souffre de la maladie de Parkinson)

378) QUEL nom le cinéaste-écrivain Jacques Godbout a-t-il choisi de donner à son film-documentaire de 1992 traitant de l'actualité constitutionnelle canadienne à la suite de l'échec de l'accord du lac Meech en 1990 ?

LE MOUTON NOIR (bonne réponse=1 point de plus)

379) QUEL film de 1995, une production franco-américaine, raconte les vies tumultueuses d'homosexualité des poètes Arthur Rimbaud et de Paul Verlaine ? Leonardo DiCaprio joue le rôle de Rimbaud. Le film a été assez mal reçu par les critiques.

LES POÈTES MAUDITS (Total Eclipse aussi accepté) (B. rép.=2 pts de +)

380) Après nous avoir donné *Spartacus* en 1960, *Lolita* en 1962, *2001 ; A Space Odyssey* en 1968, *The Shining* en 1980, ce producteur-réalisateur américain naturalisé Britannique en 1961, nous offre un dernier film en 1987, *Full Metal Jacket*, un film consacré à la guerre du Vietnam. QUI est-il ?

STANLEY KUBRICK

381) QUELLE actrice a reçu le trophée Emmy à quatre reprises au titre de meilleure actrice pour son rôle dans la comédie télévisée *Mad About You* au réseau NBC entre 1995-96 et 1998-99 ?

HELEN HUNT (elle avait aussi gagné un Oscar comme meilleure actrice en 1997 pour son rôle dans le film As Good As It Gets)

382) QUEL film de Pierre Falardeau a été couronné champion canadien du « box-office » canadien en 1999 ? Il a généré des recettes de 3 700 000 dollars, succédant ainsi aux films *Les Boys I* et *Les Boys II* en 1997 et 1998.
ELVIS GRATTON II

383) QUEL acteur joue le rôle de Babe Ruth dans le film de 1992, *The Babe ?*
JOHN GOODMAN (trop obèse pour jouer ce rôle. Ruth méritait mieux)

384) Marlee Matlin a reçu en 1987 l'Oscar attribué à la meilleure actrice de l'année pour son rôle dans le film *Les Enfants du silence (Children of a Lesser God)*. Pourtant, elle est atteinte d'une infirmité depuis l'âge de 18 mois. LAQUELLE ?
SOURDE-MUETTE

385) Le réseau américain ABC avait obtenu les droits de télédiffusion des jeux Olympiques d'été de Montréal pour la somme de 25 000 000 de dollars en 1976. COMBIEN le même réseau a-t-il déboursé pour les droits des Jeux d'hiver de 1988 à Calgary ? 5 fois, 10 fois ou 15 fois plus qu'en 1976 ?
QUINZE FOIS (386 000 000 dollars. Ce fut un désastre financier pour ABC)

386) QUEL film de 1978 d'une durée de trois heures et dont l'action se passe au Vietnam, met en vedette Robert de Niro et Meryl Streep ? Il a reçu l'Oscar au titre de meilleur film de l'année.
THE DEER HUNTER

387) QUEL brillant réalisateur de documentaires nous a donné deux mini-séries inoubliables au réseau américain PBS durant les années 90 ; *La Guerre de sécession* et *Baseball ?* Il a aussi réalisé un documentaire consacré à la vie du célèbre architecte Frank Lloyd Wright et un autre au pont de Brooklyn.
KEN BURNS (bonne réponse=1 point de plus)

388) QUEL réalisateur québécois a réalisé en 1984 le premier long métrage de la série *Contes pour tous* du producteur Rock Demers ? NOMMEZ aussi ce long métrage qui raconte l'histoire de la rivalité entre deux clans d'enfants et dont le message se traduit par un plaidoyer pour la paix. Ce film a remporté nombre de prix dont ceux de Moscou et de Chicago.
ANDRÉ MELANÇON - LA GUERRE DES TUQUES (2 pts par bonne rép.)

GRANDS NOMS

Chapitre III

« La rectitude politique est de la tyrannie avec de bonnes manières ».

Charlton Heston, acteur et opposant aux mesures plus sévères prônées par le gouvernement contre la possession d'armes à feu. 2000.

« Ce n'est pas suffisant de réussir. Il faut que d'autres subissent l'échec ».

Gore Vidal, romancier américain, 1976.

« Elle essaie de porter les pantalons de Winston Churchill ».

Léonid Breshnev, homme d'État soviétique. Remarque faite en 1979 à l'endroit de Margaret Thatcher, première ministre de G-B.

« Un pianiste peut être un bon Américain lorsqu'il joue Barber, un bon Polonais lorsqu'il joue Chopin, un bon Russe lorsqu'il joue Tchaikowsky .... Un pianiste est un citoyen du monde ».

Vladimir Horowitz, célèbre pianiste de concert russe-américain, 1986.

SYNOPSIS

En faisant le bilan des événements des 25 dernières années du XXe siècle, on a tôt fait de constater une présence importante des femmes parmi tous les grands noms qui ont marqué cette époque. La notoriété de la femme, jadis à peu près égale à celle de l'homme dans les domaines du cinéma et de la chanson mais acquise au compte-gouttes dans les autres domaines de l'activité humaine, s'est manifestée de manière éclatante durant le dernier quart de siècle, résultat éloquent de la révolution sociale des années 60 et 70.

Si bien que la récolte a été riche et abondante. Les sports, la politique, la radio-télévision et la littérature ont été particulièrement bien servis par la présence féminine. Si sa contribution avait été moindre durant les années précédentes, elle avait aussi été moins reconnue même lorsqu'elle s'affichait. Dorénavant, elle assure sa présence et la reconnaissance, parfois encore tiède, des hommes.

Autrement, les 25 dernières années ne nous ont pas donnés plus ou moins de grands noms qu'au cours des trois autres quarts du XXe siècle. Beaucoup de nouveaux et aussi d'anciens comme Hirohito, l'homme au plus long règne du siècle, Frank Sinatra, Kim Il Sung, Walt Disney, Mgr Paul-Émile Léger, Gilbert Bécaud, Ingrid Bergman, Ronald Reagan, René Lecavalier, John Kenneth Galbraith, Bob Hope, Élisabeth II et nombre d'autres dont la notoriété remonte aux années d'après-guerre. Il y en a pour toutes les préférences et pour tous les âges.

DEGRÉ DE DIFFICULTÉ - Moyen à facile

NOMBRE DE QUESTIONS - 260

NOMBRE RÉSERVÉ AU CANADA - 88 (dont 43 au Québec)

POURCENTAGE SUR 260 - 33.8 %

1) QUELLE romancière québécoise a reçu le prix Fémina de littérature en 1982 ?
ANNE HÉBERT (pour son roman Les Fous de Bassan)

2) Lors du troisième concert des trois ténors (Pavarotti, Domingo, Carreras) présenté à Paris en 1998, QUI était le chef d'orchestre ?
JAMES LEVINE (directeur musical du Metropolitan Opera de New York)

3) QUEL acteur américain a gagné un deuxième Oscar à titre de meilleur acteur de l'année en 1997 ? Il avait aussi mérité cet honneur en 1975 ainsi qu'un autre Oscar comme meilleur acteur de soutien en 1983.
JACK NICHOLSON (pour le film As Good as it Gets)

4) QUI a été la première femme astronaute à se rendre dans l'espace à bord de la navette spatiale Challenger en 1983 ?
SALLY RIDE

5) QUEL grand magasin canadien a annoncé en 1976 qu'il mettait fin à la distribution de son catalogue à ses clients, une tradition qui remontait au début du siècle ?
EATON

6) L'auteure du roman *Les Lilas fleurissent à Varsovie*, est décédée à Québec en 1990. QUI était-elle ?
ALICE PARIZEAU (épouse de Jacques Parizeau) (bonne réponse=2 pts de plus)

7) L'acquisition de cette compagnie pétrolière canadienne par la compagnie Imperial Oil en 1989 pour la somme de cinq milliards de dollars, a été une des plus importantes de l'histoire du Canada. NOMMEZ cette compagnie.
TEXACO CANADA (vendue pour éponger une énorme poursuite contre la compagnie-mère américaine)

8) Michel Tremblay a écrit les paroles de l'opéra québécois *Nelligan* en 1990. QUI a composé la musique ?
ANDRÉ GAGNON

9) QUEL patineur de vitesse américain a remporté cinq médailles d'or aux jeux Olympiques d'hiver de 1980 à Lake Placid ?
ERIC HEIDEN

10) Pour la première fois au Canada, une femme est choisie pour diriger un parti politique au niveau fédéral. C'était en 1989. QUI est-elle ?
AUDREY MCLAUGHLIN (du Parti néo-démocrate)

11) QUEL quotidien de langue française et publié depuis le début du siècle dans les Maritimes, doit fermer ses portes en 1982 à cause de problèmes financiers ?
L'ÉVANGÉLINE

12) En 1989, l'Ayatollah Khomenii d'Iran a offert une récompense d'un million de dollars à quiconque tuerait QUEL auteur indien des *Versets sataniques ?*
SALMAN RUSHDIE (après la mort de Khomenii, l'offre a été retirée)

13) QUEL chef d'orchestre a succédé à Claudio Abbado à la tête de la direction musicale de l'Opéra La Scala de Milan en 1986 ?
RICCARDO MUTI (bonne réponse=2 points de plus)

14) NOMMEZ la première femme à être admise au sein de l'Académie française en 1980.
MARGUERITE YOURCENAR (femme de lettres aux nationalités franç. et amér.)

15) La perte de six milliards de dollars de cette multinationale américaine en 1992 est la plus importante de toute l'histoire des États-Unis. QUEL est le nom de cette compagnie qui réagit par le licenciement de 15 000 employés ?
IBM (International Business Machines)

16) QUELLE nageuse canadienne est devenue la première femme au monde à réussir la traversée de la Manche à la nage dans les deux directions en 1977 ?
CINDY NICHOLAS (elle a aussi retranché 10 heures au record masculin)

17) Le prix Nobel de la paix de 1993 a été décerné à deux Sud-Africains pour leur volonté à mettre fin à la politique de ségrégation raciale de ce pays. Nelson Mandela était un de ces récipiendaires. QUI était l'autre ?
FRÉDÉRICK de KLERK (président du pays)

18) QUI a été la première femme canadienne à se rendre dans l'espace à bord de la navette spatiale Discovery en 1992 ?
ROBERTA BONDAR

19) QUEL est le nom complet de Sa Sainteté Jean-Paul II, élu pape en 1978 ?
KAROL WOJTYLA (Polonais)

20) En 1989, une somme record de 48 000 000 de dollars est déboursée pour un autoportrait de QUEL grand peintre européen ?
PABLO PICASSO

21) NOMMEZ l'ambassadeur canadien qui a hébergé six employés de l'ambassade américaine à Téhéran en 1979 pour ensuite les aider à fuir le pays pendant que leurs camarades étaient détenus comme otages par les étudiants iraniens.
KENNETH TAYLOR (bonne réponse=1 point de plus)

22) Entre 1986 et 1998, QUEL romancier américain nous a donné neuf « best sellers » dont *Clear and Present Danger* en 1989 et *Executive Orders* en 1996 ?
TOM CLANCY (bonne réponse=2 points de plus)

23) En 1979, la compagnie Sony met sur le marché le baladeur *Walkman*. C'est un succès instantané. QUI était le PDG de la compagnie ?
AKIO MORITA (on l'a surnommé Monsieur Sony)

24) QUEL chanteur rock américain a fait fortune en 1985 avec l'album *Born in the USA ?* Plus de quinze millions d'exemplaires ont été vendus en 12 mois.
BRUCE SPRINGSTEEN

25) QUEL dirigeant politique européen est décédé en 1980 à l'âge de 87 ans ? Il était le chef d'État incontesté de son pays depuis 35 ans ?
TITO (Josef Bröz)

26) La plus importante banque américaine voit le jour en 1995 à la suite de la fusion de la Chemical Banking Corporation et de QUEL autre géant américain ?
CHASE MANHATTAN BANK (bonne réponse=1 point de plus)

27) Cette astronaute américaine a été la première femme au monde à perdre la vie lors d'une mission spatiale. C'était en 1986 lorsque la navette Challenger a explosé peu de temps après son lancement, tuant les 7 occupants. COMMENT se nommait-elle ?
CHRISTA MCAULIFFE (institutrice)

28) QUEL québécois a lancé la revue *L'Actualité* en 1976 ?
JEAN PARÉ (résultat de la fusion de McLeans et Actualité)

29) QUI est devenue en 1997 la première femme à occuper le poste de secrétaire d'État des États-Unis ?
MADELEINE ALBRIGHT

30) QUEL double médaillé d'or olympique canadien s'est suicidé en 1982 à Vancouver à l'aide du revolver qu'on lui avait remis comme récompense lors de ses victoires comme coureur aux jeux Olympiques de 1928 à Amsterdam ?
PERCY WILLIAMS (il avait gagné le 100 et le 200-mètres en athlétisme. Il était âgé de 74 ans et dépressif depuis plusieurs années)

31) QUELLE chanteuse américaine a été consacrée reine du disco en 1976 à la suite de son enregistrement de la chanson *Love to Love You, Baby ?*
DONNA SUMMER (l'enregistrement original durait 17 minutes)

32) Mise sur le marché à la fin de 1955 pour concurrencer la *Corvette* de General Motors lancée 2 ans plus tôt, cette voiture aux allures sport a été retirée du marché en 1998. QUEL était son nom ?
THUNDERBIRD

33) C'est un évêque qui a reçu le prix Nobel de la paix en 1984. NOMMEZ-le.
DESMOND TUTU (évêque sud-africain qui a combattu l'apartheid)

34) NOMMEZ le pianiste québécois qui a été le premier Canadien à mériter une médaille au Concours international Tchaikowsky à Moscou en 1978.
ANDRÉ LAPLANTE (bonne réponse=1 point de plus)

35) NOMMEZ le réalisateur des films *Platoon* de 1986 et *Nixon* de 1995.
OLIVER STONE

36) Mieux connue pour son industrie du tabac et désirant diversifier ses investissements devant la dénonciation de la cigarette, QUELLE compagnie fait l'acquisition du géant des céréales Nabisco pour la somme de cinq milliards de dollars en 1985 ?
R.J. REYNOLDS

37) QUEL nom a été donné au nouveau centre culturel inauguré en 1977 dans le quartier Beaubourg dans le cœur de Paris ?

POMPIDOU (du nom de l'ancien président de la République)

38) C'est en 1982 que la première femme est choisie pour siéger à la Cour suprême du Canada. QUI est-elle ?

BERTHA WILSON (bonne réponse=2 points de plus)

39) QUI est le personnage raconté par l'auteur américain William Manchester dans son livre *American Ceasar*, publié en 1978 ?

DOUGLAS MACARTHUR (général 5-étoiles, mort en 1964 à l'âge de 84 ans)

40) QUEL criminel de guerre nazi condamné à l'emprisonnement à vie au procès de Nuremberg en 1946, s'est pendu en 1988 dans sa cellule de la prison de Spandau à Berlin ? Il était alors âgé de 93 ans.

RUDOLF HESS (n° 2 dans la hiérarchie nazie en 1940. Certains ont prétendu qu'il avait été assassiné)

41) Il a gagné son premier tournoi de golf professionnel, l'Omnium de golf du Canada en 1955 et son dernier en 1988 chez les séniors de la PGA. QUI est ce grand nom du golf ?

ARNOLD PALMER

42) QUEL célèbre écrivain américain a publié en 1978 le « best seller » *Chesapeake ?*

JAMES MICHENER

43) QUEL style de danse a connu un nouveau sommet de popularité grâce au film de 1977, *Saturday Night Fever ?*

DISCO

44) NOMMEZ l'écrivain et dramaturge américain d'expression française mais de naissance roumaine qui a reçu le prix Nobel de la paix en 1986. Il était aussi un survivant des camps de concentration nazi.

ÉLIE WIESEL (bonne réponse=1 point de plus)

45) NOMMEZ celui qui a présidé de 1985 à 1995 la Commission européenne.

JACQUES DELORS (la commission est une institution de l'Union européenne, l'ex-CEE) (bonne réponse=1 point de plus)

46) QUEL financier québécois a fait l'achat en 1978 de l'importante compagnie de gestion canadienne Argus ?

CONRAD BLACK (elle avait été la propriété du financier E.P. Taylor)

47) Deux quotidiens montréalais ont cessé de publier en 1978-79, le *Montréal-Matin* et QUEL autre ?

MONTREAL STAR

48) En 1937 et 1938, Spencer Tracy a reçu l'Oscar attribué au meilleur acteur. Cet exploit de deux Oscars en deux ans n'a été répété qu'en 1993 et 1994 par QUEL acteur ?

TOM HANKS (films Schindler's List et Forrest Gump)

49) QUEL était le nom de famille de la princesse Diana ?
SPENCER

50) NOMMEZ l'auteur du best-seller de 1980, *La Troisième Vague*.
ALVIN TOFFLER

51) QUI a été le premier francophone à être nommé ministre des Finances au Parlement d'Ottawa en 1977 ?
JEAN CHRÉTIEN (de 1977 à 1980)

52) Après avoir présidé le Syndicat des travailleurs canadiens de l'automobile durant de nombreuses années, ce syndicaliste acharné est devenu en 1992 le président du Congrès du travail du Canada. QUI est-il ?
BOB WHITE (bonne réponse=2 points de plus)

53) Lors des fêtes marquant le 200e anniversaire de la Révolution française en 1989, c'est un célèbre soprano américain qui a été choisie pour chanter *La Marseillaise* lors du grand défilé sur les Champs-Élysées. QUI est-elle ?
JESSYE NORMAN (bonne réponse=1 point de plus)

54) NOMMEZ le leader politique d'une importante nation qui a été proclamé récipiendaire du prix Nobel de la paix en 1990 pour sa contribution à la paix dans le monde.
MIKHAÏL GORBATCHEV

55) QUI a remporté le championnat de Formule Un en 1996 ?
DAMON HILL (Jacques Villeneuve a terminé au 2e rang)

56) QUELLE grande multinationale américaine a fait l'acquisition du réseau de télévision NBC et de sa compagnie-mère RCA en 1985 pour la somme de six milliards trois cent millions de dollars ?
GENERAL ELECTRIC

57) NOMMEZ le chef d'orchestre de naissance allemande qui a succédé à Zubin Mehta à la tête de l'Orchestre symphonique de Montréal en 1967.
FRANZ-PAUL DECKER (il y restera jusqu'en 1975) (Bonne rép.=2 pts de +)

58) Outre Nicole Brown-Simpson, QUI était l'autre victime du double meurtre dont a été accusé O.J. Simpson en 1995 ?
RON GOLDMAN (serveur dans un restaurant de Los Angeles)

59) Entre les ours et les hommes, un pacte est-il possible ? QUELLE romancière canadienne tente d'y répondre dans son roman *L'Oursiade* en 1990 ?
ANTONINE MAILLET

60) En 1998, deux géants de l'industrie automobile décident de fusionner. Un est américain et l'autre allemand. QUEL nom a été donné à cette nouvelle entreprise ?
DAIMLER-CHRYSLER

61) QUI était l'animateur-concepteur de la série historique *20 Ans déjà*, présentée à la télévision de Radio-Canada en 1984 et 1985 ?

PIERRE NADEAU

62) NOMMEZ le chanteur européen qui grâce à ses enregistrements multilingues de ses chansons, a vendu le plus d'albums au monde durant les années 60 et 70 même s'il était peu connu aux États-Unis. En fait, ce n'est qu'en 1984 qu'il a obtenu son premier album millionnaire sur le marché américain.

JULIO IGLESIAS (son album à succès aux USA ; 1100 Bel Air Place)

63) QUELLE skieuse allemande est venue à un cheveu près de devenir la première à remporter le triplé du ski alpin aux jeux Olympiques d'Innsbruck en 1976 ? Elle a gagné deux médailles d'or et une d'argent.

ROSI MITTERMAIER (la Canadienne Kathy Kreiner l'a privée d'un balayage)

64) NOMMEZ l'écrivain canadien qui a publié une trilogie sur l'*Establishment* canadien durant les années 70 et 80. Le titre du troisième volume est *Titans*.

PETER NEWMAN (bonne réponse=2 points de plus)

65) NOMMEZ l'expert canadien en balistiques et consultant en armes pour l'Irak entr'autres nations qui a été trouvé assassiné à Bruxelles en 1990.

GERALD BULL (bonne réponse=1 point de plus)

66) QUEL homme politique du Proche-Orient a reçu le prix Nobel de la paix pour l'année 1994 ?

YITZHAK RABIN (PM d'Israël. Il a été assassiné l'année suivante)

67) QUELLE chaîne d'alimentation canadienne a été achetée par la chaîne québécoise Provigo en 1992 ?

STEINBERG (quelques années après, Provigo a été acheté par Loblaws)

68) QUEL pays se classe premier ou deuxième dans la production mondiale des six catégories d'énergie primaire, à savoir : le pétrole, le gaz liquide, le gaz naturel (sec), le charbon, l'hydroélectricité et le nucléaire ?

LES ÉTATS-UNIS

69) En 1978, pour commémorer le 370e anniversaire de la fondation de la ville de Québec, ce compositeur-musicien-interprète québécois compose *Le Concerto pour Hélène* qu'il interprète avec l'Orchestre symphonique de Québec et la chanteuse Danièle Licari. QUI est-il ?

CLAUDE LÉVEILLÉE

70) NOMMEZ la journaliste qui est devenue en 1998 la correspondante en chef des évènements étrangers du réseau d'informations CNN.

CHRISTIANE AMANPOUR (d'origine iranienne. Brillante et polyglotte)

71) NOMMEZ l'unijambiste canadien qui a réussi à traverser au pas de course le Canada d'est en ouest en 1985 afin de recueillir des fonds pour venir en aide aux victimes du cancer. Il a réussi son exploit en 14 mois.

STEVE FONYO (bonne réponse=1 point de plus)

72) NOMMEZ le célèbre violoncelliste qui a aussi dirigé l'Orchestre national de Washington de 1977 à 1994.
MSTISLAV ROSTROPOVICH

73) NOMMEZ l'avocat de la défense lors du procès pour meurtre de O.J. Simpson qui a déclaré aux membres du jury « *If it doesn't fit, you must acquit* ». Il faisait référence aux gants qu'aurait portés Simpson le soir du meurtre et qui lors du procès semblaient un trop petits pour les mains de l'accusé.
JOHN COCHRAN

74) QUEL grand scientifique russe a été condamné à la résidence surveillée en 1980 pour avoir ouvertement critiqué la violation des droits de l'homme du gouvernement soviétique ?
ANDREI SAKHAROV

75) En 1993, le président Bill Clinton créé une première en nommant une femme au poste de Procureur général des États-Unis. De QUI s'agit-il ?
JANET RENO

76) QUEL soprano canadien chantait le rôle de *Violetta* dans la version cinématographique de l'opéra *La Traviata* du réalisateur Franco Zeffirelli en 1984 ?
TERESA STRATAS (Placido Domingo chantait le rôle de Don José)

77) C'est dans un garage de la Californie que cet ordinateur a été développé en 1976 par deux amateurs passionnés de l'électronique. QUELLE marque célèbre a été donnée à cet ordinateur ?
APPLE

78) « *C'est merveilleux* ». Voilà ce qu'a déclaré cette excellente actrice jadis très près de Ronald Reagan lorsqu'on lui a annoncé qu'il venait d'être élu président des États-Unis en 1980. QUI est-elle ?
JANE WYMAN (première femme de Reagan)

79) QUEL ex-commandant de la Gestapo à Lyon en France durant la guerre a été arrêté au Paraguay en 1983 puis extradé en France où il sera accusé de crimes de guerre ?
KLAUS BARBIE (surnommé le boucher de Lyon)

80) NOMMEZ le romancier québécois qui a publié le best-seller *Le Matou* en 1981.
YVES BEAUCHEMIN

81) COMMENT se nommait le premier récipiendaire d'un cœur artificiel, un Américain, qui a réussi à vivre trois mois de plus en 1983 ?
BARNEY CLARK (bonne réponse=3 étapes de plus)

82) Après avoir été président des Philippines depuis 1967, il choisit en 1986 de fuir son pays plutôt que de faire face au mécontentement populaire. QUI était-il ?
FERDINAND MARCOS (il est mort quelques années plus tard à Hawaii)

83) Ce magnat canadien de la presse valait douze milliards de dollars et était l'homme le plus riche au Canada en 1999. QUI est-il ?

KEN THOMSON (bonne réponse=2 points de plus)

84) De 1977 à 1981, le constructeur automobile Volvo représentait l'industrie qui générait les plus forts revenus en Suède. Dites QUI se classait au 2e rang ?

LE GROUPE VOCAL ABBA

85) Le montant le plus élevé jamais payé pour une peinture d'un artiste canadien est de 450 000 dollars. Elle a été acquise en 1986 par un collectionneur anonyme. QUI était l'auteur de cette toile appelée *Mountains in Snow* ?

LAWREN HARRIS (bonne réponse=2 points de plus)

86) Mère de 10 enfants, cette femme américaine célèbre est morte en 1995 à l'âge de 104 ans. QUI était-elle ?

ROSE KENNEDY (mère de John, Robert et Ted Kennedy)

87) QUEL chanteur d'opéra de réputation internationale se distingue également comme chef d'orchestre ? En 1984, il dirige l'orchestre du Metropolitan Opera de New York lors de la présentation de l'opéra *La Bohême*.

PLACIDO DOMINGO

88) QUEL célèbre joueur de l'équipe de basketball des Harlem Globetrotters de 1955 à 1978 et surnommé le prince des « clowns » du basketball, était un ministre du culte durant les années 80 ?

MEADOWLARK LEMON (bonne réponse=2 points de plus)

89) QUEL quotidien du Québec a célébré ses 200 ans de fondation en 1978 ?

THE GAZETTE

90) QUEL auteur américain a écrit le roman *Hotel New Hampshire* en 1981 ?

JOHN IRVING

91) Elle a été championne du monde de la discipline du kayak en 1997 et 1998. QUI est cette grande athlète canadienne ?

CAROLINE BRUNET (aussi médaillée d'argent aux JO d'Atlanta en 1996)

92) Auteur de nombreux romans dont *La Corde raide* en 1947, *La Route des Flandres* en 1960 et *Tryptique* en 1973, il est nommé récipiendaire du prix Nobel de littérature en 1985. QUI est-il ?

CLAUDE SIMON (bonne réponse=1 point de plus)

93) NOMMEZ l'ex-premier ministre d'une province canadienne qui s'est suicidé en 1982.

JOHN ROBARTS (premier ministre de l'Ontario de 1961 à 1971)

94) QUELS grands studios de cinéma de Hollywood ont été achetés par la firme japonaise Sony en 1989 pour une somme de trois milliards de dollars ?

COLUMBIA

95) Âgé de 84 ans, il est réélu en 1990 pour un septième mandat à la présidence de la République de la Côte d'Ivoire. De QUI s'agit-il ?
FÉLIX HOUPHOUËT-BOIGNY (il était opposé pour la 1ère fois par un candidat)

96) NOMMEZ le nom de famille des trois frères richissimes canadiens qui ont conçu et financé le gigantesque complexe commercial, hôtelier et résidentiel d'une valeur de plus de six milliards de dollars appelé *Canary Wharf* sur le bord de la Tamise à Londres, à partir de 1987. Le projet a conduit la famille à la faillite.
REICHMAN (Albert, Paul et Ralph. Ce projet était celui de Paul)

97) QUI est l'auteur du roman *The Shining* qui a été porté à l'écran en 1980 ?
STEPHEN KING

98) En 1982, le Pape Jean-Paul II a béatifié cinq Canadiens dont deux du Québec : le Frère André et QUELLE autre, fondatrice des Sœurs des Saints Noms de Jésus et de Marie à Longueuil en 1849 ?
MÈRE MARIE ROSE (bonne réponse=2 points de plus)

99) Lorsque la compagnie Volkswagen a cessé la production de ses *Coccinelles* en Allemagne et aux États-Unis en 1977, QUELLE nouvelle marque a-t-elle mise sur le marché pour lui succéder ?
LA RABBIT (suivie peu de temps après par la Golf)

100) Ce footballeur français fait ses adieux au Juventus de Turin et au football en 1987. QUI est-il ?
MICHEL PLATINI

101) QUEL célèbre peintre américain devient un adepte de l'automatisme surréaliste en 1942 et aboutit en 1947 à l'expressionnisme abstrait ? Cette méthode consiste à projeter les couleurs sur une toile posée au sol ?
JACKSON POLLOCK (bonne réponse=2 points de plus)

102) C'est une équipe franco-américaine de chercheurs qui a retrouvé l'épave du paquebot Titanic au large de Terreneuve et de la Nouvelle-Écosse en 1985. NOMMEZ l'océanographe américain qui dirigeait l'expédition.
ROBERT BALLARD (bonne réponse=1 point de plus)

103) QUELLE maison d'édition de Toronto fondée en 1950 dépasse en 1982 le chiffre d'un milliard de livres de poche vendus à travers le monde ? Tous sont des romans d'amour et ils sont traduits dans une vingtaine de langues.
HARLEQUIN

104) QUELLE reine non-régnante a célébré son 100e anniversaire de naissance en août 2000 ?
REINE-MÈRE ÉLISABETH (veuve du roi George VI et mère d'Élisabeth II)

105) Une division de la compagnie aérienne américaine Eastern Airlines appelée Shuttle et qui offre un service rapide entre Boston, New York et Washington, est achetée par QUEL entrepreneur immobilier en 1989 ? Il s'empresse alors d'y donner son nom.
DONALD TRUMP (Trump Shuttle)

106) QUELLE comédienne québécoise très talentueuse du monde du théâtre, de la radio et de la télévision, est décédée en 1976 ? Elle était la sœur d'un autre grand comédien.

DENISE PELLETIER (elle avait joué le rôle de Cécile dans la série Les Plouffe. Elle était la sœur de Gilles Pelletier)

107) QUEL roi de QUEL pays arabe est décédé en 1999 après 38 ans de pouvoir ?

HASSAN II - MAROC (1 point par réponse)

108) QUELLE auteure québécoise a écrit le roman *Annabelle* en 1996 ?

MARIE LABERGE

109) C'est en 1979 que le premier contrat d'une valeur d'un million de dollars par année a été accordé à un joueur de baseball. C'est un lanceur de la ligue Américaine qui l'a obtenu. De QUI s'agit-il ?

NOLAN RYAN (Angels de la Californie)

110) QUEL athlète canadien en fauteuil roulant a réussi à faire le tour du monde en 26 mois entre 1985 et 1987 afin de venir en aide financièrement à la recherche médicale ? Son périple a été mené sur une distance de 40 000 kilomètres répartis sur 34 pays et a permis de récolter vingt millions de dollars.

RICK HANSEN

111) Natif de Tchécoslovaquie, cet éditeur londonien fait l'achat du quotidien *New York Daily News* en 1991 pour la somme de 40 000 000 de dollars. Peu de temps après, il meurt d'une crise cardiaque à bord de son yacht dans l'Atlantique. QUI était-il ?

ROBERT MAXWELL (on a cru à une mort suspecte lorsque le corps de Maxwell a été retrouvé dans l'océan au large des îles Canaries)

112) NOMMEZ le populaire évangéliste américain qui a été défroqué en 1988 après avoir avoué l'existence d'une relation sexuelle avec une prostituée. Sa cote d'écoute à la télévision a chuté de 69 pour cent et les inscriptions à son collège de la bible en Louisiane de 72 pour cent.

JIM SWAGGART (bonne réponse=1 point de plus)

113) En 1976, la compagnie Citroën, alors sous le contrôle de Michelin, est officiellement acquise par QUEL manufacturier d'automobiles qui fait l'achat de plus de 50 % des actions ?

PEUGEOT (qui se donne le nom de Peugeot-Citroën)

114) NOMMEZ le compositeur-interprète québécois qui a monté la comédie musicale *Gala* à la Place des Arts de Montréal en 1989 avec en vedette la chanteuse Sylvie Tremblay. L'œuvre a été louée par le public et fustigée par la critique.

JEAN-PIERRE FERLAND

115) QUI est devenu en 1978 le président du Comité exécutif de la ville de Montréal sous Jean Drapeau ?

YVON LAMARRE

116) QUELS ont été les deux seuls athlètes (hommes ou femmes) de l'histoire des médaillés olympiques du Canada à avoir gagné chacun trois médailles d'or, deux en 1992 à Barcelone et une autre à Atlanta en 1996 ?

MARNIE McBEAN - KATHLEEN HEDDLE (aviron)

117) Le plus célèbre trafiquant de drogues d'Amérique du Sud se rend aux autorités policières de la Colombie en 1991 après avoir obtenu l'assurance du gouvernement colombien qu'il ne sera pas extradé aux États-Unis pour y être jugé. QUI est ce roi du trafic de la drogue ?

PABLO ESCOBAR (Gavira. Il est détenu dans une cellule luxueuse d'une prison située non loin de la ville de Medellin. Son empire est alors dirigé par le cartel de Cali et les exportations de cocaïne se poursuivent)

118) NOMMEZ l'Américain qui après trois missions spatiales à bord des capsules spatiales Gemini 10 et Apollo 10 et 16 est devenu le premier astronaute à y retourner une 4e fois en 1981 lorsqu'il a été choisi avec Robert Crippen pour le premier vol de la navette spatiale Columbia.

JOHN W.YOUNG (bonne réponse=3 points de plus)

119) NOMMEZ l'écrivain canadien qui a publié en 1992 *Les Bâtards de Voltaire*.

JOHN RALSTON SAUL (époux de la gouverneur-général Adrienne Clarkson)

120) QUELLE multinationale américaine des communications a fait l'acquisition du réseau de télévision CBS pour la somme de 36 milliards de dollars en 1999 ?

VIACOM (propriétaire de Paramount Pictures et Blockbuster Video)
(bonne réponse=2 points de plus)

121) QUELLE célèbre salle d'opéra de Venise a été sérieusement endommagée par un incendie en 1996 ?

LA FENICE (bonne réponse=1 point de plus)

122) QUEL acteur joue le rôle-titre dans le film de 1977, *MacArthur* ?

GREGORY PECK

123) Il est dramaturge de profession. En 1989, il devient président de son pays en Europe. QUI est-il ?

VACLAV HAVEL (président de la Tchécoslovaquie)

124) QUEL golfeur non-Américain a remporté entre 1987 et 1996 trois omniums de golf britannique et trois tournois des Maîtres ?

NICK FALDO (Britannique)

125) QUEL fabricant étranger de voitures a annoncé en 1984 qu'il allait construire une usine de 100 000 000 de dollars en Ontario ? Une fois terminée, cette usine produira 40 000 voitures par année.

HONDA

126) QUEL skieur canadien, spécialiste de la descente, a remporté huit épreuves de la Coupe du monde de ski alpin durant les années 80 ?

STEVE PODBORSKI

127) NOMMEZ les deux compositeurs-musiciens québécois dont les œuvres ont été utilisées lors des cérémonies d'ouverture et protocolaires des jeux Olympiques de Montréal en 1976.

PIERRE MERCURE - ANDRÉ MATHIEU (2 bonnes réponses=3 points)

128) QUEL nom portait l'épouse du roi Hussein de Jordanie, décédé en 1999 ?

NOOR (née aux États-Unis)

129) Après Gabrielle Roy et Marie-Claire Blais, QUELLE autre Canadienne-française a reçu le Prix des Quatre Jurys en 1978 pour son roman *Les Cordes de bois ?*

ANTONINE MAILLET (elle a raté de peu le Prix Goncourt)

130) QUEL ex-athlète professionnel québécois a été approché pour devenir candidat au poste de gouverneur-général du Canada en 1988 ?

JEAN BÉLIVEAU (il a refusé)

131) NOMMEZ la femme qui dans le monde entier, a conservé la tête de son gouvernement le plus longtemps entre 1960 et 1990. Et COMBIEN longtemps ?

MARGARET THATCHER (première ministre de G-B de 1979 à 1989) 11 ANS (Jeu de 2 ans + ou - alloué) (2 bonnes réponses=3 points)

132) Trois quotidiens du Québec sont durement éprouvés par des grèves allant de 6 à 10 mois en 1977-78. Il s'agit de *La Presse*, de *Montréal-Matin* et de QUEL autre ?

LE SOLEIL (de Québec)

133) QUEL organisme international a remporté le prix Nobel de la paix en 1999 ?

MÉDECINS SANS FRONTIÈRE

134) Il a été le président du parti de l'Union démocratique chrétienne en Allemagne durant plus de 20 ans. Il a abandonné ce poste en 1998. QUI est cet homme politique allemand ?

HELMUT KOHL (il a été chancelier de l'Allemagne durant 16 années)

135) La marque de tous les temps pour le nombre de coups de circuit par un joueur lors d'une série mondiale de baseball a été inscrit en 1977. Il est de cinq. QUI a réussi cet exploit ?

REGGIE JACKSON (Yankees/NY - 3 des 5 ont été frappés consécutivement)

136) QUELLE femme politique du Myanmar *(ex-Birmanie)* a été proclamée récipiendaire du prix Nobel de la paix alors qu'elle était emprisonnée en 1991 ? Elle a été choisie pour sa lutte acharnée pour les droits de la personne et la démocratie dans ce pays au régime totalitaire.

AUNG SAN SUU KYI (après une détention de 5 ans, elle a été libérée et poursuit ses efforts de démocratisation malgré le harcèlement du gouvernement de son pays) (bonne réponse=3 points de plus)

142) QUI est le seul homme à avoir gagné la coupe Grey comme quart partant et comme entraîneur dans la ligue Canadienne de football ?

RON LANCASTER (en 1966 comme quart avec Saskatchewan et comme entraîneur avec Edmonton en 1993 et avec Hamilton en 1999)

143) Sa dernière présence à l'écran avant de succomber au sida a été faite à l'émission télévisée *Dynasty* en 1985. QUI était-il ?

ROCK HUDSON

144) Abstraction faite des rois et des reines, QUEL chef d'État a été au pouvoir le plus longtemps depuis la fin de la 2e guerre mondiale ?

KIM IL SUNG (Corée du Nord. 46 ans. De 1948 à 1994) (B. rép.=2 pts de +)

145) Albert Einstein a été proclamé « personnalité du 20e siècle » par le magazine Time à la fin de 1999. QUI a pris le 2e rang au palmarès des plus grands noms du siècle par les experts de ce magazine ? Churchill, Roosevelt (FDR), De Gaulle, Staline ou John Kennedy ?

FRANKLIN DELANO ROOSEVELT

146) QUEL acteur-chanteur québécois, un géant de la scène, de la radio et de la télévision québécoise, est décédé à Montréal en 1979 à l'âge de 77 ans après une carrière de 50 ans ?

OVILA LÉGARÉ

147) QUEL chef d'orchestre d'origine hongroise et de réputation internationale, a remporté le plus de trophées Grammy depuis la création de cette récompense en 1958 ? Dites aussi COMBIEN. On aura compris qu'il appartenait à la catégorie de la musique classique et de l'opéra.

GEORG SOLTI (d'origine hongroise. Orchestres de Chicago et de Londres) 31 (jeu de 5 =/- alloué)(2 points par bonne réponse)

148) NOMMEZ la marathonienne canadienne qui a gagné le marathon de Boston en 1980.

JACQUELINE GAREAU

149) QUELLE compagnie électronique a été la première à mettre le téléphone cellulaire commercial sur le marché en 1984 ?

MOTOROLA

150) Un seul auteur a réussi à obtenir le premier rang des *best sellers* à cinq reprises consécutivement aux États-Unis depuis 1917. C'était entre 1994 et 1998. De QUI s'agit-il ?

JOHN GRISHAM (un de ces romans est The Rainmaker)

151) QUEL chef d'orchestre et directeur musical et artistique de l'Opéra-Bastille de Paris a été congédié en 1989 à la suite d'un différend avec la direction ?

DANIEL BAREMBOIM (on lui reprochait d'être trop grassement rémunéré. Il avait signé un contrat en 1987 lui assurant 7 millions de francs par année)

152) NOMMEZ l'animateur de télévision américaine né à Sudbury en Ontario qui a fait sa renommée avec l'émission-quiz *Jeopardy* depuis le début des années 80.

ALEX TREBEK

153) Né au Sri Lanka, cet écrivain a atteint la notoriété internationale en 1996 lorsque son roman de 1992, *The English Patient*, a été porté à l'écran par Hollywood et a remporté l'Oscar de meilleur film. QUI est ce romancier ?

MICHAEL ONDAATJE (bonne réponse=1 point de plus)

154) Après 10 ans à la direction du quotidien La Presse de Montréal, il a quitté son poste d'éditeur en 1981. QUI était-il ?

ROGER LEMELIN (Roger Landry lui a succédé)

155) QUEL grand comédien québécois a été nommé à la présidence du Conseil des arts du Canada en 1998 ?

JEAN-LOUIS ROUX (après avoir été choisi au poste de lieutenant-gouverneur du Québec en 1997, il a démissionné après avoir été accusé de sympathie envers le régime nazi alors qu'il était étudiant durant les années 40)

156) QUEL ex-chef d'État s'est prêté à une publicité télévisée des restaurants Pizza Hut dans son pays en 1997 ?

MIKHAÏL GORBATCHEV

157) LEQUEL des sept premiers astronautes du programme Mercury de 1958 a été le seul à demeurer au sol durant l'existence de ce programme ainsi que le suivant, le programme Gemini ?

DONALD K. SLAYTON (son état de santé était défaillant. Il a toutefois fait partie du prog. Skylab et s'est rendu dans l'espace en 1975)(B.rép=3 pts/+)

158) QUELLE entreprise aux intérêts diversifiés dont le tabac et les pharmacies, détenait en 1995 les actifs les plus élevés, 56 milliards de dollars, de toutes les compagnies installées au pays, y compris les sociétés étrangères ?

IMASCO (canadienne à 56 %, britannique à 44 %)

159) Ce lanceur canadien a été membre de quatre équipes gagnantes de la série mondiale de baseball ; deux fois comme lanceur avec St Louis en 1964 et New York (Mets) en 1969 et deux fois comme médecin de l'équipe des Blue Jays de Toronto en 1992 et 1993. QUI est-il ?

RON TAYLOR (bonne réponse=2 points de plus)

160) QUEL pays d'Amérique latine s'est débarassé de sa présidente qui est partie en exil en 1956 ? Et QUI était-elle ?

L'ARGENTINE - ISABEL PERON (Maria Estela Martinez) (1 pt par réponse)

161) Lancée à Seattle en 1975 par deux jeunes étudiants, cette petite compagnie de systèmes d'exploitation d'ordinateurs deviendra une entreprise d'une valeur de 530 milliards de dollars en 1999. QUEL est son nom ?

MICROSOFT (du génie Bill Gates)

162) Après un monopole qui dure depuis toujours, la Cadillac perd son premier rang mondial de ventes de voitures luxueuses aux mains de la Lincoln en 1998. Mais en 99, autre changement. QUELLE voiture importée prend alors la tête des voitures luxueuses les plus vendues aux États-Unis et au Canada ?

LA MERCEDES (189,000 exemplaires vendus y compris les modèles utilitaires. La Lexus s'est classée 2e, la Cadillac, 3e et la Lincoln, 4è. Un mince écart de 11,000 voitures séparait Mercedes de Lincoln)

163) QUEL acteur canadien a reçu quatre trophées Emmy pour son rôle dans la comédie télévisée *Family Ties* au réseau NBC en 1986, 87 et 88 ?

MICHAEL J. FOX (cette émission a lancé sa carrière)

164) NOMMEZ le journaliste québécois qui a perdu la vie dans un écrasement d'un gros porteur d'Egyptair au large des côtes du Massachusetts en 1999.

CLAUDE MASSON (éditeur-adjoint de La Presse)

165) Lorsqu'on a présenté l'opéra *Tosca* en janvier 2000 à l'occasion du centenaire de cette œuvre célèbre de Puccini, QUEL chanteur réputé dirigeait l'orchestre de l'Opéra de Rome ?

PLACIDO DOMINGO (il est directeur artistique de l'Opéra de Washington)

166) QUELLE marque de bière américaine a envahi le marché québécois en 1981 ?

BUDWEISER (brassée par Labatt)

167) QUEL quart-arrière détient le record de la ligue Nationale de football pour le plus grand nombre de touchés marqués au sol, 43, durant les années 80-90 ?

STEVE YOUNG (49ers de San Francisco)

168) QUI a fondé le réseau d'information américain CNN en 1980 ?

TED TURNER

169) *« Lorsque vous accepterez nos opinions, nous serons totalement d'accord avec vous ».* QUEL ministre israélien a fait cette affirmation au secrétaire d'État américain Cyrus Vance en 1977 lors des pourparlers de paix du Camp David aux États-Unis ?

MOSHE DAYAN (ministre des Affaires étrangères d'Israël)

170) De son pseudonyme Émile Ajar, cet écrivain français remporte le prix Goncourt en 1975 pour son œuvre *La Vie devant soi.* Il s'est suicidé en 1980. QUEL était son véritable nom, tout aussi célèbre ?

ROMAIN GARY (il avait publié sous ce nom son chef-d'œuvre Les Racines du ciel en 1956) (Bonne réponse=1 point de plus)

171) NOMMEZ la personnalité canadienne qui a reçu en 1984 le prix Albert Einstein pour la Paix.

PIERRE-ELLIOTT TRUDEAU (pour son initiative de paix dont il avait fait la promotion à travers plusieurs pays du monde avant de quitter la politique)

172) QUEL fabricant de voitures et camions détenait à la fin du 20e siècle la moitié du marché des mini-fourgonnettes *(mini-vans)* sur le marché mondial ?

CHRYSLER (8,000.000 dans le monde et 40 % du marché nord-américain)

173) Après le *Titanic*, l'océanographe américain Robert Ballard a repéré un autre navire célèbre en 1989 à 550 km au large du port français de Brest. Il s'agit cette fois d'un navire de guerre. LEQUEL ?

LE BISMARCK (cuirassé allemand coulé en 1940 par la marine britannique)

174) QUEL célèbre dessinateur de mode a été assassiné en Floride en 1997 ?

GIANNI VERSACE

175) Le record du nombre de disques d'une même chanson vendus par un artiste canadien de rock-pop en date de 1999, appartient à une chanteuse et a été lancée en 1995. QUI est-elle et QUEL est le nom de la chanson qui lui a valu la vente de seize millions de ce disque en 4 ans ?

ALANIS MORISSETTE - JAGGED LITTLE PILL (2 b.réponses=3 pts)

176) QUEL nom a-t-on donné au traité de libre-échange entre le Canada et les États-Unis en 1989 ?

ALENA (Accord de libre-échange nord-américain)

177) Après avoir servi sous quatre leaders soviétiques et avoir négocié avec les représentants de sept présidents américains depuis 1957, il est remplacé au poste de ministre des Affaires étrangères en 1985 par Edouard Shervanadze. QUI était-il ?

ANDREI GROMYKO (un astucieux et austère négociateur)

178) NOMMEZ le groupe qui partage avec Michael Jackson le record du plus grand nombre d'albums de musique rock/pop vendus, vingt-trois millions. Intitulé *The Wall*, il a été enregistré en 1979.

PINK FLOYD (celui de Jackson s'appelle Thriller *et date de 1982)*

179) QUI était le gérant des Expos de Montréal lorsqu'ils ont remporté 95 victoires en 1979, leur plus fort total pour une saison de leur histoire ?

DICK WILLIAMS (trois fois gagnant de la série mondiale avec Oakland au début des années 70)

180) Pour la première fois depuis 450 ans, un divorce d'un membre immédiat de la famille royale britannique est prononcé en 1979. QUI est en cause ?

PRINCESSE MARGARET (sœur de la reine. Après 18 ans de mariage au comte de Snowdon)

181) Ce roman, *L'Amant*, situe l'intrigue en Indochine. Peu de temps après sa parution en 1985, 270,000 exemplaires sont vendus. QUI est l'auteure de cette œuvre qui a du mal à croire ce qui lui arrive ?

MARGUERITE DURAS

182) Depuis sa création en 1927, le magazine Time a toujours proclamé à la fin de chaque année son *Homme (Femme) par excellence*, sauf en 1982 et 1988 alors que l'être humain a cédé sa place à QUOI ?

LE PC (ordinateur personnel, 1982) - LA PLANÈTE TERRE MENACÉE (par les excès de l'homme, 1988) (2 pts par bonne réponse)

183) QUELLE Montréalaise a fait aménager à ses frais la maison Shaughnessy, boul. René Lévesque, afin d'y installer le Centre canadien d'architecture en 1989 ?

PHYLLIS LAMBERT (fille de Sam Bronfman) (bonne réponse=1 point de +)

184) La compagnie Chrysler fait l'acquisition en 1987 d'une rivale, American Motors, pour la somme d'un milliard deux cent millions de dollars. QUEL était le véhicule vedette de cette compagnie que désirait Chrysler ?

LA JEEP

185) Il a atteint l'âge de 82 ans en l'an 2000 et pourtant, il est toujours en poste au réseau CBS à titre de journaliste-reporter. QUI est-il ?

MIKE WALLACE (seul membre de l'émission 60 Minutes toujours en poste depuis le lancement de cette émission en 1968)

186) QUI est le champion de tous les temps pour le nombre de victoires acquises dans les épreuves de la coupe du Monde de ski alpin ? Entre 1975 et 1985, il a remporté 86 victoires en slalom et en slalom géant.

INGEMAR STENMARK (Suédois)

187) Les années 90 ont été marquées par l'émergence de deux ténors canadiens sur la scène internationale de l'opéra. Ils sont tous deux natifs de la Colombie-Britannique. Un se nomme Richard Margison. L'autre a fait ses débuts au Metropolitan Opera de New York en 1991 et est un excellent interprète des œuvres de Wagner. QUI est-il ?

BEN HEPPNER (bonne réponse=2 points de plus)

188) QUEL événement du début du siècle a généré le plus grand nombre de souvenirs et de rappels historiques entre 1985 et 1998 ?

LA PERTE DU TITANIC EN 1912 (la découverte de l'épave en 1985 a été à l'origine de l'intérêt collectif et qui connu son dénouement avec le film du réalisateur canadien James Cameron en 1997)

189) Elle a été mariée cinq fois et est la mère de sept enfants. Elle a écrit son premier roman, *Going Home*, en 1973. Depuis ce temps, elle a publié plus de 30 best sellers en 20 ans dont *Ring*, *Secrets* et *Daddy*. QUI est cette prolifique romancière américaine ?

DANIELLE STEEL

190) La plus importante fusion de l'histoire en date de 1998 a eu lieu entre la banque américaine Citicorp et QUELLE compagnie d'assurances, une affaire de soixante-douze milliards et demi de dollars ?

TRAVELERS GROUP

191) QUELLE chirurgienne québécoise est allée fonder avec son mari Pierre Corti un hôpital en Ouganda en 1961 ? Elle y est restée 34 ans et est morte en 1996 après avoir contracté le sida à la suite d'une opération sur un patient.

LUCILLE TEASDALE (bonne réponse=2 points de plus)

192) Ce philosophe français a écrit en 1961, *Histoire de la folie à l'âge classique*. Puis avec sa volumineuse *Histoire de la sexualité (1976-1984)*, il devint le principal commentateur et analyste des attitudes et comportements sexuels après Freud. QUI est-il ?

MICHEL FOUCAULT (bonne réponse=3 points de plus)

193) QUI a composé la musique de l'opéra-rock *Starmania*, présentée en première à Paris en 1979 ?

MICHEL BERGER (les paroles sont de Luc Plamondon)

194) COMMENT se nommait l'ami de cœur de la princesse de Galles, Diana, tous deux tués dans un accident de voiture à Paris en 1997 ?

DODI AL FAYED (le chauffeur, Henri Paul, a aussi perdu la vie)

195) NOMMEZ l'acteur canadien de Toronto qui a joué dans les séries télévisées *Dynasty* et *Santa Barbara* durant les années 80 ainsi que dans le film *Naked Gun 2* en 1991.

LLOYD BOCHNER (bonne réponse=2 points de plus)

196) QUEL Québécois a été nommé par le premier ministre Brian Mulroney au poste d'ambassadeur du Canada auprès de l'UNESCO en 1986 ?

JEAN DRAPEAU (qui venait de quitter la politique municipale)

197) NOMMEZ l'économiste américain qui a reçu en 1976 le prix Nobel d'économie. Son essai, *Une théorie de la fonction de la consommation*, a remis en question l'approche économique de John Maynard Keynes. Son travail modifia radicalement la perspective de l'économie et marqua le début de la dichotomie qui nous est aujourd'hui familière entre les approches keynésienne et monétariste.

MILTON FRIEDMAN (bonne réponse=3 points de plus)

198) De tous les musiciens et compositeurs de jazz et de musique populaire, il est le champion incontesté des trophées Grammy avec un total de 26. Il a aussi réalisé les albums *Off the Wall, Thriller* et *Bad*. En 1977, il a écrit la musique de la mini-série *Roots* à la télévision et en 1991, son album *Back on the Block* lui a valu un de ses nombreux Grammy. QUI est ce musicien ?

QUINCY JONES

199) Le doyen de l'Assemblée nationale de France a fêté ses 94 ans en 1986. Il a alors annoncé qu'il n'allait pas se représenter aux prochaines élections. QUI était cet homme dont la notoriété avait été acquise bien avant comme pionnier de l'industrie aéronautique ?

MARCEL DASSAULT (de son vrai nom Marcel Bloch)

200) Durant une carrière de 20 ans dans la ligue Nationale de hockey entre 1972-73 et 1991-92, il a conservé une fiche +/- de +730, la meilleure de l'histoire moderne du hockey. QUI est-il ?

LARRY ROBINSON (défenseur. Bobby Orr le suit avec une moyenne de +597)

201) QUELLE chanteuse québécoise a popularisé les chansons *Les Uns contre les autres* en 1978 et *Un goût de miel* en 1980 ?

FABIENNE THIBAULT

202) Il représentait la 3e génération d'une prestigieuse maison française d'édition fondée au siècle dernier à Paris. Co-créateur en 1958 de la collection format de poche, *J'ai lu,* il avait aussi offert pour la jeunesse, les fameux « petits livres d'or ». QUI était ce célèbre éditeur que ses employés appelait « Monsieur Henri » et qui est décédé en 1985 à l'âge de 75 ans ?

HENRI FLAMMARION

203) QUELLE société pétrolière française fondée en 1941 a été privatisée en 1994 ?

ELF AQUITAINE

204) NOMMEZ la députée du parti conservateur du Canada qui a été nommée adjointe du président de la Chambre des communes John Fraser en 1986, pour ensuite accéder au poste de vice-présidente des Communes de 1991 à 1993 ?

ANDRÉE CHAMPAGNE (ex-comédienne et députée de St Hyacinthe)

205) Alors que les firmes allemandes BMW et Volkswagen se disputent l'acquisition de Rolls Royce en 1998, le constructeur Audi, une filiale de VW, achète une autre marque européenne prestigieuse. Chère, surtout. LAQUELLE ?

LAMBORGHINI

206) Lorsque le nom de cet homme politique canadien a été proposé comme futur secrétaire général de l'ONU en 1996-97, il a dit que ça ne l'intéressait pas. De QUI s'agit-il ?

BRIAN MULRONEY

207) Il en coûtait 900 000 francs par mois (180 000 dollars canadiens) pour louer le plus bel appartement de Paris en 1985. Dans QUEL hôtel offrant une vue imprenable sur la place de la Concorde se trouve cet appartement ?

HÔTEL CRILLON (clientèle habituelle à 60 % américaine)

208) Ce marin légendaire a disparu au large du pays de Galles en 1998 lorsqu'il a été projeté à la mer par un coup provoqué par une pièce tenant le haut de la grande voile. Sans gilet de sauvetage, il s'est noyé. QUI était-il ?

ÉRIC TABARLY (Français, 66 ans, champion de plusieurs épreuves de voile)

209) QUEL grand nageur canadien a perdu la vie en 1989 après avoir été heurté par une voiture à Pointe Claire ? Il avait gagné trois médailles dont une d'or aux Jeux olympiques de 1984 à Los Angeles.

VICTOR DAVIS (nageur de brasse)

210) QUELLE actrice française de naissance allemande et gagnante d'un Oscar à Hollywood en 1959 a publié en 1976 *La Nostalgie n'est plus ce qu'elle était ?*

SIMONE SIGNORET (meilleure actrice pour son rôle dans Room at the Top)

211) Après avoir été chef permanent ou directeur musical des orchestres de Salzbourg, Milan et de Londres où il dirige symphonies et opéras entre 1968 et 1986, il prend la direction musicale de l'opéra et de l'Orchestre Philharmonique de Vienne en 1986. QUI est ce grand chef d'orchestre italien ?

CLAUDIO ABBADO (bonne réponse=1 point de plus)

212) Pour cet homme de naissance russe, fumer était un art. Il a été le spécialiste incontesté des cigares, le roi du havane et fournisseur des amateurs de cigares du monde entier au 20e siècle. QUI était cet homme, décédé en 1994 à l'âge de 88 ans ?

ZINO DAVIDOFF (bonne réponse=2 points de plus)

213) En 1979, une Américaine, Lisa Halaby, épouse un roi. LEQUEL ? Et de QUEL nom hérite-t-elle ?

HUSSEIN (de Jordanie) - NOOR (reine) (elle était de descendance syrienne du côté de son père et suédoise du côté de sa mère)

214) NOMMEZ celui qui a assassiné John Lennon à New York en 1980.

MARK DAVID CHAPMAN (bonne réponse=1 point de plus)

215) QUEL politicien newyorkais d'origine juive au style dynamique a défait le maire sortant, Mario Cuomo, par moins de 100 000 voix lors de l'élection à la mairie de New York en 1977 ? Il a été réélu en 1981 et 1985.

EDWARD KOCH

216) NOMMEZ le jazzman canadien, le premier au pays, à recevoir le prix de musique de l'Unesco, Conseil international 2000 ?

OSCAR PETERSON (natif de Montréal. Ce prix a déjà été attribué aux grands compositeurs et musiciens Chostakovith, Bernstein et Menuhin)

217) QUEL homme a dirigé le plus longtemps une nation démocratique de l'Europe entre 1976 et l'an 2000 ? Et pendant COMBIEN d'années a-t-il dirigé sa nation ?

HELMUT KOHL (RFA puis Allemagne unifiée) - DIX-SEPT ANS (jeu de 2 ans + ou - alloué) (2 bonnes réponses=3 points)

218) NOMMEZ le député qui a siégé le plus longtemps à l'Assemblée nationale de Québec, soit de 1956 à 1993.

GÉRARD D. LÉVESQUE (député de Bonaventure et ministre des Finances)

219) Il avait déjà donné un modèle révolutionnaire à la compagnie Ford durant les années 60. En 1983, il crée la désormais célèbre fourgonnette pour la compagnie Chrysler, depuis lors le joyau de cette compagnie.

LEE IACOCCA (il avait imaginé la Mustang pour Ford en 1964)

220) Âgé de 21 ans, ce jeune pianiste de naissance russe avait fui son pays en 1925 pour aller vivre aux États-Unis. Après une carrière remarquable et mouvementée, il a fait un retour triomphal en U.R.S.S. en 1986. Il a donné des concerts à Moscou et à Léningrad devant des auditoires délirants. QUI était ce grand pianiste de concert ?

VLADIMIR HOROWITZ (il était marié depuis 56 ans à la fille de Toscanini. Pour ses concerts en U.R.S.S., il a fait transporter son piano Steinway par avion des États-Unis)

221) NOMMEZ la Française qui est entrée dans la légende des grands navigateurs en 1990 après avoir remporté l'épreuve de voile de la Route du rhum, un périple de 14 jours et 10 hres entre St Malo et Pointe-à-Pitre en Guadeloupe.

FLORENCE ARTHAUD (surnommée la reine de l'océan) (b. rép.=2 pts de +)

222) Il a écrit le scénario, réalisé et joué un des rôles principaux dans le film de 1989, *Crimes and Misdemeanors*. QUI est-il ?

WOODIE ALLEN

223) QUEL chanteur-compositeur français âgé de 86 ans a endisqué en 1999 une nouvelle chanson qui a pour titre *Les poètes descendent dans la rue ?*

CHARLES TRENET (il a enregistré sa première chanson, Je Chante, en 1937)

224) Les films dans lesquels jouait cet acteur américain entre la fin des années 70 et l'an 2000 ont généré des recettes de plus de trois milliards de dollars aux guichets des cinémas, un chiffre sans précédent. QUI est cet acteur ?

HARRISON FORD

225) Ce dessinateur de modes a d'abord travaillé avec Nino Cerruti en 1961 puis avec Emmanuel Ungaro. Puis il a créé sa propre maison et est devenu un des *designers* d'Italie les plus cotés du prêt-à-porter à partir des années 70. Il est aussi un des rares à avoir réussi la transition des vêtements pour hommes à ceux pour la femme. QUI est-il ?

GIORGIO ARMANI

226) QUEL fabricant européen d'automobiles a été acheté par la compagnie Ford en 1999 pour la somme de six milliards et demi de dollars ?

VOLVO (l'entreprise aux plus forts revenus de Suède)

227) QUELLE célèbre anthropologue américaine, décédée en 1978, s'était consacrée à l'influence des cultures sur le comportement humain. Ses recherches, menées surtout en Asie du Sud-Est et en Nouvelle-Guinée durant la première demie du siècle, ont abouti à d'importantes réformes dans l'éducation.

MARGARET MEAD (bonne réponse=2 points de plus)

228) QUI est l'auteur du livre politique *Maintenant ou jamais* publié en 1990 ?

PIERRE BOURGAULT

229) QUEL compositeur et chef d'orchestre américain a écrit l'opéra *A Place to Rest* en 1983, une œuvre plutôt navrante et qui est inspirée par la vie du compositeur lui-même ?

LEONARD BERNSTEIN

230) Plus de cent ans après avoir été publié pour la première fois aux États-Unis, ce populaire magazine scientifique est présenté pour la première fois en français en France en 1999. NOMMEZ-le.

NATIONAL GEOGRAPHIC

231) QUEL athlète, homme ou femme, a remporté le championnat en simple de Wimbledon à neuf reprises, un record, entre 1978 et 1990 ?

MARTINA NAVRATILOVA

232) Deux tableaux de ce célèbre peintre italien, *Le Belle Romaine* et *Femme à la cravate noire*, ont été vendus pour une somme de 75 000 000 de francs (19 000 000 de dollars canadiens) en 1987 à Paris. QUI était ce peintre de l'école de Paris et dont l'œuvre est vouée à la figure humaine ?

MODIGLIANI (Amedeo)(Bonne réponse=2 points de plus)

233) Il mesurait 5 pieds et 3 pouces. Sa carrière a commencé à l'âge de 3 ans, si bien qu'il n'a jamais passé une seule journée à l'école. Pourtant, il allait plus tard devenir co-auteur de trois livres. Il est mort en 1990 après avoir passé 60 ans de sa vie à chanter, danser, jouer au cinéma, à la télévision et à la radio. Il a joué dans 20 films et enregistré 40 albums de chansons. *« Je ne possède aucune scolarité. Je suis laid et sans le sou. Mais j'ai du talent »*, écrit-il dans son autobiographie de 1989. QUI était ce grand artiste ?

SAMMY DAVIS JR (en 1961, il a épousé une actrice blanche, May Britt, ce qui lui a valu plusieurs menaces de mort)

234) QUELLE célèbre contre-alto canadienne a été nommé présidente du Conseil des arts du Canada en 1984 ?

MAUREEN FORRESTER

235) QUI a été qualifié d'architecte et auteur de la loi 101 adoptée par le gouvernement du Québec en 1977 ?

CAMILLE LAURIN (aidé par Fernand Dumont dans la rédaction du texte de loi)

236) Né en 1936, ce magazine américain a été retiré de la circulation en 1972. En 1978, il a été ranimé sous forme de publication mensuelle. Au printemps de 2000, il est à nouveau retiré des kiosques à journaux. NOMMEZ ce magazine.

LIFE

237) Jour de deuil pour le Médoc et le vin de Bordeaux en 1988 alors que meurt à l'âge de 86 ans cet homme de lettres, de théâtre, d'art et viticulteur français. QUI était ce célèbre vigneron ?

PHILIPPE DE ROTHSCHILD (baron)

238) Elle est née en 1917. En 1933, elle chantait au célèbre *Cotton Club* de New York. Sa prodigieuse carrière s'est poursuivie jusqu'à la fin du siècle alors qu'elle a enregistré un album, *Being Myself*, en 1998 et trois CD en hommage à Duke Ellington. QUI est cette grande et élégante artiste de la scène, du cinéma, de la radio, de la télévision et du disque ?

LENA HORNE (durant les années 50, elle avait été « boycottée » pour avoir fraternisé avec Paul Robeson, chanteur et communiste américain peu convaincu et pour avoir décrié les injustices faites aux Noirs)(B.rép.=2 pts/+)

239) QUI était à la fin de 1999 le troisième constructeur d'avions au monde après Airbus et Boeing au chapitre du nombre d'avions vendus ?

BOMBARDIER (fabricant du RJ, Global Express, Challenger, Lear et Dash-8)

240) QUI a été le premier général noir à accéder au poste de commandant suprême des Chefs d'état-major des États-Unis en 1989 ?

COLIN POWELL (il avait commencé sa carrière militaire au Vietnam)

241) NOMMEZ l'Américaine qui est devenue en 1993 la première femme noire au monde à recevoir le prix Nobel de littérature. De ses six romans, *Song of Solomon* et *Beloved* sont les plus connus.

TONI MORRISON (Chloe Anthony Wolford Morrison) (bonne rép.=2 pts de +)

242) QUEL athlète québécois a remporté pour une 4e fois le championnat mondial des sauts de ski acrobatique en l'an 2000 ?

NICOLAS FONTAINE

243) NOMMEZ l'ex-ministre fédéral qui a été battu dans la circonscription de Louis Hébert en 1976 par QUEL ex-sous-ministre dans les gouvernements de Jean Lesage, de Daniel Johnson et de Robert Bourassa.

JEAN MARCHAND - CLAUDE MORIN (2 bonnes réponses=3 points)

244) Après avoir été premier ministre du Sénégal depuis 1970, il a hérité de la présidence de ce pays en 1981 lorsque Léopold Senghor a décidé de se retirer. En 2000, il a été battu aux élections générales après 19 ans de pouvoir. QUI est cet homme politique ?

ABDOU DIOUF (il avait institué le multipartisme en 1982) (B. rép.=2 pts/+)

245) Lorsque l'opérette *Le Fantôme de l'opéra* d'Andrew Lloyd Webber a été présentée en première à Londres en 1986, QUELLE chanteuse, alors l'épouse de Webber, chantait le rôle de l'héroïne ? Elle est devenue depuis lors une vedette internationale de la chanson.

SARAH BRIGHTMAN

246) NOMMEZ l'increvable skieur et promoteur par excellence du ski de fond des Laurentides qui est mort en 1987 à l'âge de 112 ans.

JACK « RABBIT » JOHANSSON (de naissance norvégienne)

247) Ce grand artiste de naissance russe mais naturalisé Français, peintre surtout mais aussi violoniste, poète et fabuliste, disparaît en 1985 à l'âge de 97 ans. Il nous a laissé une œuvre considérable, ensemble de peintures, de dessins, de gravures, de sculptures, de céramiques et de vitraux. Selon André Malraux, il a été le plus grand coloriste de notre époque. QUI était-il ?

MARC CHAGALL (bonne réponse=2 points de plus)

248) Elle a été présidente du Parti libéral du Québec de 1970 à 1973, puis députée à l'Assemblée nationale à partir de 1973. Elle a par la suite était titulaire de sept ministères différents sous Robert Bourassa entre 1973 et 1994 en plus d'occuper le poste de vice-première ministre à partir de 1989. QUI est-elle ?

LISE BACON

249) NOMMEZ celui qui est devenu en 1991 le directeur musical de l'Orchestre philharmonique de New York. En 1998, il a été nommé chef principal de l'Orchestre philharmonique de Londres, poste qu'il a occupé à partir de la fin de l'an 2000.

KURT MASUR (bonne réponse=1 point de plus)

250) QUELLE entreprise de spectacles a été fondée à Montréal en 1984 par Guy Laliberté pour ensuite devenir une multinationale au rayonnement international ?

LE CIRQUE DU SOLEIL

251) QUEL golfeur a réussi à terminer parmi les trois premiers du tournoi des Maîtres à 12 reprises durant les années 60, 70 et 80, un exploit unique ?

JACK NICKLAUS (dont 6 fois en première)

252) Après s'être entendus sur les clauses du traité du lac Meech en 1987, les premiers ministres du Canada et des provinces canadiennes devaient les faire ratifier par leurs assemblées législatives respectives pour que le traité soit officiellement ratifié. QUEL premier ministre provincial a alors été le premier à le contester en 1989 ?

FRANK MCKENNA (Nouveau-Brunswick. Même s'il a rallié le camp des partisans du traité des mois plus tard, le délai ainsi occasionné à permis à Clyde Wells d'être élu à Terre-Neuve en 89. Le reste est connu de tous)

253) Cette brillante violoncelliste britannique au nom français est décédée en 1987 à l'âge de 42 ans. En 1972, une sclérose en plaques avait mis fin à sa carrière éblouissante. QUI était-elle ?

JACQUELINE DU PRÉ (bonne réponse=1 point de plus)

254) QUI est le Québécois décrit comme *Un Enfant du siècle* et un *Héros malgré lui*, les titres de deux livres écrits par le journaliste Pierre Godin et publiés en 1994 et 1997 respectivement ?

RENÉ LÉVESQUE

255) L'Orchestre métropolitain de Montréal a été un des rares au monde au cours de notre siècle à confier la direction d'un orchestre symphonique à une femme. C'était en 1986. QUI était cette musicienne d'origine européenne ?

AGNES GROSSMAN (Autrichienne. Elle a quitté son poste en 1995)

256) QUEL nom prestigieux associé aux papetières canadiennes a disparu au printemps de l'an 2000 après avoir été acquise pour la somme de plus de sept milliards de dollars par QUELLE autre grande papetière ?

DONOHUE - ABITIBI CONSOLIDATED (1 point par réponse)

257) QUEL célèbre mannequin a signé un contrat d'une valeur de 10 000 000 de dollars avec la compagnie de cosmétiques Revlon en 1992 ?

CLAUDIA SCHIFFER

258) À QUEL réputé groupe rock des années 70 le chanteur-musicien John Bonham, trouvé mort dans des circonstances troubles en 1980, appartenait-il ?

LED ZEPPELIN

259) Après avoir été à la tête de son pays durant 62 ans, il est mort en 1989. De QUI s'agit-il ?

HIROHITO (empereur du Japon. Nom posthume ; Showa Tenno)

260) QUI a été le seul entraîneur de l'histoire de la ligue Nationale de hockey à remporter la coupe Stanley avec trois équipes différentes entre les années 60 et 90 ?

SCOTTY BOWMAN (5 avec Montréal, 2 avec Détroit et 1 avec Pittsburgh)

SPORTS

Chapitre IV

« Nous n'aurions jamais utilisé la drogue si on avait cru qu'il était possible de franchir les 100 mètres en 9.79 »

Charlie Francis, entraîneur du sprinter canadien Ben Johnson, disqualifié après sa victoire aux JO de Séoul en 1988.

« Le tennis féminin est « plate ». Je suis capable de battre les hommes »

Serena Williams, championne de 18 ans du US Open en 1999. Elle a fait cette déclaration après avoir subi un refus de participation à un tournoi réservé aux hommes en Allemagne.

« Où se trouve Tonya Harding lorsqu'on a besoin d'elle ? »

Paul Azinger, golfeur professionnel, 2000. Blague pour faire allusion à la domination totale de Tiger Woods lors de l'omnium américain et qui donne l'impression d'être imbattable.

« Oui, je le savais. Et j'ajouterais que j'ai fait une meilleure affaire ».

Bruce McNall, propriétaire des Kings de Los Angeles lorsque l'auteur lui a rappelé en 1993 qu'il avait payé plus cher pour obtenir Wayne Gretzky des Oilers d'Edmonton que le prix payé par les États-Unis pour obtenir l'Alaska de la Russie en 1867.

SYNOPSIS

L'expansion *ad nauseam* des ligues professionnelles de sport nord-américaines, la quête insatiable des propriétaires d'équipes à récolter des centaines de millions de dollars en revenus et le pouvoir quasi arbitraire des athlètes à dicter leurs conditions de travail, voilà ce qui résume le chemin sinueux parcouru par les protagonistes du sport professionnel au cours des deux dernières décennies du siècle. Cet appétit vorace des dirigeants et des athlètes a pourtant conservé la faveur des diffuseurs qui n'ont pas hésité à verser des sommes démesurées pour offrir à un public naïf un spectacle qui n'offre rien de plus excitant qu'auparavant. Au risque de se répéter, que serait devenu le sport professionnel sans la télé. Et la télé sans les annonceurs. Les annonceurs sans les téléspectateurs. On aura beau dénoncer les abus des protagonistes du sport, rien ne pourra étancher la soif des amateurs qui en définitive paient la note. Joyeux paradoxe.

Sur le terrain, les exploits ont été nombreux. Il serait fastidieux d'en faire le bilan tellement la liste est longue de grands noms d'athlètes et de matchs mémorables. Du reste, les 400 questions qui vous sont réservées dans ce chapitre ne laissent rien au hasard.

Sur la scène olympique, l'arrivée du Catalan Juan Antonio Samaranch à la tête du CIO en 1980, n'a pas tardé à ramener l'ordre dans l'organisation des Jeux. Une fois les problèmes politiques résolus, la prospérité a suivi dès 1984 à Los Angeles malgré l'absence des pays communistes. Depuis ce temps, les boycotts ont cessé, les listes de villes candidates aux Jeux d'hiver et d'été vont toujours en s'allongeant et les droits de télévision atteignent des sommets qui auraient été inimaginables il y a à peine 15 ans. Même avec la disparition de la rivalité idéologique des blocs de l'Est et de l'Ouest, l'engouement des fervents du sport n'a jamais été aussi grand à travers le monde.

Allez, sportifs et amateurs de sports, mesurez votre degré de connaissances à ce test pour adultes seulement.

DEGRÉ DE DIFFICULTÉ - Plutôt facile pour les vrais amateurs.

NOMBRE DE QUESTIONS - 428

NOMBRE RÉSERVÉ AU CANADA - 175 (dont 66 au Québec)

POURCENTAGE SUR 428 - 40.9 %

Ah oui... Qui aurait cru en 1977 que les Alouettes et les Expos songeraient un jour à quitter le Stade Olympique, le plus cher au monde ?

1) COMBIEN de coups de circuit Mark McGwire a-t-il réussis au cours des saisons 1996, 1997 et 1998 et 1999 ?

   245 (des saisons de 52, 58, 70 et 65 circuits) (Jeu de 10 +/- alloué)

2) QUI a saisi la passe de touché du quart Tommy Clements dans les dernières minutes de jeu du match de la coupe Grey de 1976 pour donner la victoire aux Rough Riders d'Ottawa 23 à 20 contre les Roughriders de la Saskatchewan ?

   TONY GABRIEL (bonne réponse=2 points de plus)

3) En 1980, ce joueur de tennis américain est devenu le plus jeune de l'histoire du tennis à atteindre le premier rang mondial ? Il avait alors 21 ans. QUI est-il ?

   JOHN MCENROE

4) En QUELLE année le Grand Prix de Formule 1 a-t-il été présenté pour la première fois sur le circuit de l'île Notre-Dame à Montréal ?

   1978

5) QUELLE équipe de la ligue Nationale de football a participé au Super Bowl le plus souvent depuis 1967 et dites COMBIEN de fois ?

   COWBOYS DE DALLAS - HUIT FOIS (2 bonnes réponses=3 pts)

6) QUEL joueur des Reds de Cincinnati, un voltigeur, a cogné 52 coups de circuit en 1977, le premier à atteindre le chiffre de 50 ou plus depuis 1965 ?

   GEORGE FOSTER (bonne réponse=1 point de plus)

7) QUEL golfeur a inscrit son nom dans le livre des records du golf professionnel en 1977 après avoir joué 59 coups, 13 coups sous la normale ?

   AL GEIBERGER (il a gagné le tournoi sans jouer dans les 60)

9) QUELLE a été la seule nation communiste du rideau de fer à ne pas boycotter les jeux Olympiques de Los Angeles de 1984 ?

   LA ROUMANIE

10) Aux jeux Olympiques d'hiver de 1976 à Innsbruck en Autriche, une skieuse canadienne a privé une Allemande du triplé en ski alpin en enlevant la médaille d'or au slalom géant. QUI est-elle ?

   KATHY KREINER

11) QUELLE joueuse de tennis est devenue la troisième de l'histoire du grand chelem du tennis féminin à gagner les quatre tournois majeurs durant la même année en 1988 ?

   STEFFI GRAF (les deux autres : Maureen Connolly et Margaret Smith-Court)

12) Lorsque les Alouettes de Montréal ont mis fin à leurs activités à la veille de leur premier match de la saison en 1987, QUI était l'entraîneur chef de l'équipe ?

   JOE FARRAGHELLI (bonne réponse=2 points de plus)

13) QUEL boxeur a été tour à tour champion des poids mi-moyens en 1980 et 1982, des poids-moyens en 1987 et des poids mi-lourds en 1988 ?

   SUGAR RAY LEONARD

14) Depuis 1979, seulement trois pilotes automobile ont réussi l'exploit de gagner les 500 milles d'Indianapolis, le Championnat de la série Cart et le Championnat mondial des conducteurs de Formule 1 : Emerson Fittipaldi, Mario Andretti et QUEL autre ?

JACQUES VILLENEUVE

15) NOMMEZ le nageur canadien qui a gagné six médailles d'or aux jeux du Commonwealth présentés à Edmonton en 1978.

GRAHAM SMITH (2 en brasse, deux en nages individuelles et deux en relais aux 4-nages individuelles)

16) NOMMEZ la coupe que les Américains ont conservé durant 132 ans avant de la perdre aux mains des Australiens en 1983.

AMERICA (course de voiliers. Marque de 4 à 3)

17) Ce frappeur gaucher a remporté sept championnats des frappeurs de la ligue Nationale de baseball entre 1984 et 1997. QUI est-il ?

TONY GWYNN (Padres de San Diego)

18) QUEL joueur détient le record de points en un match dans la ligue Nationale de hockey ? L'exploit, 6 buts et 4 passes, a été réussi en 1976.

DARRYL SITTLER (Leafs de Toronto)

19) QUELLE golfeuse canadienne a remporté 10 victoires sur le circuit de la LPGA dont le championnat de la LPGA ? Sa dernière victoire remonte à 1986.

SANDRA POST

20) Ce patineur canadien n'a pas gagné de médaille aux Championnats du monde de patinage artistique en 1988 à Budapest mais il a créé un précédent en devenant la premier à réussir un quadruple saut. QUI est-il ?

KURT BROWNING

21) L'Américain Carl Lewis est l'athlète olympique qui a gagné le plus de médailles d'or dans quatre épreuves différentes disputées dans quatre Jeux différents entre 1988 et 1996. COMBIEN ?

NEUF (100-m, 200-m, 4X100-m relais et saut en longeur. Ray Ewry des EU en a gagné 10 au début du siècle dans 3 épreuves et Paavo Nurmi, 9 dans trois épreuves durant les années 20)

22) Seulement trois lauréats du trophée Heisman, accordé annuellement au meilleur joueur de football collégial américain, ont joué dans la ligue Canadienne de football. QUI a été le dernier lauréat en 1984 à porter le chandail d'une équipe canadienne en 1991 ?

DOUG FLUTIE (avec les Lions de la CB. - En 1984, il jouait à Boston College)

23) Lorsque Ben Johnson a gagné le Championnat du monde dans le 100 mètres en 1987 à Rome, il a abaissé le record du monde alors existant de 1/10e de seconde. QUEL temps a-t-il réussi ? 9.79, 9.83 OU 9.86 ?

NEUF SECONDES ET 83/CENTIÈMES (après sa disqualification à Séoul en 1988, ce record lui a été enlevé.)

24) QUI a été le premier skieur non-européen à gagner la Coupe du monde de descente en 1982 ? C'est un Canadien.

STEVE PODBORSKI

25) Deux joueurs détiennent le record du plus grand nombre de buts durant les séries éliminatoires de la coupe Stanley. Chacun en a réussi 19. Reggie Leach des Flyers de Philadelphie a accompli l'exploit en 1976. QUI est l'autre ?

JARI KURRI (Oilers d'Edmonton en 1985)

26) QUELLE ville de l'Ouest canadien a été la seule à tenir les Jeux d'été et d'hiver du Canada en 1971 et 1989 ?

SASKATOON (bonne réponse=1 point de plus)

27) Greg Maddux des Cubs de Chicago et des Braves d'Atlanta a gagné le trophée Cy Young quatre fois entre 1992 et 1995. Un seul autre lanceur de la ligue Nationale de baseball en a gagné quatre, la dernière fois en 1982 avec les Phillies de Philadelphie. De QUEL lanceur s'agit-il ? C'est un gaucher.

STEVE CARLTON

28) QUEL joueur de la ligue Nationale de football avait marqué le plus de touchés à partir de sa position de demi à l'attaque dans l'histoire de la ligue Nationale de football en date de 1997, année de sa retraite après 16 ans de jeu actif ?

MARCUS ALLEN (145 touchés dont 123 par la course au sol)

29) QUELLE nageuse est-allemande a gagné six médailles d'or aux jeux Olympiques d'été de Séoul en Corée du Sud en 1988 ?

CHRISTINE OTTO (deux médailles en style libre, une en dos, une en papillon et trois dans les relais. 1ère fois qu'une athlète gagne dans 3 disc. différentes)

30) Entre 1980 et 1990, le Championnat canadien de ski féminin en slalom et en slalom géant a été gagné 11 fois par deux membres de la même famille québécoise, Josée et Lynn. QUEL est leur nom de famille ?

LACASSE (Josée en a gagné 7 et sa soeur Lynn, 4)

31) QUEL ex-joueur de hockey canadien de la ligue Nationale est nommé sénateur par le premier ministre Jean Chrétien en 1998 ? Il devient donc le 2e membre à siéger au Sénat. QUI est l'autre nommé en 1982 ?

FRANK MAHOVLICH - RED KELLY (2 bonnes réponses=3 points)

32) COMBIEN de stades couverts ont été construits en Amérique du Nord entre l'ouverture de l'Astrodome de Houston en 1965 et l'année 1998 ?

DIX (Mtl, Tor, Vanc, Sea, Minn, Nouv.O, Ind, Pontiac, Tampa-St P, Syracuse)

33) NOMMEZ le navigateur canadien qui en 1978 a gagné l'épreuve de voile *La Route du rhum*, première transatlantique française en solitaire entre St Malo en Bretagne et Pointe-à-Pitre en Guadeloupe.

MICHAEL BIRCH (bonne réponse=2 points de plus)

34) QUELLE golfeuse québécoise a gagné le Championnat amateur de golf féminin du Canada en 1992 ?

MARIE-JOSÉE ROULEAU (bonne réponse=2 points de plus)

35) COMBIEN de notes parfaites de 10 la gymnaste roumaine Nadia Comaneci a-t-elle obtenues aux jeux Olympiques de Montréal en 1976 ?

SEPT

36) Le tennisman Ivan Lendl a gagné 8 tournois de grand chelem en simple. LEQUEL lui a toutefois toujours échappé ?

WIMBLEDON

37) QUI a été le premier joueur des Leafs de Toronto à marquer 50 buts en une saison ? C'était en 1981-82.

RICK VAIVE

38) QUEL receveur a été proclamé joueur par excellence des matchs d'étoiles du baseball majeur de 1981 et de 1984 ?

GARY CARTER (des Expos de Montréal)

39) QUEL quart-arrière de la ligue Nationale de football possédait en 1998 la meilleure fiche globale de carrière pour les passes tentées, réussies, le nombre de verges gagnées par la passe, le nombre de passes de touché et le nombre d'interceptions ? L'appellation en anglais est « *rating* », en français, une cote.

STEVE YOUNG (49ers de San Francisco - une cote de 97.6 %)

40) Plus de 10 000 athlètes étaient inscrits aux jeux Olympiques de l'an 2000 à Sydney en Australie. QUEL pourcentage de ce total appartenait aux femmes ?

TRENTE-HUIT POUR CENT (3 952 - 4 % de + qu'en 96)(Jeu de 3 % +/- alloué)

41) NOMMEZ le boxeur canadien qui a battu l'ex-champion mondial des poids-lourds Mahammad Ali par décision unanime lors d'un combat de 10 rounds disputé à Nassau aux Bahamas en 1977.

TREVOR BERBICK

42) QUEL âge avait Gordie Howe lorsqu'il a marqué en 1978 le 1000e but de sa carrière dans les ligues Nationale et Association Mondiale de hockey, saisons régulières et séries éliminatoires confondues ?

QUARANTE-NEUF ANS (il a joué jusqu'à l'âge de 52 ans et a marqué 1071 buts) (Jeu de 1 an + ou - alloué)

43) QUEL marathonien canadien est devenu en 1977 le huitième au Canada à gagner le prestigieux marathon de Boston ?

JEROME DRAYTON (bonne réponse=2 points de plus)

44) Mark Whiten des Cards de St Louis a égalé en 1993 une marque des ligues majeures de baseball qui datait de 1924, celui des points produits en un match. QUELLE est celle marque ?

DOUZE (Jim Bottomley des Cards avait réussi l'exploit en 1924)

45) NOMMEZ l'entraineur qui a conduit les Eskimos d'Edmonton à cinq coupes Grey consécutives entre 1978 et 1982 dans la ligue Canadienne de football.

HUGH CAMPBELL

46) Deux pilotes ont réussi à gagner les 500 milles d'Indianapolis à quatre reprises entre 1976 et 1998, Rick Mears et QUEL autre ?

AL UNSER JR (son père Bobby a gagné cette course en 1981)

47) Entre 1976 et 1991, le tournoi de hockey international Coupe Canada a été disputé à cinq occasions. COMBIEN de fois le Canada l'a-t-il gagné ?

QUATRE FOIS (l'URSS l'a gagné en 1981)

48) QUEL golfeur détenait à la fin de 1998 le premier rang des meilleurs boursiers de tous les temps du golf professionnel avec des gains de 12 200 000 dollars ?

GREG NORMAN (Australien)

49) Lorsque le sprinter canadien Donovan Bailey a gagné la médaille d'or dans l'épreuve du 100 mètres aux jeux Olympiques d'Atlanta en 1996, il a aussi inscrit un record du monde dans cette discipline. QUEL a été son temps ?

NEUF SECONDES ET 84/CENTIÈMES

50) NOMMEZ celui qui a donné la victoire aux Blue Jays de Toronto avec un circuit en 9e manche du sixième match de la série mondiale de 1993 contre les Phillies de Philadelphie.

JOE CARTER

51) COMBIEN de buts Mario Lemieux a-t-il marqués avec les Titans de Laval de la ligue Junior majeure du Québec durant la saison régulière 1983-84 ?

CENT TRENTE-TROIS (un record qui tient toujours)

52) Contre QUEL adversaire Mohammad Ali a-t-il perdu son Championnat mondial des poids-lourds en 1978 à Las Vegas ?

LEON SPINKS (Ali l'a battu la même année et a repris son championnat)

53) QUEL club a remporté la coupe Grey en 1989 après une disette de 23 ans ?

SASKATCHEWAN (Roughriders - 43 à 40 contre Hamilton)

54) En 1979, cette joueuse de tennis de 16 ans est devenue la plus jeune de l'histoire des Internationaux des États-Unis à gagner ce prestigieux tournoi. QUI était-elle ?

TRACY AUSTIN (elle a aussi gagné en 1981 contre Martina Navratilova)

55) NOMMEZ le nageur canadien qui a gagné la médaille d'or dans l'épreuve du 100 mètres dos aux jeux Olympiques de 1992 à Barcelone.

MARK TEWKSBURY

56) Neuf ans après avoir obtenu une concession dans la ligue Nationale de hockey, la ville d'Oakland perd son équipe qui est transférée dans QUELLE autre ville américaine en 1976 ?

CLEVELAND (Barons. La concession a été transférée au Minnesota en 1978)

57) COMBIEN de passes de touché le quart Steve Young des 49ers de San Francisco a-t-il réussies lors du Super Bowl de 1995 contre les Chargers de San Diego ? Les 49ers ont gagné le match 49 à 26.

SIX (un record du Super Bowl. Il a aussi été le meilleur porteur de son équipe)

58) Parmi les nombreux records détenus par Wayne Gretzky, il y a celui du plus grand nombre de buts marqués en une saison, incluant ceux des séries éliminatoires en 1983-84. QUEL est ce nombre ?

CENT (il en a marqué 87 durant la saison et 13 en séries éliminatoires)

59) QUEL lanceur a été victime du 62e coup de circuit de Mark McGwire en septembre 1998 ? Le record de 61 de Roger Maris venait d'être éclipsé.

STEVE TRACHSEL (des Cubs de Chicago) (Bonne réponse=2 points de plus)

60) NOMMEZ la Canadienne qui a gagné la médaille d'argent aux épreuves de patinage artistique lors des jeux Olympiques de 1988 à Calgary.

ELIZABETH MANLEY

61) QUEL golfeur réserviste a gagné le tournoi de la PGA en 1991 après avoir été admis à la dernière minute parce qu'un joueur régulier s'est désisté à cause d'une blessure ?

JOHN DALY

62) QUI a été le premier entraineur des Sénateurs d'Ottawa de la ligue Nationale de hockey en 1992 ?

RICK BOWNESS

63) À COMBIEN de matchs avec au moins un coup sûr la série de Pete Rose s'est-elle arrêtée en 1978 alors qu'il tentait de rejoindre la marque de 56 inscrite en 1941 par Joe Dimaggio ?

QUARANTE-QUATRE

64) En six coupes du Monde de soccer disputées entre 1978 et 1998, deux nations ont réussi à participer à la finale à trois reprises : l'Argentine et QUELLE autre ?

LA RÉPUBLIQUE FÉDÉRALE ALLEMANDE (en 1982, 1986 et 1990)

65) QUEL athlète britannique a gagné la médaille d'or dans la discipline du décathlon aux jeux Olympiques de 1980 et de 1984 à Moscou et Los Angeles ?

DALEY THOMPSON

66) NOMMEZ la première équipe de football américaine à faire partie de la ligue Canadienne de football en 1993.

SACRAMENTO (Gold Miners. L'équipe a été déménagée à San Antonio en 95)

67) QUELLE nation européenne a remporté en 1991 la coupe Davis du tennis après une disette de 59 ans ?

LA FRANCE (depuis les beaux jours des Mousquetaires en 1932)

68) QUEL golfeur a remporté son troisième Omnium de golf des États-Unis en 1990 à l'âge de 45 ans ?

HALE IRWIN

69) C'est en 1928 à Amsterdam que l'épreuve du saut en hauteur pour femmes a été présentée pour la première fois aux jeux Olympiques. C'est une Canadienne, Ethel Catherwood, qui a gagné la médaille d'or. Depuis ce temps, une seul autre Canadienne a fait sa marque dans cette discipline. Elle a terminé 8e en 1972 à Munich et 5e à Los Angeles en 1984. QUI est-elle ?

DEBBIE BRILL·(un saut de 1,94 m en 84)

70) Avec QUELLE équipe Eric Lindros a-t-il joué son hockey junior de 1986 à 89 ?

GENERALS D'OSHAWA (ligue Junior majeure de l'Ontario)

71) NOMMEZ la skieuse autrichienne qui a remporté en 1979 la Coupe du monde de ski alpin pour une sixième fois, un exploit inégalé tant chez les femmes que chez les hommes. Elle a aussi gagné trois médailles olympiques dont une d'or en descente aux Jeux de Lake Placid en 1980.

ANNEMARIE PROELL-MOSER

72) QUEL boxeur québécois des années 80 était surnommé « l'Ange du ring » ?

DONATO PADUANO (parce qu'il avait un visage angélique)

73) QUELLE équipe les Blue Jays de Toronto ont-ils réussi à battre lors du premier match de leur histoire dans la ligue Américaine en 1977 disputé sous la neige au terrain de l'Exposition nationale de Toronto ?

WHITE SOX DE CHICAGO (bonne réponse=1 point de plus)

74) En 1993, les Capitals de Washington ont été les premiers à posséder trois défenseurs ayant marqué 20 buts ou plus en une seule saison au sein de leur formation : Al Iafrate, Kevin Hatcher et QUEL autre ?

SYLVAIN CÔTÉ (bonne réponse=1 point de plus)

75) Cathy Priestner a été la première à gagner une médaille pour le Canada dans cette discipline des jeux Olympiques d'hiver chez les femmes en 1976 à Innsbruck en Autriche. LAQUELLE ?

LE PATINAGE DE VITESSE (médaille d'argent dans le 500 mètres)

76) QUEL entraineur de basketball a conservé la meilleure moyenne au chapitre des victoires-défaites de l'histoire de la NBA ? De 1980 à 1998, elle a été de .737 grâce à 656 victoires et seulement 234 défaites, éliminatoires comprises.

PHIL JACKSON (Bulls de Chicago)

77) Un exploit sans précédent dans les annales du baseball majeur, deux grands chelems dans la même manche, a été inscrit en 1999. QUEL joueur des Cards de St Louis en a été l'artisan ?

FERNANDO TATIS (des Cards de St Louis contre les Dodgers)(B.rép.=2 pts/+)

78) COMBIEN de records de la ligue Nationale de hockey Wayne Gretzky détenait-il lorsqu'il a annoncé sa retraite du jeu en 1999 ?

SOIXANTE ET UN (jeu de 5 + ou - alloué)

79) NOMMEZ l'athlète canadien au style très original qui a gagné la médaille de bronze en patinage artistique aux jeux Olympiques d'Innsbruck en 1976.

TOLLER CRANSTON (privé d'un meilleur sort par l'orthodoxie outrée des juges devant le style avant-gardiste de Cranston)

80) QUEL receveur de passes de la division Ouest de la ligue Canadienne de de football est devenu le premier receveur de ce circuit à atteindre le cap des 100 touchés durant une carrière en 1998 ?

ALLAN PITTS (Stampeders de Calgary)

81) Lorsque Jacques Villeneuve a remporté le Championnat des pilotes de F 1 en 1997, COMBIEN d'épreuves a-t-il gagnées ?

SEPT

82) Lorsque Evander Hollyfield est devenu champion mondial des poids-lourds en 1990, QUEL champion en titre a-t-il défait par KO au 3e round à Las Vegas ?

BUSTER DOUGLAS (bonne réponse=1 point de plus)

83) Après avoir dirigé les Alouettes de Montréal à la coupe Grey en 1977, l'entraîneur Marv Levy a quitté l'équipe pour aller diriger une formation de la ligue Nationale de football. LAQUELLE ?

KANSAS CITY (Chiefs)

84) QUEL lanceur des Expos de Montréal a été victime du 70e coup de circuit de Mark McGwire en 1998 ?

CARL PAVANO

85) NOMMEZ le jockey canadien qui en 1997 détenait le 8e rang des meilleurs jockeys de tous les temps en Amérique du Nord avec 6442 victoires en 30 ans de carrière, une moyenne de 214 par année.

SANDY HAWLEY (bonne réponse=2 points de plus)

86) QUEL exploit sans précédent dans les annales des jeux Olympiques d'été le coureur américain Michael Johnson a-t-il réussi aux Jeux de 1996 à Atlanta ?

IL A GAGNÉ LES ÉPREUVES DU 200 MÈTRES ET DU 400 MÈTRES

87) Le prix le plus élevé de l'histoire de la NFL, 800 000 000 de dollars, a été payé pour obtenir la concession de QUELLE équipe existante du circuit ainsi que son stade en 1999 ?

WASHINGTON (Redskins)

88) QUI a été le premier Américain depuis Tony Trabert en 1955 à gagner le simple masculin des Internationaux de tennis de France en 1989 ?

MICHAEL CHANG (bonne réponse=1 point de plus)

89) À la fin de la saison 1999-2000, QUI avait réussi le plus de points dans la ligue Nationale durant les saisons régulières : Wayne Gretzky, la famille Hull, la famille Stastny, la famille Richard, la famille Howe ou la famille Sutter ?

LA FAMILLE SUTTER (6 frères - 2931 pts) (La famille Hull (3) est 2e avec 2928 pts et Wayne Gretzky, 3e avec 2857, la famille Howe (3), 4e avec 2623 pts)

90) Steve Podborski a été le premier Canadien à gagner une médaille olympique en ski alpin. À QUELS Jeux a-t-il gagné cette médaille de bronze ?

LAKE PLACID EN 1980

91) QUEL patineur américain a remporté quatre fois le Championnat mondial de patinage artistique entre 1981 et 1984 ?

SCOTT HAMILTON

92) QUELLE équipe a gagné la série mondiale de baseball pour la première fois de son histoire au 20e siècle en 1980 ?

PHILLIES DE PHILADELPHIE (avaient été battus en 1915 et 1950)

93) En 1999, ce golfeur est devenu seulement le 2e de l'Amérique du Sud à gagner un tournoi de la PGA, celui de la Nouvelle-Orléans. QUI est-il et de QUEL pays d'Amérique du Sud est-il originaire ? Enfin, dites QUI est l'autre Sud-Américain à avoir déjà remporté la victoire sur le circuit de la PGA ?

CARLOS FRANCO - PARAGUAY - ROBERTO DI VICENZO (Argentin. Il en a neuf en tout) (Deux points de + pour la 2e réponse et 2 autres pour la 3e rép.)

94) NOMMEZ le premier Canadien à gagner une médaille dans l'épreuve du décathlon olympique. C'était en 1984 aux jeux de Los Angeles.

DAVE STEEN (médaille de bronze)

95) Après avoir conduit 8833 chevaux à la victoire dont onze dans les épreuves de la triple couronne, ce jockey a décidé d'abandonner la compétition en 1990. QUI est-il ?

WILLIE SHOEMAKER

96) Avant d'accéder à la finale de la Coupe du monde de soccer contre le Brésil en 1998, QUELLE équipe la France a-t-elle affrontée en demi-finale ?

LA CROATIE (la France a gagné 2 à 1) (bonne réponse=1 point de plus)

97) QUELLE équipe québécoise a remporté la coupe Memorial, emblème de la suprématie du hockey junior canadien en 1996 ?

GRANBY (Prédateurs)

98) QUEL jeune lanceur a remporté le trophée Cy Young dans la ligue Nationale de baseball en 1996 ?

PEDRO MARTINEZ (Expos de Montréal)

99) Steffi Graf a disputé 1000 matches de tennis professionnel en 17 ans entre 1983 et 1999. COMBIEN en a-t-elle gagné ?

HUIT CENT QUATRE VINGT HUIT (Jeu de 50 + ou - alloué)

100) Le pilote québécois Gilles Villeneuve s'est tué en 1982 lors d'une séance d'essai de QUEL Grand Prix et à QUEL endroit (ville) ?

BELGIQUE - ZOLDER (2 points de plus pour la 2e réponse)

101) NOMMEZ la skieuse canadienne qui a gagné deux médailles de bronze en descente et en super slalom géant aux Jeux d'hiver de Calgary en 1988.

KAREN PERCY

102) Il est devenu le plus jeune champion mondial des poids-lourds en 1986. QUI est ce boxeur de 20 ans et QUEL adversaire a-t-il battu pour devenir champîon ?

MIKE TYSON - TREVOR BERBICK (2 bonnes réponses=3 points)

103) NOMMEZ celui qui a brillé au football de la NFL avec des gains de 950 verges au sol et au baseball majeur avec 32 circuits et 105 points produits. Un exploit très rare réussi dans la même année, 1989.

BO JACKSON (gagnant du trophée Heisman en 1985)

104) En mai 1999, la golfeuse américaine Beth Daniel a établi un record de la LPGA pour le nombre de birdies consécutifs. Celui des hommes de la PGA est de huit. De COMBIEN est celui de Beth Daniel ?

NEUF

105) QUI a été le seul lanceur de l'histoire des Expos de Montréal au 20e siècle à gagner 20 matches en une saison ? C'était en 1978.

ROSS GRIMSLEY

106) On a ressuscité un concours de ski alpin et on en a inscrit un nouveau aux jeux Olympiques d'hiver de Calgary en 1988 : LESQUELS ?

LE COMBINÉ ALPIN (avait été retiré en 1952) - LE SUPER SLALOM GÉANT (la Canadienne Karen Percy a gagné le bronze) (2 points par bonne réponse)

107) QUEL a été le temps de Ben Johnson dans l'épreuve du 100 mètres aux Jeux d'été de Séoul en 1988 ? Elle représentait une marque mondiale avant que Johnson ne soit disqualifié.

NEUF SECONDES 79/CENTIÈMES

108) Lorsque les Eskimos d'Edmonton ont gagné la coupe Grey en 1981 au Stade olympique de Montréal grâce à un botté de précision de Dave Cutler au dernier jeu de la rencontre, ils ont dû effacer un recul de 20 points dans la 2e demie. QUELLE équipe a été victime de cette remontée des Eskimos ?

ROUGH RIDERS D'OTTAWA (battus 26-23)

109) QUELLE skieuse canadienne a gagné la médaille d'or en descente aux jeux Olympiques d'hiver d'Albertville en France en 1992 ?

KERRIN LEE GARTNER

110) Outre les Bulls de Chicago, QUELLE est la seule équipe à avoir remporté le Championnat de la NBA entre 1991 et 1998 ?

LES ROCKETS DE HOUSTON (en 1994 et en 1995)

111) Dans toute l'histoire du baseball majeur, on n'a vu qu'un seul tandem père-fils jouer ensemble dans la même équipe. C'était de 1989 à 1991. NOMMEZ-les.

KEN GRIFFEY, PÈRE et KEN GRIFFEY, FILS (avec les Mariners de Seattle)

112) Ces deux belles-soeurs ont gagné 10 médailles, 6 d'or, 3 d'argent et une de bronze aux jeux Olympiques d'été de 1984, 1988 et 1992. De leurs deux noms composés, LEQUEL était commun aux deux ?

JOYNER (Jackie Joyner-Kersee, heptathlon et saut en longueur, 3 médailles d'or, 1 d'argent et une de bronze - Florence Griffith-Joyner, sprints 100-mètres et 200 mètres, 3 médailles d'or et 2 d'argent. Florence était la femme de Al Joyner, médaillé d'or au triple-saut en 1984 et frère de Jackie Joyner)

113) Lorsque Dave Hilton a défait Stéphane Ouellette par K.O. en mai 1999, il en était à son 38e combat de sa carrière de boxeur professionnel. De ce total, combien en a-t-il perdu ? Et contre QUI ?

UN - ALAIN BONNAMIE (en 1991) (2 bonnes réponses=3 points)

114) Il a été le dernier Français à gagner un tournoi en simple du grand chelem en 1983. QUI est-il ?

YANNICK NOAH (Internationaux de France)

115) QUI a été le seul joueur de la ligue Nationale de football à recevoir trois fois le titre de joueur le plus remarquable à son équipe dans les matchs du Super Bowl durant les années 80 et 90 ?

JOE MONTANA (49ers de San Francisco)

116) Lorsque le gardien Ken Dryden a pris sa retraite à la fin de la saison 1978-79, COMBIEN avait-il gagné de coupes Stanley en 8 saisons avec Montréal ?

SIX

117) La Coupe du monde de sports équestres a été gagnée en 1984 par QUEL Québécois ?

MARIO DESLAURIERS

118) Le baseball majeur a créé un précédent en 1997. LEQUEL ?

LES MATCHS INTER-LIGUES (du jamais vu depuis le début du siècle)

119) QUI a été le dernier golfeur amateur en 1991 à gagner un tournoi du circuit de la PGA, l'Omnium de Tuscon ? Il avait gagné le Championnat amateur des États-Unis en 1990.

PHIL MICKELSON (gaucher)

120) Après 48 victoires consécutives, ce champion mondial des poids-lourds est battu par décision par le champion mi-lourd du monde Michael Spinks en 1985. QUI est-il ?

LARRY HOLMES

121) QUEL patineur canadien a remporté le Championnat mondial de patinage artistique à Cincinnati en 1987, le premier pour un Canadien depuis 1963 ?

BRIAN ORSER

122) NOMMEZ la skieuse européenne qui a gagné deux fois la médaille d'or dans l'épreuve de la descente en 1994 à Lillehammer en Norvège et à Nagano en 1998.

KATJA SEIZINGER (Allemande)

123) QUEL joueur des Leafs de Toronto a marqué le but gagnant lors de la victoire du Canada contre la Tchécoslovaquie dans le premier tournoi Coupe Canada en 1976 ?

DARRYL SITTLER

124) NOMMEZ le pur-sang qui a été le dernier au 20e siècle à gagner la triple-couronne du turf au 20e siècle. C'était en 1978.

AFFIRMED (bonne réponse=1 point de plus)

125) QUI a partagé les tâches d'entraineur chef des Nordiques de Québec avec Michel Bergeron lors de la 2e saison de l'équipe dans la ligue Nationale de hockey en 1980-81 ?

MAURICE FILION (il était aussi le directeur-gérant)

126) La plus forte assistance de l'histoire de cette finale de Championnat du football canadien pour l'obtention de la coupe Grey a été enregistrée en 1977 au Stade olympique de Montréal. COMBIEN y avait-il de spectateurs ?

SOIXANTE HUIT MILLE (Jeu de 5 000 + ou - alloué)

127) QUI était la partenaire de Martina Navratilova lorsque ce tandem a gagné le grand chelem du tennis féminin en double en 1984 ?

PAM SHRIVER (seulement deux autres joueuses ont réussi l'exploit: Maria Bueno en 1960 et Martina Hingis en 1998 avec des partenaires différentes)

128) Ce nageur de dos américain a remporté quatre médailles d'or aux jeux Olympiques de Montréal en 1976. QUI était-il ?

JOHN NABER (2 médailles d'or en dos et deux en relais)

129) Une autre Coupe du monde a été mise en l'enjeu en 1991 en Chine. Elle est réservée aux femmes et est présentée aux quatre ans. En 1995, la Suède a été le pays hôte et en 1999, les États-Unis. De QUEL sport s'agit-il ?

LE SOCCER

130) QUELLE famille de la principauté du Liechtenstein (pop ; 30 000 h.) s'est distinguée en ski alpin avec une récolte de six médailles dont deux d'or aux jeux Olympiques de 1976, 1980 et 1984 ?

WENZEL (Hanni, 2 d'or, 1 d'arg. et 1 de br. - Andreas, 1 d'arg. et 1 de br.)

131) QUI est le seul joueur des Expos de Montréal à avoir cogné trois circuits dans un même match à trois reprises ; en 1977, 1978 et 1980 ?

LARRY PARRISH

132) NOMMEZ la nageuse irlandaise, gagnante de trois médailles d'or en style libre aux Jeux d'Atlanta en 1996, qui a été suspendue pour une période de quatre ans en 1999 à la suite d'un test positif de drogues.

MICHELLE SMITH (bonne réponse=2 points de plus)

133) Des difficultés financières ont obligé les dirigeants de la ligue Canadienne de football à imposer un plafond salarial aux huit équipes du circuit en 1998. QUEL était alors le salaire moyen des joueurs de la LCF ; 52 000, 67 000 ou 82 000 dollars par saison ?

QUARANTE-TROIS MILLE DOLLARS (19 000 dollars de moins qu'en 1994)

134) QUI a fait la passe qui a conduit directement au 802e but de Wayne Gretzky lors de ce match historique disputé à Los Angeles en 1994 ?

MARTY McSORLEY (défenseur. Gretzky a alors abaissé le record de Howe)

135) QUEL pilote a été le dernier en 1979 à gagner le Championnat du monde des conducteurs de Formule 1 au volant d'une Ferrari avant l'an 2000 ?

JODY SCHECKTER (Autrichien)

136) QUELLE piste de courses de chevaux du Québec appartenant à Jean-Louis Lévesque a fermé ses portes en 1978 ?

RICHELIEU (située dans l'est de l'île de Montréal)

137) QUEL gymnaste détient le record du nombre de médailles gagnées aux jeux Olympiques d'été ? Il en a gagné 15 entre 1972 et 1980.

NICOLAI ANDRIANOV (il en gagné 7 aux JO de Mtl dont quatre d'or)

138) QUEL sportif et homme politique français a été condamné à une peine de prison après avoir été trouvé coupable de complicité dans un scandale impliquant l'équipe de soccer Olympique de Marseille au début des années 90 ?

BERNARD TAPIE

139) Avec QUELLE équipe Pete Rose a-t-il réussi son 4000e coup sûr en 1984 ?

LES EXPOS DE MONTRÉAL

140) Lors d'une rencontre d'athlétisme tenue à Athènes en 1999, le sprinter américain Maurice Greene a réussi un record mondial dans l'épreuve du 100 mètres. QUEL a été son temps ?

NEUF SECONDES 79/CENTIÈMES (avant d'être disqualifié à Séoul en 1988, Ben Johnson avait réussi le même chrono)

141) Tiger Woods a été le premier Noir à gagner un tournoi du grand chelem du golf, le tournoi des Maîtres en 1997. QUI a été le deuxième Noir à gagner un tournoi du grand chelem ?

VIJAY SINGH (des îles Fidji. Il a gagné le tournoi des Maîtres en 2000)

142) QUI a été le premier frappeur des Expos de Montréal à remporter le championnat des frappeurs de la ligue Nationale ? C'était en 1982.

AL OLIVER (moyenne de .331)

143) QUEL sauteur américain a battu le record du saut en longueur vieux de 23 ans de Bob Beamon (JO 68) lors des Championnats du monde d'athlétisme à Tokyo en 1991 ?

MIKE POWELL (8 mètres 91 = 29' 4" - 2 pouces de plus que Beamon)

144) NOMMEZ le joueur de hockey du Québec qui a fait partie du célèbre échange entre les Kings de Los Angeles et les Oilers d'Edmonton en 1988 et qui a vu Wayne Gretzky partir d'Edmonton.

MARTIN GÉLINAS (de LA à Edm avec Jimmy Carson) (B. Rép.=1 pt de +)

145) Le grand chelem moderne du golf féminin existe depuis 1979 et a été gagné pour la première fois en 1986. QUELLE golfeuse a réussi cet exploit après avoir remporté la Classique Du Maurier en 1980 et 1985, l'Omnium des États-Unis en 1981, le tournoi Dinah Shore et celui du Championnat de la LPGA en 1986 ?

PAT BRADLEY (bonne réponse=2 points de plus)

146) QUEL pilote français a remporté sa seule victoire en courses de Formule 1 à Montréal en 1995 ?

JEAN ALESI

147) NOMMEZ le cycliste canadien qui a gagné une médaille d'argent dans la course sur route aux jeux Olympiques de 1984 à Los Angeles.

STEVE BAUER

148) QUELLE jeune Tchécoslovaque a remporté deux fois les Internationaux de tennis d'Australie en 1980 et 1987, ceux de France en 1981 et ceux des États-Unis en 1985 ?

HANNA MANDLIKOVA (elle a été finaliste deux fois à Wimbledon et deux fois à l'Omnium des États-Unis)

149) Il a fallu attendre 37 ans avant qu'un golfeur puisse remporter l'Omnium des États-Unis deux fois consécutivement. QUI a réussi cet exploit en 1988 et 89 ?

CURTIS STRANGE (en 88, il a gagné en prologation de 18 trous contre Nick Faldo. Ben Hogan avait réussi cet exploit en 1950-51) (B.Rép. = 1 point de +)

150) Lorsqu'il a réussi son 30ᵉ circuit de la saison pour Tampa Bay en juillet de 1999, ce puissant cogneur devenait le premier de l'histoire du baseball à cogner 30 circuits ou plus en une saison avec quatre équipes différentes. QUI est-il ?

JOSE CANSECO (Tampa Bay, Toronto, Texas et Oakland)

151) Le match de la coupe Grey a été disputé pour la première fois dans QUELLE ville en 1995 ? Et QUEL autre précédent a été enregistré lors de cette finale ?

RÉGINA (Saskatchewan) - UNE ÉQUIPE AMÉRICAINE (Baltimore) A GAGNÉ (1 point de plus pour la 2ᵉ réponse)

152) QUEL boxeur canadien a remporté la médaille d'or des super-lourds aux jeux Olympiques de Séoul en 1988 ? Il a battu l'Américain Reddick Bowe au 2ᵉ round.

LENNOX LEWIS

153) Le Canada n'a gagné les grands honneurs des jeux du Commonwealth qu'une seule fois depuis leur création en 1930. En QUELLE année et dans QUELLE ville les athlètes canadiens ont-ils réussi cet exploit ?

1978 - EDMONTON (le Canada a gagné 109 médailles)

154) QUI a été le meilleur marqueur d'une saison dans l'histoire des Nordiques de Québec ? Il a réussi 57 buts en 1982-83 ?

MICHEL GOULET

155) Alors qu'il ne restait que 34 secondes à jouer dans le match du XXIIIᵉ Super Bowl à Miami en 1989, le quart Joe Montana a lancé une passe de touché de 10 verges à QUEL receveur pour donner aux 49ers une victoire de 20 à 16 contre QUELLE équipe ?

JOHN TAYLOR - CINCINNATI (Bengals) (2 bonnes réponses = 3 points)

156) QUI a été le premier joueur de tennis canadien à atteindre le 4ᵉ tour des Internationaux des États-Unis en 1978 ?

RÉJEAN GENOIS (il avait alors battu l'Amér. Sandy Mayer, 10ᵉ au monde)

157) QUELLE Canadienne a remporté trois médailles dont deux d'or en nage synchronisée en 1984 à Los Angeles et en 1988 à Séoul ?

CAROLYN WALDO (argent en solo à LA - Or en solo et en duo à Séoul)

158) QUEL pays a remporté la Coupe du monde de soccer en 1982 en Espagne ?
L'ITALE

159) Avec l'inauguration d'un nouveau stade à Détroit en l'an 2000, il ne reste que deux stades de l'époque pré-1920 dans les ligues majeures de baseball. NOMMEZ-les.
WRIGLEY FIELD (Cubs de Chicago, 1914) - FENWAY PARK (Boston, 1912) (2 bonnes réponses=3 points)

160) QUELLE équipe de la NBA a dominé les années 80 avec cinq championnats ?
LAKERS DE LOS ANGELES

161) Ce cycliste américain a gagné le premier de trois Championnats du Tour de France cycliste en 1986. QUI est-il ?
GREG LEMOND (il a aussi gagné en 1989 et 1990)

162) QUEL exploit remarquable le coureur marocain Hicham El Guerrouj a-t-il réussi en juillet 1999 ?
RECORD MONDIAL DU MILLE (3 min. 43 sec. 13/centièmes)

163) Après avoir gagné le Championnat du monde de curling féminin, cette « skip » canadienne a dirigé son équipe à la médaille d'or aux jeux Olympiques d'hiver de Nagano au Japon en 1998. QUI était-elle ?
SANDRA SCHMIRLER (elle est décédée d'un cancer en 2000)

164) QUEL joueur de la ligue Nationale de hockey est devenu en 1998 le cinquième de l'histoire de ce circuit à atteindre le cap des 700 buts ?
MIKE GARTNER (708 - Phoenix. Les autres ; Gretzky, Howe, Dionne, Esposito)

165) Cette patineuse de vitesse, médaillée d'or aux jeux Olympiques d'hiver de Nagano au Japon, a été proclamée athlète par excellence au Canada en 1998. QUI est-elle ?
CATRIONA LEMAY DOAN

166) QUEL joueur de tennis a remporté six fois les Internationaux de tennis du Canada entre 1980 et 1989 ?
IVAN LENDL (un exploit sans précédent pour ce tournoi)

167) COMBIEN de fois le quart Doug Flutie a-t-il été proclamé gagnant du trophée attribué au joueur le plus remarquable dans la ligue Canadienne de football durant les années 90, un record absolu ?
SIX (entre 1991 et 1998)

168) QUEL joueur de baseball canadien a joué durant 14 saisons dans la ligue Nationale de baseball entre 1977 et 1990 comme voltigeur surtout avec les Astros de Houston ? Originaire de l'ouest canadien, il a conservé une moyenne à vie de .280
TERRY PUHL (bonne réponse=1 point de plus)

169) NOMMEZ le célèbre skieur autrichien qui a remporté la médaille d'or en descente aux jeux Olympiques d'hiver à Innsbruck en Autriche en 1976 ?
FRANZ KLAMMER (bonne réponse=1 point de plus)

170) Entre 1962 et 1976, neuf de quinze Championnats du monde des conducteurs de Formule 1 ont été gagnés par des pilotes britanniques. Puis la disette pendant dix-sept ans. QUEL conducteur a redonné à la Grande-Bretagne son lustre d'antan en 1995 ?

NIGEL MANSELL (au volant d'une Williams-Renault)

171) Un record du monde a été inscrit dans l'épreuve du 100 mètres hommes lors des Championnats du monde d'athlétisme à Tokyo en 1991. QUI l'a réussi en un temps de 9 sec. 86/centièmes ?

CARL LEWIS (Américain)

172) QUEL était l'écart au début du 4e tour de l'Omnium de golf britannique qu'a réussi à combler l'Écossais Paul Lawrie sur le français Jean Van de Velde en 1999 au club Carnoustie en Écosse ? Il s'agissait d'une remontée record.

DIX COUPS (Lawrie a gagné en prol. contre Van der Velde et J. Leonard)

173) Lors du Super Bowl de 1987, le quart Doug Williams a réussi quatre passes de touché dans une victoire de 42 à 10 de QUELLE équipe contre les Broncos de Denver ?

WASHINGTON (Redskins)

174) Depuis 1941, aucun joueur des ligues majeures de baseball n'a réussi à conserver une moyenne de .400 ou plus. En 1980, ce joueur de troisième but de la ligue Américaine l'a menacée jusqu'à 6 semaines de la fin de la saison. Il a terminé avec une moyenne de .390, la plus élevée depuis 1941. QUI était ce joueur ?

GEORGE BRETT (Royals de Kansas City)

175) QUI a été le premier golfeur européen à gagner le tournoi des Maîtres en 1980 ? Il l'a gagné une 2e fois en 1983.

SEVERIANO BALLESTEROS

176) OÙ ont été présentés les jeux du Commonwealth en 1986 ?

EDIMBOURG (Écosse. En 1970 aussi) (Bonne réponse= 1 point de plus)

177) QUI a été le premier joueur de hockey américain à marquer 50 buts en 1985 ?

BOB CARPENTER (53 buts - Capitals de Washington)

178) Ce coureur de demi-fond a remporté la médaille d'or dans l'épreuve du 1500 mètres et celle d'argent dans le 800 mètres aux jeux Olympiques de 1980 à Moscou et de 1984 à Los Angeles. QUI est-il ?

SEBASTIAN COE (Grande-Bretagne)

179) QUEL boxeur poids-lourd a ravi le titre de champion mondial des poids-lourds à Mike Tyson par knockout à Tokyo en 1990 pour ensuite le perdre la même année aux mains de Evander Holyfield à Las Vegas ?

JAMES « BUSTER » DOUGLAS

180) QUEL quart était au 4e rang des meilleurs porteurs de ballon de l'histoire de la ligue Canadienne de football à la fin de la saison 1999 ?

DAMON ALLEN (derrière Reed, Bright et Pringle avec plus de 9 000 vgs de gains. Il est le frère de Marcus Allen de la NFL)

181) QUEL cycliste a été le premier à gagner cinq Tours de France cycliste consécutifs entre 1991 et 1995 ?

MIGUEL INDURAIN (Espagnol)

182) QUELLE golfeuse américaine est devenue seulement la deuxième à remporter le grand chelem du golf de la LPGA en 1999 en enlevant les honneurs de l'Omnium de golf des États-Unis et le Championnat de la LPGA ?

JULIE INKSTER (la première a été Pat Bradley en 1986)

183) Malgré ses 27 ans passés dans les majeures et marqués de sept matchs sans point ni coup sûr, 324 victoires et 5714 retraits au baton, Nolan Ryan n'a jamais remporté cet honneur individuel ? LEQUEL ?

TROPHÉE CY YOUNG

184) En 1928 à Amsterdam, les athlètes canadiens gagnent 4 médailles d'or en athlétisme, un sommet pour le Canada. En 1984, l'exploit est répété en natation à Los Angeles. En 1992 à Barcelone, dans QUELLE discipline les athlètes canadiens ont-ils à nouveau gagné 4 médailles d'or ?

EN AVIRON

185) QUEL athlète kenyan a inscrit quatre records du monde en athlétisme en 1978 ? Il les a inscrits dans les 3000, 5000, 10000 m. et 3000 mètres steeple.

HENRY RONO (bonne réponse=2 points de plus)

186) Entre 1972 et 1981, cette équipe de la ligue Junior majeure du Québec a gagné la coupe Memorial trois fois. NOMMEZ-la.

ROYALS DE CORNWALL (Ontario)

187) NOMMEZ la skieuse canadienne qui a remporté la Coupe du monde de descente en 1993.

KATE PACE

188) QUEL pays a remporté en 1979 pour une 7e fois en 11 ans le Championnat mondial de baseball des petites ligues à Williamsport en Pennsylvannie ?

TAIWAN

189) QUELLE équipe professionnelle de sport extérieur a cessé ses activités à Montréal après trois ans après avoir accumulé un déficit de cinq millions de dollars en 1983 ?

LE MANIC (ligue Nord-Américaine de soccer)

190) En 1992 aux jeux Olympiques d'Albertville, le Canada a été battu par l'équipe unifiée de l'ex-URSS lors de la finale. En 1994 à Lillehammer en Norvège, l'équipe canadienne a encore perdu en finale. QUI l'a battue ?

LA SUÈDE (à la suite d'un barrage après une prolongation sans but)

191) QUEL joueur européen classé parmi les 10 meilleurs au classement de l'ATP le tennisman québécois Sébastien Lareau a-t-il battu en 1994 aux Internationaux de tennis du Canada ?

MICHAEL STICH (Allemand)(Bonne réponse=1 point de plus)

192) Le record pour le nombre de médailles d'or ainsi que le nombre de médailles au total gagnées par un seul athlète aux jeux Olympiques d'hiver est respectivement de six et de neuf. QUEL skieur de fond en est le détenteur ?

BJORN DAEHLIE (Norvège, aux jeux de 1992, 1994 et 1998)

193) QUELLE équipe s'est rendue à la finale de la coupe Stanley en 1989 après avoir terminée au 16e rang du classement général de la ligue Nationale de hockey la saison précédente ? En finale, elle a été battue en six matchs par les Pingouins de Pittsburgh ?

MINNESOTA (North Stars)

194) NOMMEZ l'athlète qui a réussi en 1993 un saut prodigieux de 2 mètres 45 lors d'une compétition de saut en hauteur tenue en Espagne. C'est un record qui tenait toujours à la fin du siècle.

JAVIER SOTOMAYOR (Cuba)

195) QUI a été le premier lanceur à remporter 20 victoires ou plus pour les Blue Jays de Toronto en 1992 ?

JACK MORRIS (21 vict. 6 déf.)

196) QUEL superbe cheval le cavalier canadien Ian Millar montait-il lorsqu'il a remporté la médaille d'or du Grand Prix équestre des jeux Panaméricains de 1987 à Indianapolis ? Aucun autre cheval canadien n'aura gagné autant d'honneurs.

BIG BEN

197) QUEL nageur canadien a inscrit un record mondial dans l'épreuve du 200 mètres quatre nages individuelles lors des Championnats du monde de natation en 1978 à Berlin-Ouest ?

GRAHAM SMITH (bonne réponse=2 points de plus)

198) QUEL joueur de la ligue Nationale possédait à la fin de la saison 1998-99 la meilleure moyenne de buts par match pour l'ensemble de sa carrière ?

MARIO LEMIEUX (613 buts en 745 matchs - Moy. de .823)

199) QUEL brillant cycliste canadien, gagnant d'une médaille d'argent dans le 1000 mètres aux Championnats du monde de cyclisme en 1978, a été victime d'un accident de la route en 1983 ? Il en est demeuré paralysé.

JOCELYN LOVELL (bonne réponse=1 point de plus)

200) QUEL pays a toujours remporté la médaille d'or au baseball des jeux Panaméricains depuis 1975, soit sept consécutives ?

CUBA

201) Seulement 12 joueurs ont réussi à cogner quatre circuits au cours d'un même match depuis le début du siècle dont neuf dans la ligue Nationale. QUEL joueur des Cards de St Louis a été le dernier à réussir l'exploit en 1993 ?

MARK WHITEN (il avait produit 12 pts, égalant un record) (B.rép.=2 pts/+)

202) QUEL golfeur canadien a terminé au 2e rang de l'Omnium de golf des États-Unis en 1985 ?

DAVE BARR (gagné par Andy North)

203) Avec QUEL partenaire le tennisman canadien Sébastien Lareau a-t-il gagné la finale des Internationaux de tennis des États-Unis en 1999 ?
ALEX O'BRIEN (un Américain)

204) Les jeux Panaméricains ont été présentés pour la première fois depuis leur création en 1951 dans QUEL pays en 1991 ?
CUBA

205) QUELLE moyenne annuelle de coups de circuit Mark McGwire a-t-il conservée durant les années 1996-97-98-99 ?
SOIXANTE-ET-UN (il en a réussi 245 (52-58-70-65) durant ces 4 saisons)

206) QUELLE jeune écurie a gagné sa première course de Formule 1 en 1999 grâce au pilote britannique Johnny Herbert ?
STEWART (de l'ex-pilote écossais Jackie Stewart)

207) Les Alouettes de Montréal ont célébré deux anniversaires importants de leur histoire en 1999. LESQUELS ?
LE 50È DE LEUR PREMIÈRE COUPE GREY EN 1949 - LEUR 25È DE LEUR COUPE GREY DE 1974 À VANCOUVER CONTRE EDMONTON (2 bonnes réponses=3 points)

208) Aux Championnats du monde d'athlétisme de 1995, à Göteborg en Suède, le Canadien Donovan Bailey a remporté la victoire suivi en 2e place de QUI ?
BRUNY SURIN

209) COMBIEN de fois George Steinbrenner a-t-il changé de gérants chez les Yankees de New York en 24 ans entre 1974 et 1997 ? 10, 16 OU 21 fois ?
VINGT-ET-UNE FOIS (dont Billy Martin, 5 fois congédié et réengagé)

210) Le néo-zélandais Bob Charles a été le premier golfeur gaucher à gagner un tournoi de golf du circuit de la PGA en 1963. Depuis, cinq autres gauchers ont réussi à gagner au moins un tournoi de la PGA. NOMMEZ le dernier à faire partie de ce groupe sélect en 1999.
MIKE WEIR (le premier gaucher canadien à atteindre cette étape)

211) NOMMEZ la skieuse canadienne qui a remporté six épreuves de descente de la Coupe du monde de ski alpin durant les années 80.
LAURIE GRAHAM (bonne réponse=2 points de plus)

212) COMBIEN de tours du chapeau Wayne Gretzky a-t-il réussi au cours de carrière entre 1979-80 et 1998-99 ?
CINQUANTE (un de ses nombreux records de la LNH) (Jeu de 5 +/- alloué)

213) En plus de ses neuf médailles d'or olympiques, COMBIEN d'autres Carl Lewis en a-t-il gagné aux Championnats du monde d'athlétisme durant les années 80 et 90 ?
HUIT (jeu de 1 médaille + ou - alloué)

214) NOMMEZ le couple de patineurs canadiens qui a remporté le Championnat du monde de patinage artistique en couple en 1984 à Ottawa.
BARBARA UNDERHILL - PAUL MARTINI (bonne réponse=2 pts de plus)

215) QUEL joueur des Rangers de New York a été la 2e recrue à marquer 5 buts dans un même match en 1976 ? Howie Meeker de Toronto avait été le premier en 1944.

DON MURDOCH (bonne réponse=2 points de plus)

216) Le Canadien Mark McKoy a gagné la médaille d'or dans une épreuve d'athlétisme aux jeux Olympiques d'été à Barcelone en 1992. LAQUELLE ?

110 MÈTRES HAIES

217) NOMMEZ la cycliste canadienne qui a remporté trois fois le Championnat mondial de vélo de montagne durant les années 90 ainsi qu'une médaille d'argent aux jeux Olympiques d'Atlanta en 1996 dans la même discipline.

ALISON SYDOR

218) Le record de coups de circuit des ligues majeures par une équipe dans un même match a été établi par les Blue Jays de Toronto en 1987 ? De COMBIEN est-il ?

DIX (jeu de 1 circuit + ou - alloué)

219) Ce quart-arrière des Eskimos d'Edmonton a inscrit un record de tous les temps de la LCF en 1990 au chapître du nombre de verges gagnées au sol par un quart, 1096. QUI est-il ?

TRACY HAM (en 1989, il en avait gagné 1005)

220) QUEL directeur-gérant des Expos de Montréal a déjà remporté une victoire comme lanceur lors de la série mondiale de 1978 entre les Yankees de New York et les Dodgers de Los Angeles ?

JIM BEATTIE (vice-président et directeur-gérant depuis 1995)

221) COMBIEN de médailles d'or la Québécoise Caroline Brunet a-t-elle gagnées aux Championnats du monde de canoë-kayak entre 1995 et 1999 ?

NEUF

222) La pire saison de l'histoire des Expos de Montréal a été celle de 1976 alors qu'ils n'ont gagné que 55 matchs. QUI était alors le gérant des Expos ?

KARL KUEHL (il a été remplacé en cours de saison par Charlie Fox)

223) QUEL skieur a atteint la vitesse la plus élevée de l'histoire des jeux Olympiques d'hiver, 104,5 KH, dans l'épreuve de la descente masculine à Sarajevo en Yougloslavie en 1984 ?

BILLY JOHNSON (États-Unis. Il a gagné la médaille d'or) (B. rép.=1 pt de +)

224) En 1992, il est devenu le sixième golfeur professionnel canadien à gagner un tournoi du circuit de la PGA. QUI est ce golfeur qui avait alors remporté les honneurs du Greater Milwaukee Open ?

RICHARD ZOKOL (les autres ; Balding, Leonard, Knudson, Barr, Halldorson)

225) Le record de tous les temps pour la nombre d'as réussis par un joueur de tennis durant un match est de 49. QUI a réussi cet exploit en 1999 ?

RICHARD KRAJICEK (Néerlandais. Au US Open. Il a perdu son match)

226) Le salaire moyen des joueurs de la ligue Nationale de hockey en 1990-91 était de 271 000 dollars par année. De COMBIEN était-il en 1998-99 ?

1 300 000 DOLLARS (une hausse de 481 %) (Jeu de 100 000 dollars +/- alloué)

227) Trois Français ont enlevé la victoire 9 fois en 11 ans au Tour de France cycliste entre 1975 et 1985. Bernard Hinault en a gagné cinq. NOMMEZ ceux qui en ont gagné chacun deux ?

LAURENT FIGNON - BERNARD THÉVENET (2 bonnes réponses=3 points)

228) Le nageur canadien Victor Davis a été champion du monde à deux reprises ; en 1982 dans le 200 mètres et en 1986 dans le 100 mètres de la même nage. LAQUELLE ?

LA BRASSE (aussi médaillé d'or dans le 200M en 1984 à LA)

229) Trente-quatre ans après être devenu entraineur de l'équipe de football Penn State, cet entraineur a atteint le chiffre des 315 victoires en 1999, le 3e total de l'histoire du football collégial américain. QUI est-il ?

JOE PATERNO (le record de 323 vict. appartient à Bear Bryant d'Alabama)

230) QUELLE vedette du basketball de la NBA a été échangé aux Rockets de Houston en 1998 après avoir passé 11 saisons avec la même équipe ?

SCOTTIE PIPPEN (il avait joué durant 11 saisons avec les Bulls de Chicago)

231) QUI était l'entraineur de la gymnaste roumaine Nadia Comaneci aux jeux Olympiques de 1976 et de l'Américaine Mary Lou Retton aux Jeux de 1984 à Los Angeles ? Roumain de naissance, il demeure aux États-Unis depuis le début des années 80.

BELA KAROLY (bonne réponse=1 point de plus)

232)) QUELLE équipe de football universitaire canadienne dispute tous ses matchs dans une ligue de football universitaire américaine depuis 1967 ?

SIMON FRASER (Colombie-Britannique)

233) C'est un conducteur canadien qui détient le record de tous les temps pour le nombre de victoires dans les courses d'ambleurs et de trotteurs, 14,783. QUI est ce conducteur dont la carrière s'est échelonnée sur plus de 40 ans jusqu'aux années 90 ?

HERVÉ FILION (bonne réponse=1 point de plus)

234) Contre QUELLE équipe le lanceur Dennis Martinez des Expos de Montréal a-t-il réussi son match parfait en 1991 ?

DODGERS DE LOS ANGELES

235) COMBIEN de médailles d'or le coureur américain Michael Johnson a-t-il gagnées aux Championnats du monde en 1993, 1995, 1997 et 1999, un chiffre sans précédent ?

NEUF (aux 200 et 400 mètres et les relais. Carl Lewis en a gagné huit)

236) En 1994, les golfeurs canadiens Dave Barr, Rick Gibson et Ray Stewart ont uni leurs efforts sur le parcours de St Andrews en Écosse pour enlever les honneurs de ce tournoi international pour l'obtention de QUELLE coupe ?

DUNHILL (ils l'ont ravie aux Américains) (Bonne réponse=2 points de plus)

237) Deux receveurs de passes du football professionnel, un de la LCF et un de la LNF, ont atteint un plateau remarquable en 1999, celui de 200 matches consécutifs avec un moins un attrapé. Pouvez-vous les NOMMER ?

DON NARCISSE (Saskatchewan-LCF) - JERRY RICE (San Francisco-LNF) (Narcisse avait atteint le chiffre de 216 à la fin de 1999 et Rice 209)

238) La meilleure moyenne de retraits au bâton réussie par un lanceur durant une saison est de 13,2 par match, record inscrit en 1999. QUI en est l'auteur ?

PEDRO MARTINEZ (Red Sox de Boston)

239) Le tennisman québécois Sébastien Lareau a remporté 7 championnats de matches en doubles durant l'année 1999 dont un du grand chelem. LEQUEL ?

INTERNATIONAUX DES ÉTATS-UNIS

240) QUI a été le premier entraineur-chef de la ligue Nationale de hockey à se donner un adjoint derrière le banc ? C'était en 1977 et cet entraineur-adjoint était Mike Nykoluk.

FRED SHERO (Flyers de Philadelphie)

241) Entre 1977 et 1987, l'Américain Edwin Moses a remporté 102 victoires consécutives en athlétisme. Il a gagné la médaille d'or aux Olympiques de 1976 et de 1984 ainsi que les Championnats du monde en 1983 et 1987. Dans QUELLE discipline a-t-il réussi ces exploits ?

LE 400 MÈTRES HAIES

242) QUELLE skieuse européenne a été la première à gagner trois médailles d'or en ski alpin aux jeux Olympiques d'hiver ? C'était en 1988 à Calgary et en 1994 à Lillehammer. Elle est aussi la première à avoir gagné cinq médailles, trois d'or, une d'argent et une de bronze.

VRENI SCHNEIDER (Suisse)

243) Le record de la ligue Canadienne de football pour le nombre de passes de touchés par un quart dans les matchs de la coupe Grey est de huit. Il est détenu par trois joueurs ; Russ Jackson, Bernie Faloney et QUEL autre qui a atteint ce plateau en 1999 ?

DANNY McMANUS (Tiger-Cats de Hamilton, 32 à 21 contre Calgary)

244) Par QUELLE marge record Tiger Woods a-t-il remporté les honneurs de l'Omnium de golf des États-Unis en 2000 à Pebble Beach ?

QUINZE COUPS (il a terminé avec une fiche de -12. Ses plus proches rivaux, Miguel Angel Jimenez et Ernie Els ont terminé avec des fiches de +3) (Jeu de 2 coups + ou - alloué)

245) En 1979-80, Gordie Howe est devenu le premier joueur de la ligue Nationale de hockey à jouer en compagnie de ses deux fils avec les Wings de Détroit. COMMENT se nomment ses fils ?

MARK - MARTY (1 point par bonne réponse)

246) En 1998, deux quarts-arrière de la ligue Nationale de football, fils d'ex- quarts vedettes du même circuit, faisaient leurs débuts. NOMMEZ-les ainsi que les prénoms de leurs pères.

PEYTON MANNING (Indianapolis) BRIAN GRIESE (Denver) ARCHIE - BOB (1 point par bonne réponse - total possible de 4)

247) Seulement deux propriétaires d'équipes de hockey et de football ont réussi à gagner la coupe Stanley et la coupe Grey. Le premier a été Léo Dandurand avec les Canadiens et les Alouettes de Montréal. QUI a été l'autre ?

HAROLD BALLARD (Leafs de Toronto, 1967 - Tiger-Cats de Hamilton, 1986)

248) QUEL pays a remporté la Coupe du monde de soccer féminin deux fois en trois présentations entre 1991 et 1999 ?

LES ÉTATS-UNIS (1991 et 1999. La Norvège a gagné en 1995)

249) QUELLE épreuve de ski a été présentée comme sport de démonstration aux jeux Olympiques de 1992 à Albertville en France ? Elle n'a pas été présentée aux Jeux suivants.

LE SKI DE VITESSE (une vitesse de 230 kh a été atteinte)

250) Contre QUELLE équipe le lanceur David Cone des Yankees de New York a-t-il réussi son match parfait en 1999 ?

LES EXPOS DE MONTRÉAL (le 14e match parfait du siècle des majeures)

251) NOMMEZ le jockey américain de descendance latino-américaine qui est devenu en 1999 le jockey au plus grand nombre de victoires, 8834.

LAFITTE PINCAY (il a éclipsé la marque de Willie Shoemaker)(B. rép.=2 pts/+)

251) QUI est le champion de tous les temps pour le nombre de victoires dans les courses de la série Nascar (stock cars) aux États-Unis ? Il a remporté 200 victoires entre 1960 et 1984 ?

RICHARD PETTY

252) La remontée la plus spectaculaire jamais enregistrée au football collégial américain lors d'un match de championnat *(bowl game)*, a été réussie le premier de l'an 2000 lorsque l'université Purdue a battu Georgia lors du Outback Bowl à Tampa. QUEL recul de points Purdue a-t-elle effacé ?

VINGT-CINQ (Purdue a marqué 28 pts sans riposte et a gagné 28 à 25) (Jeu de 3 pts + ou - alloué)

253) En 1980, le marathon de Boston a été secoué par un incident à la fois cocasse et inusité. Certains l'ont qualifié de scandale. QU'EST-IL arrivé ?

LA GAGNANTE, ROSIE RUIZ, A ÉTÉ DISQUALIFIÉE POUR AVOIR UTILISÉ LE MÉTRO DURANT LA COURSE (la Québécoise Jacqueline Gareau a été déclarée gagnante de l'épreuve)

254) À QUEL rang mondial le Canada se situait-il au classement des médailles de tous les temps aux jeux Olympiques d'hiver après sa récolte de 15 médailles aux jeux de Nagano au Japon ? 6e, 10e, 14e OU 18e ?

DIXIÈME (79 médailles. Devant l'Italie, les Pays-Bas et la France)

255) QUEL Canadien de la ligue Canadienne de football a gagné neuf bagues de la coupe Grey à titre d'entaineur-adjoint et entraineur-chef avec cinq équipes différentes entre 1975 et 1996 ?

CAL MURPHY (il a été adjoint de Marv Levy à Montréal en 1977)

256) QUELLE extraordinaire nageuse américaine a inscrit cinq records du monde lors des Championnats mondiaux de natation présentés à Berlin-Ouest en 1978 ? Ces marques mondiales ont été inscrites dans les épreuves de style libre (400, 800 et 1500 mètres) et aux 4-nages individuelles (200 et 400 mètres)

TRACY CAULKINS (bonne réponse=2 points de plus)

257) Il a gagné le trophée Cy Young en 1978, a gagné 25 matches, n'a subi que trois revers et a conservé une moyenne de points mérités de 1,74. Il a gagné un match de la série mondiale contre les Dodgers de Los Angeles. QUI est-il ?

RON GUIDRY (Yankees de New York. Ont battu Los Ang. en série mondiale)

258) Lorsque Steffi Graf a annoncé sa retraite du jeu actif en juin de 1999, à COMBIEN de titres en simple du grand chelem se trouvait-elle de la détentrice de ce record, Margaret Smith-Court, qui en a gagné 24 ?

DEUX (elle a été battue en finale de Wimbledon en 99 par Lindsay Davenport)

259) Lorsque Michael Jordan a pris sa retraite en 1998, il détenait la meilleure moyenne de points par match de l'histoire de la NBA ? QUELLE est-elle ? Et QUI est au 2e rang au classement de tous les temps ?

31,5 POINTS PAR MATCH (carrière) - WILT CHAMBERLAIN (30.1 pts) (Jeu de 1.5 point + ou - alloué) (2 bonnes réponses=3 points)

260) Depuis les belles années de Bobby Orr, un seul défenseur a réussi à gagner cinq trophées Norris depuis 1976. QUI est-il ?

RAYMOND BOURQUE (Bruins de Boston)

261) QUELLE golfeuse australienne a été la première en 1996 à atteindre le cap du million de dollars en bourses en une saison ?

KARRIE WEBB

262) Ce couple soviétique a remporté le Championnat mondial junior de patinage artistique en 1985. L'année suivante à Genève, il a gagné le Championnat mondial, un exploit unique pour un patineur de 18 ans et une partenaire de 16 ans. QUI étaient ces deux athlètes ?

EKATERINA GORDEEVA ET SERGUEI GRINKOV (ils ont gagné 4 champ du monde (1986-87-89-90) et deux médailles d'or olympique (1988-1994)

263) NOMMEZ le premier joueur de l'histoire de la ligue Nationale de football qui a gagné plus de milles verges au sol ET par la passe. C'était en 1985 et il jouait avec les 49ers de San Francisco.

ROGER CRAIG (demi à l'attaque)

264) Après une disette de 25 ans, une équipe de hockey du Québec, les Prédateurs de Granby, a finalement remporté la coupe Memorial en 1996. Et comme pour démontrer qu'il ne s'agissait pas d'un hasard, une autre équipe québécoise a gagné cette même coupe l'année suivante. LAQUELLE ?

LES OLYMPIQUES DE HULL (en 2000, Rimouski a répété l'exploit)

265) NOMMEZ le patineur qui a été champion canadien de patinage artistique durant huit années consécutives entre 1981 et 1988.

BRIAN ORSER

266) Entre 1991 et 1999, les Braves d'Atlanta ont gagné le championnat de leur division de la ligue Nationale de baseball huit fois. COMBIEN de fois se sont-ils rendus à la série mondiale et COMBIEN de fois l'ont-ils gagnée ?

CINQ FOIS (91-92-95-96-99) - UNE FOIS (95) (3 pts pour les deux réponses)

267) En l'espace de 18 mois répartis sur les années 1998 et 1999, ce golfeur de la PGA a gagné 11 tournois. QUI est-il ?

DAVID DUVAL

268) QUELLE coupe prestigieuse le sportif et futur fondateur du réseau CNN Ted Turner a-t-il gagnée avec son équipe en 1977 ?

AMERICA (remise au vainqueur d'une course de grands voiliers)

269) QUELLE athlète américaine détient le record du nombre de médailles d'or en patinage de vitesse, cinq, aux jeux Olympiques d'hiver ? Elles ont été gagnées aux Jeux de 1988, 1992 et 1994.

BONNIE BLAIR (bonne réponse=1 point de plus)

270) NOMMEZ l'aillier défensif francophone québécois qui a joué de 1976 à 1981 avec les Alouettes de Montréal.

GABRIEL GRÉGOIRE (il a participé à trois finales de la coupe Grey)

271) QUELLE équipe a établi un record de la ligue Nationale de hockey en 1993 pour le nombre de victoires concécutives ? Et de COMBIEN était-il ?

PINGOUINS DE PITTSBURGH - DIX-SEPT

272) On a surnommé cette golfeuse professionnelle canadienne « l'éternelle seconde ». Lorie Kane n'avait pas encore gagné un seul tournoi de la LPGA à la fin de 1999 mais elle était venue bien près pourtant. COMBIEN de fois a-t-elle terminé au 2ᵉ rang depuis ses débuts sur le circuit féminin de golf professionnel ?

NEUF FOIS (elle a aussi terminé au 3ᵉ rang quatre fois)

273) Ce skieur canadien a gagné quatre épreuves de descente dans les épreuves de la Coupe du monde de ski alpin entre 1975 et 1980. QUI est-il ?

KEN READ

274) QUEL stade couvert de football ou de baseball américain a eu la plus brève existence, 24 ans ?

LE KINGDOME DE SEATTLE (inauguré en 1977, il a été remplacé par le stade Safeco en 1999, puis démoli. Il possédait une mauvaise réputation)

275) QUEL joueur de tennis a gagné la finale de Wimbledon le plus souvent entre 1975 et 2000 ? Et COMBIEN de fois a-t-il gagné ?

PETE SAMPRAS - SEPT FOIS (93-94-95-97-98-99-00) (1 point par réponse)

276) Trois équipes différentes d'un même État américain ont remporté 17 victoires et subi 9 défaites lors des matches de football universitaire « *bowl* » disputés en fin d'année durant les années 90. QUELLES sont ces trois universités ainsi que leurs noms d'équipes ?

SEMINOLES DE FLORIDA STATE (8-2)FLORIDA GATORS (5-4)MIAMI HURRICANES (4-3) (6 bonnes réponses=6 points)

277) Entre 1977 et 1987, l'épreuve des 24 heures de Daytona en Floride a été gagnée par QUELLE écurie utilisant quatre modèles différents ?

PORSCHE (Carrera, 1 fois, Turbo, 6 fois, March, 1 fois et 962, trois fois)

278) Entre les mois d'août 1996 et 2000, Tiger Woods a participé à 90 tournois de golf professionnels. COMBIEN de fois a-t-il remporté la victoire en 4 années de golf professionnel ?

VINGT-QUATRE (dont 5 du grand chelem) (Jeu de 2 vict. +/- alloué)

279) Depuis 1968, alors que le CIO a imposé l'interdiction des drogues chez les athlètes, une soixantaine de participants ont été disqualifiés des jeux Olympiques d'été et d'hiver. QUEL sport a été le plus sévèrement puni ?

L'HALTÉROPHILIE (36 % des disqualifications. L'athlétisme ; 16 %)

280) QUEL demi à l'attaque détient le record du football collégial américain pour le nombre de touchés réussis en une seule saison, 1988 ? ET QUELLE est cette marque ? 24, 31 OU 39 ?

BARRY SANDERS (Oklahoma State) - TRENTE-NEUF (1 pt par b.réponse)

281) QUEL lanceur gaucher des années 80 et 90 détenait à la fin du 20e siècle le record des ligues majeures de baseball pour la moyenne de retraits au bâton par match, 10.77 % ?

RANDY JOHNSON (gaucher. Mtl, Sea, Ariz)

282) La dernière fois qu'un tennisman avait remporté trois titres de grand chelem la même année, c'était en 1974 avec Jimmy Connors. En 1988, ce tour de force a été réussi par un Européen. QUI est ce joueur dont la seule victoire à lui échapper a été celle de Wimbledon ?

MATS WILANDER (un Suédois) (Bonne réponse=1 point de plus)

283) QUEL athlète canadien a remporté la médaille d'argent au décathlon lors des Championnats du monde d'athlétisme en 1991 à Tokyo et le bronze en 1995 à Goteborg en Suède ? Il a aussi gagné l'or aux jeux du Commonwealth en 1990 à Auckland en Nouvelle-Zélande et en 1994 à Victoria au Canada.

MICHAEL SMITH

284) La vitesse moyenne la plus élevée enregistrée lors de l'épreuve des 500 milles d'Indianapolis a été réussie en 1990 par Arie Luyendyk. Depuis ce temps, on n'est même pas venu près de l'abaisser. De COMBIEN était-elle ? 175 MH, 186MH OU 198MH ?

186 MILLES À L'HEURE (en 91, Rick Mears a réussi une vit. moy. de 176MH)

285) Des quatre sports professionnels, baseball, football, basketball et hockey, LEQUEL a subi le plus fort pourcentage d'augmentation du prix de ses billets entre 1991 et 1997 aux États-Unis ?

HOCKEY (77 %. La NBA, 56.3 %, la NFL, 46 % et le baseball majeur, 37.5 %)

286) QUEL boxeur poids-lourd a ravi le Championnat mondial à Evander Holyfield par décision unanime en 1992 à Las Vegas ?

RIDDICK BOWE

287) QUEL est le véritable prénom de Tiger Woods ?

ELDRICK

288) QUELLE équipe de la ligue Nationale de football a réussi en 1993 à combler l'écart de points le plus élevé de l'histoire des éliminatoires de la NFL ? Contre QUELLE équipe ? Et QUEL était cet écart de points ?

BUFFALO (Bills) - HOUSTON (Oilers) - 32 POINTS (Buffalo 38 Houston 35 Pr) (3 bonnes réponses=5 points)

289) De tous les receveurs des ligues majeures de baseball, LEQUEL a réussi le plus de circuits durant sa carrière, 389 ? Il a joué de 1967 à 1983.

JOHNNY BENCH (Cincinnati. Carlton Fisk, 2e, 376. Gary Carter, 4e, 324)

290) QUELLE marque de voiture britannique a remporté la victoire aux 24 heures du Mans en 1988 après une disette de 31 ans au cours de laquelle la Porsche a imposé sa suprématie ?

JAGUAR

291) Le record canadien du 400 mètres style libre en natation tenait toujours à la fin de 1999, 20 ans après avoir été inscrit par QUEL nageur de Pointe Claire ?

PETER SCHMIDT (3.50.49 - réussi en 1980 à la piscine d'Etobicoke en Ontario. Il a été battu à la piscine olympique de Mtl en juin 2000)(B.rép.=2 pts de plus)

292) NOMMEZ l'entraineur de football qui a mené les Rough Riders d'Ottawa à la coupe Grey en 1973 et l'équipe de Birmingham au championnat de la World Football League en 1974.

JACK GOTTA (la WFL n'a existé qu'une seule année) (b. rép.=2 points de +)

293) Les Canadiens de Montréal détiennent le record de la ligue Nationale de hockey pour le plus petit nombre de matchs perdus en une saison. COMBIEN et en QUELLE année ?

HUIT - 1976-1977 (1 point par bonne réponse)

294) QUEL remarquable coureur de fond, double médaillé d'or à Munich en 72, a gagné les épreuves du 5000 et du 10,000 mètres aux jeux Olympiques de Montréal en 1976 ? Il a terminé au 5e rang dans le marathon.

LASSE VIREN (Finlandais. Il avait gagné ces 2 épreuves à Munich)

295) Pour la première fois dans l'histoire du golf professionnel, deux membres d'une même famille, le père et son fils, remportent chacun le même jour en 1999 les honneurs d'un tournoi, le père sur le circuit sénior de la PGA et le fils sur le circuit régulier de la PGA. QUEL est leur nom de famille ?

DUVAL (Bob, le père, David, le fils)

296) Ce patineur de vitesse canadien a été sacré champion mondial dans les épreuves de 500 et de 1000 mètres en 1998, 1999 et 2000. Il a aussi gagné une médaille d'argent aux jeux Olympiques de Nagano en 1998. QUI est-il ?

JEREMY WEATHERSPOON (recordman mondial dans les 500 et 1000 mètres) (Bonne réponse=2 points de plus)

297) Lorsque la grève des joueurs à mis fin à la saison du baseball majeur au milieu du mois d'août 1994, QUELLE équipe possédait la meilleure fiche des deux ligues ?

EXPOS DE MONTRÉAL (74 vict. 40 déf. - Dès 1995, les probèmes de gestion qui s'éternisent depuis, ont commencé)

298) NOMMEZ le pilote français qui a remporté le premier Grand Prix de Formule 1 de sa carrière en 1989 sur le circuit Gilles Villeneuve à Montréal au volant d'une Williams-Renault.

THIERRY BOUTSEN (Ayrton Senna filait vers la vict. à 3 tours de la fin lorsque son bolide l'a abandonné) (b.rép.=2 pts de +)

299) QUEL jeune plongeur québécois a remporté la médaille d'or en plongeon de la tour de dix mètres aux jeux du Commonwealth à Kuala Lumpur en 1998 ?

ALEXANDRE DESPATIE (il n'avait alors que 13 ans)

300) QUEL était le pourcentage de joueurs européens dans la ligue Nationale de hockey au début de l'an 2000 ?

VINGT-HUIT POUR CENT (jeu de 3 % + ou - alloué)

301) QUEL boxeur de 45 ans a gagné le Championnat des poids-lourds en 1994, 20 ans après l'avoir perdu aux mains de Muhammad Ali ?

GEORGE FOREMAN (il a battu Michael Moore par knockout au 10e assaut)

302) Dans QUELLE ville de l'Ouest canadien les Jeux d'hiver du Canada ont-ils été présentés en 1979 ? Les athlètes du Québec avaient alors gagné le plus de médailles.

BRANDON (Manitoba) (bonne réponse=1 point de plus)

303) En 1954, le britannique Roger Bannister a été le premier à courir la distance du mille en moins de 4 minutes. COMBIEN de secondes ont été enlevées à cette marque depuis cette course historique ? 9, 13, 16 OU 18 secondes ?

SEIZE SECONDES (Hicham El Guerrouj du Maroc l'a couru en 3,43,13 en 99

304) QUEL lanceur a été choisi cinq fois récipiendaire du trophée Cy Young dans la ligue Américaine entre 1986 et 1998, un record des majeures ?

ROGER CLEMENS (3 fois avec Boston, 2 fois avec Toronto)

305) Jusqu'en 1987, le Canada n'avait jamais gagné une médaille dans cette discipline individuelle aux Championnats du monde. À Rotterdam aux Pays- Bas, Curtis Hibbert est devenu le premier Canadien à monter sur le podium à la suite d'une 2e position dans une des six épreuves de QUEL sport ?

GYMNASTIQUE (à la barre fixe)

306) Cette gymnaste américaine a gagné 5 médailles dont une d'or au concours complet, deux d'argent et deux de bronze aux jeux Olympiques de 1984 à Los Angeles. QUI était cette athlète musclée et aux bonds prodigieux ?

MARY LOU RETTON (elle a gagné le concours complet)

307) Outre Michel Goulet qui a réussi l'exploit quatre fois, QUI est le seul autre joueur de l'histoire des Nordiques de Québec de la ligue Nationale de hockey à avoir marqué 50 buts ou plus en une saison ?

JACQUES RICHARD (52 buts, 1980-81)

308) Outre Larry Walker, QUI est le seul autre joueur canadien des ligues majeures de baseball à avoir produit plus de 100 points durant une saison, celle de 1998. Il a aussi cogné 38 circuits pour son équipe de la ligue Américaine.

MATT STAIRS (102 points produits avec Oakland. Originaire des Maritimes)

309) Il est devenu commissaire de la NBA en 1983 et a transformé ce circuit alors sans éclat en une entité dynamique, populaire et très profitable. QUI est cet homme rigoureux qui est devenu le tsar du basketball professionnel ?

DAVID STERN

310) QUI a été la première Latino-américaine depuis 1966 à gagner un tournoi du grand chelem en 1990, les Internationaux des États-Unis ?

GABRIELA SABATINI (Argentine. Maria Bueno avait gagné en 1966)

311) Lorsque Ben Johnson a couru le 100 mètres en 9,79 secondes à Séoul en 1988, QUELLE vitesse moyenne a-t-il conservée ? En kilomètres ou milles.

36,6 K/H - 22,8 M/H (une fraction de plus que 10 mètres à la seconde) (jeu de 3.4 k/h ou de 2.2 m/h + ou - alloué)

312) C'est en 1979 que ce rallye automobiles a été inauguré. Il est devenu au fil des ans le plus important au monde de par ses parcours toujours de plus en plus exigeants et dangereux. Tout ce qui roule est admis y compris les motocyclettes. QUEL est le nom de cette épreuve ?

PARIS-DAKAR

313) QUEL boxeur est mort peu de temps après avoir été mis hors de combat par le champion canadien des poids-légers, Gaetan Hart, en 1980 au Stade olympique ?

CLEVELAND DENNY (mis hors de combat par Hart au 10e round)

314) Trois joueurs des 49ers de San Francisco détiennent le record pour le nombre de touchés marqués durant des matchs du Super Bowl : trois. Ces trois joueurs sont Jerry Rice en 1995, Roger Craig en 1985 et QUEL autre et QUAND ?

RICKY WATTERS (demi à l'attaque)- 1995 (vs San Diego)(1 pt par b. rép.)

315) C'est une marathonienne norvégienne qui a été la première femme à courir un marathon, celui de New York, en moins de deux heures et trente minute. À QUI appartient cet exploit réussi en 1979 ?

GRETE WAITZ (bonne réponse=2 points de plus)

316) QUEL athlète canadien a participé à quatre éditions consécutives des jeux Olympiques entre 1976 et 1988 dans un sport individuel et a gagné quatre médailles ?

GAETAN BOUCHER (deux d'or et une de bronze en 84, une d'argent en 80)

317) QUI était le gérant des Blue Jays de Toronto lorsqu'ils ont gagné la série mondiale de baseball en 1992 et 1993 ?

CITO GASTON

318) QUEL athlète québécois a gagné une médaille d'argent à l'épreuve du 20 kilomètres-marche aux jeux Olympiques d'été de Barcelone en 1992 ?

GUILLAUME LEBLANC (médaillé d'or aux jeux du Commonwealth en 1990)

319) NOMMEZ le quart des Blue Bombers de Winnipeg qui a été proclamé le joueur par excellence de la ligue Canadienne de football en 1980 et 1981.

DIETER BROCK

320) COMBIEN de fois le Canada a-t-il gagné le Championnat mondial de hockey junior entre 1990 et 1999 ?

SEPT FOIS (90-91, 93 à 97)

321) NOMMEZ le nageur canadien qui a gagné deux médailles d'or dans les épreuves du 200 et 400 mètres 4 nages individuelles aux jeux Olympiques de 1984 à Los Angeles.

ALEX BAUMANN

322) QUI a délogé en janvier 2000 l'Australien Greg Norman du premier rang des meilleurs boursiers de tous les temps dans la PGA ? Et avec QUEL chiffre de gains ; 8,600,000 - 10,250,00 ou 12,445,000 de dollars ?

DAVIS LOVE III - 12 445 000 (peu de temps après, Tiger Woods s'emparait du premier rang) (2 bonnes réponses=3 points)

323) Avec QUELLE équipe professionelle le quart vedette des Rams de St Louis, Kurt Warner, jouait-il avant d'accéder à la ligue Nationale de football en 99 ?

AMSTERDAM (de la ligue Mondiale de football en Europe)

324) QUEL attaquant des Nordiques de Québec a marqué 75 buts dans l'AMH (Association mondiale de hockey) durant la saison 1978-79 ?

RHÉAL CLOUTIER (dernière saison d'existence de l'AMH)

325) La première Coupe de l'Union mondiale de rugby a été gagnée en 1987 par une équipe de la Nouvelle-Zélande. QUEL est son nom ?
ALL BLACKS (bonne réponse=1 point de plus)

326) À QUI le pilote québécois Gilles Villeneuve a-t-il succédé en 1978 avec l'écurie Ferrari ?
NIKI LAUDA (d'Autriche)

327) QUEL lanceur obtenu par les Dodgers de Los Angeles gagnait le salaire le plus élevé des majeures au début de l'an 2000, soit quinze millions de dollars par année durant cinq ans ?
KEVIN BROWN (obtenu dans un échange avec San Diego)

328) Dans QUELLE discipline les athlètes canadiens Peter Lueders et Dave MacEachern ont-ils remporté une médaille d'or en 1998 aux jeux Olympiques de Nagano en 1998 ?
BOBSLEIGH À DEUX

329) QUEL joueur détient le record du plus grand nombre de verges gagnées dans la ligue Nationale de football au total des courses, des passes et des retours de bottés d'envoi et de dégagement, soit 21 803 verges en tout sur 13 saisons entre 1975 et 1987 ?
WALTER PAYTON (dont 16 726 au sol)

330) Dans QUELLE ville la concession des Jets de Winnipeg de la ligue Nationale de hockey a-t-elle été transférée après la saison 1995-96 ?
PHOENIX (Arizona)

331) La National Basketball Association (NBA) était composée de 29 équipes à la fin du siècle. Entre 1946 et 1976, COMBIEN de ligues professionnelles de basketball ont été fusionnées pour finalement laisser la NBA comme unique circuit depuis 24 ans ? 2, 3, 4 ou 5 ?
QUATRE (BAA, (Basketball Ass. of America), NBL, (National Basketball League), NBA (Nat. Basketball Ass.), ABA, (American Basketball Ass.)

332) NOMMEZ le nageur russe de style libre qui a été couronné champion du monde du 100 mètres en 1994 et 1998 et champion olympique en 1992 et 1996. Il détient aussi le record mondial pour le 100 mètres, 48 sec. 74/100è.
ALEXANDER POPOV (bonne réponse=2 points de plus)

333) QUEL âge avait Tiger Woods lorsqu'il a réussi son premier trou d'un coup ? Et QUEL âge avait-il lorsqu'il a joué sous les 80 coups pour la première fois ?
SIX ANS (1982) - HUIT ANS (1984)(jeu de 1 an +/- alloué dans les deux cas) (Bonnes réponses=1 point chacune)

334) Après avoir plaidé coupable à des accusations de fraude et de détournement de fonds à même la caisse de retraite des joueurs de la LNH, l'ex-représentant des joueurs Alan Eagleson été condamné à Boston en 1998 à une amende de 700 000 dollars américains et à une peine de 18 mois d'emprisonnement au Canada. NOMMEZ deux de quatre autres châtiments qui lui ont été imposés.

RADIÉ DU BARREAU - ON LUI A RETIRÉ SON ORDRE DU CANADA - EXPULSÉ DU TEMPLE DE LA RENOMMÉE DES SPORTS DU CANADA ET DU TEMPLE DE LA RENOMMÉE DU HOCKEY (1 point par bonne rép.)

335) QUELLE nation a remporté onze des trente médailles en jeu aux épreuves de ski alpin hommes/femmes aux jeux Olympiques de Nagano en 1998 ?

L'AUTRICHE (8 par les hommes dont deux d'or par Hermann Meier)

336) La championne mondiale et olympique Katarina Witt de la RDA a perdu son Championnat du monde de patinage artistique en 1986 à Genève aux mains d'une Américaine qui en même temps a créé un précédent en devenant la première personne de race noire à réussir cet exploit. QUI est-elle ?

DEBI THOMAS (bonne réponse=2 points de plus)

337) NOMMEZ le jockey cubain, vainqueur de plus de 4000 courses de purs-sang dont quatre Queen's Plate, qui a perdu la vie en 1980 lorsqu'il a fait une chute durant une course. Après avoir été sérieusement blessé par les sabots des chevaux qui l'ont piétiné, il est mort peu de temps après à l'hôpital.

AVELINO GOMEZ (bonne réponse=3 points de plus)

338) QUEL match de championnat de football a été disputé au Stade olympique de Montréal en 1992 ?

LE WORLD BOWL (Sacramento a défait Orlando 21 à 17 lors de la finale de la ligue Mondiale de football. La Machine de Montréal a été membre de cette ligue durant les 2 premières années de la WFL, 1991 et 1992)

339) QUI a été le dernier joueur des Canadiens de Montréal à marquer 50 buts ou plus en une saison ? Et en QUELLE année ?

STÉPHANE RICHER (51) - 1989-90 - (il en a marqué 50 en 88-89) (1 pt par rép.)

340) QUELLE grande athlète canadienne, médaillée d'or du pentathlon aux jeux du Commonwealth en 1978 à Edmonton, s'est attirée les foudres de milliers de Canadiens et de politiciens pour avoir sévèrement condamné la décision du gouvernement de Pierre Trudeau de boycotter les jeux Olympiques d'été de Moscou en 1980 ? Elle a fait écho aux sentiments de plusieurs autres.

DIANE JONES-KONIHOWSKI (une des rares à se prononcer) (B. Rép.=1 pt/+)

341) En 1985, les Blue Jays de Toronto étaient en avance 3 à 1 dans la série de championnat de la ligue Américaine. Ils ont ensuite perdu les trois matches suivants aux mains de QUELLE équipe ?

ROYALS DE KANSAS CITY (jusqu'à l'année précédente, cette série en était une de 3 de 5. La série a été portée à 4 de 7 en 1985)

342) NOMMEZ le jockey canadien dont la carrière a pris fin en 1978 à la suite d'une chute durant une course et qui l'a laissé paralysé.

RON TURCOTTE (il avait conduit Secretariat à la triple couronne en 1973)

343) Le tournoi des Maîtres du golf a été gagné 13 fois par des étrangers entre 1974 et 1999. LEQUEL a été le seul à le gagner trois fois ?

NICK FALDO (Britannique. 1989, 90, 96)

344) Aux jeux Olympiques de 1984 à Sarajevo, le pentathlon de l'athlétisme féminin est devenu l'heptathlon. NOMMEZ les deux épreuves additionnelles, un concours de lancer et une épreuve de piste, qui ont été ajoutées aux cinq autres déjà existantes ?

LANCER DU JAVELOT - COURSE DE 800 MÈTRES (1 pt. par bonne rép.)

345) Entre 1985 et 1999, Pete Sampras, Boris Becker et Stefan Edberg ont gagné 24 titres de grand chelem. LEQUEL des 4 titres leur a toutefois échappé ?

INTERNATIONAUX DE FRANCE

346) Avant Vladimir Guerrero en 1999, COMBIEN de joueurs des Expos de Montréal avaient cogné 40 circuits ou plus en une saison ?

AUCUN

347) Plus d'équipes que jamais auparavant participent à la XVIe Coupe du monde de football (soccer) en 1998 en France. COMBIEN ?

TRENTE-DEUX (en 8 groupes de 4. Avant 1998, il y avait 24 équipes)

348) Henry « Gizmo » Williams des Eskimos d'Edmonton de la LCF détient le record nord-américain du plus grand nombre de touchés réussis sur des retours de bottés de dégagement durant une carrière. COMBIEN ?

VINGT-SIX (jeu de 4 touchés + ou - alloué)

349) À deux mois de sa retraite de la compétition active, cette double-championne mondiale du super-géant en slalom a perdu la vie en 1994 lorsqu'elle a fait une chute alors qu'elle dévalait la piste à plus de 100 km/h. à Garmisch- Partenkirchen en Allemagne. QUI était cette grande skieuse de 26 ans ?

ULRIKE MAIER (bonne réponse=2 points de plus)

350) NOMMEZ la patineuse canadienne qui a gagné une médaille d'argent en 1994 aux Jeux de Lillehammer dans le 500 mètres en patinage de vitesse et une autre d'argent dans la même épreuve aux Jeux de Nagano en 1998.

SUSAN AUCH

351) Avant de devenir entraineur des Canadiens de Montréal en 1988, Pat Burns avait dirigé deux autres équipes de calibre inférieur. LESQUELLES ?

HULL (LJMHQ)SHERBROOKE (ligue Américaine) (1 point par réponse)

352) QUELLE université du Québec a été la première en 1987 à remporter le championnat canadien de football universitaire, une victoire de 47 à 11 contre les Thunderbirds de l'université de la Colombie-Britannique ?

MCGILL (Redmen. Ils ont reçu la coupe Vanier)

353) QUELLE nouvelle règle la National Basketball Association a-t-elle adoptée en 1979-80 ? Elle a contribué à augmenter le nombre de points.

LE TIR DE LA LIGNE DE TROIS POINTS (règle empruntée à l'ex-ABA)

354) QUI était le commissaire du baseball majeur qui est décédé subitement en 1989 alors qu'il dirigeait l'enquête Pete Rose, accusé d'avoir parié sur les matchs de baseball ? Et NOMMEZ le nouveau commissaire qui a suspendu Rose de toute activité reliée au baseball majeur pour la vie.

BART GIAMATTI - FAY VINCENT (2 bonnes réponses=3 points)

355) NOMMEZ le seul joueur de la ligue Nationale de hockey à avoir été condamné par une cour de justice pour une infraction commise sur la glace avant la fin de 1999. L'infraction est survenue en 1988 lorsque ce joueur a frappé par trois fois un joueur adverse à l'aide de son bâton. Il a été condamné à une journée de détention.

DINO CICCARELLI (Stars du Minnesota. Joueur agressé ; Luke Richardson des Leafs de Toronto)

356) QUELLE nageuse canadienne, la première au monde, a réussi à traverser la Manche en utilisant le style papillon en 1989, un défi considérable ?

VICKI KEITH (bonne réponse=2 points de plus)

357) QUELLE est la seule université québécoise à avoir gagné le championnat de hockey universitaire du Canada depuis 1975-76 ?

TROIS-RIVIÈRES (univ. du Québec. Deux fois, 1986-87 et 1990-91)

358) NOMMEZ le secondeur de ligne des Eskimos d'Edmonton qui a été proclamé 5 fois meilleur joueur de ligne défensive dans la LCF entre 1992 et 1997, un record dans cette catégorie.

WILLIE PLESS (bonne réponse=1 point de plus)

359) COMBIEN de fois les Blue Jays de Toronto ont-ils remporté le championnat de leur division entre 1977, date de leur entrée dans la ligue Américaine de baseball et 1999 ?

CINQ FOIS (1985, 89, 91, 92, 93. Ils ont de plus terminé au 2e rang trois fois)

360) NOMMEZ la coureuse française originaire de la Guadeloupe qui a gagné trois médailles d'or aux épreuves du 200 mètres et du 400 mètres (2 fois) aux jeux Olympiques de 1992 à Barcelone et d'Atlanta en 1996.

MARIE-JOSÉE PÉREC (bonne réponse=2 points de plus)

361) Le Canada a connu les plus grands moments de son histoire du soccer en 2000. L'équipe canadienne a râflé les honneurs du championnat de la CONCACAF (équipes d'Amériques du Nord et Centrale ainsi que les Caraïbes) pour ainsi remporter QUELLE coupe ?

COUPE D'OR (le Canada, 85e au monde, a battu le Mexique 2 à 1, Trinidad-Tobago 1 à 0 et la Colombie, 2 à 0 lors des 3 derniers matchs)(B.rép.=2 pts/+)

362) Après une retraite de 3 ans, Sugar Ray Leonard est retourné dans l'arène en 1987 pour ravir le championnat mondial des poids-moyens en battant QUEL adversaire invaincu depuis 10 ans et champion en titre ?

MARVIN HAGLER (surnommé Marvelous)

363) QUI est la seule skieuse canadienne à avoir gagné les Championnats canadiens de ski alpin en slalom, slalom géant et super slalom géant à six reprises entre 1993 et 1997 ?

MÉLANIE TURGEON (Allison Forsythe en a gagné 5 entre 1997 et 1999)

364) QUEL joueur de la ligue Nationale de hockey gagnait le salaire le plus élevé en date du premier septembre 1999 ?

JAROMIR JAGR (Pittsburgh. 10 359 000 dollars par année. Paul Kariya d'Anaheim, 2e, 10 000 000)

365) QUI est devenu à la fin de la saison 1999 le meilleur marqueur de touchés réussis par un demi à l'attaque de la ligue Nationale de football ?

EMMITT SMITH (Cowboys de Dallas - 147 touchés)

366) QUI est le seul gérant de l'histoire du baseball majeur à avoir dirigé son équipe à la victoire dans la série mondiale de baseball dans chacune des deux ligues, en 1975 et 1976 dans la Nationale et 1984 dans l'Américaine ?

SPARKY ANDERSON (Cincinnati en 75 et 76 et Détroit en 84)

367) QUI a marqué le plus de touchés de toute l'histoire de la ligue Nationale de football entre 1985 et 1999 ? Et COMBIEN ?

JERRY RICE (49ers de San Francisco) - 179 (jeu de 4 + ou - alloué)

368) QUI détient le record pour le nombre de médailles remportées au cours d'une même édition des jeux Olympiques, ceux de 1980 à Moscou. Et COMBIEN ?

ALEXANDRE DETIATIN - HUIT (3-Or, 4-Argent, 1-Bronze) (2 pts par b. rép.)

369) QUI a été le dernier joueur de la ligue Nationale de hockey à jouer sans casque protecteur ? Il a joué entre 1979 et 1997 avec 5 équipes différentes.

DUNCAN MACTAVISH (dernière équipe ; St Louis. Le port obligatoire du casque a été institué en 1980-81, un an après ses débuts dans la LNH)

370) QUELLE équipe de la ligue Canadienne de football a remporté la coupe Grey le plus souvent entre 1990 et 1999, soit trois fois ?

TORONTO (Argonauts - 1991-96-97)

371) QUI a été le meilleur marqueur des Raptors de Toronto de la NBA au chapître de la moyenne de points par match entre les saisons 1995 et 1999 ?

DAMON STOUDMIRE

372) Le tournoi des Maîtres, un des quatre tournois du grand chelem du golf, a été gagné plus de deux fois chacun par quatre golfeurs européens ; Nick Faldo, 3 fois, Severiano Ballesteros, deux fois, Jose Maria Olazabal, deux fois et QUEL autre en 1985 et 1993 ?

BERNHARD LANGER (Allemagne)

373) QUEL boxeur portoricain a ravi la couronne mondiale des mi-moyens au champion sortant Oscar De la Hoya, en l'emportant par décision unanime serrée en 1999 à Las Vegas ?

FELIX TRINIDAD (bonne réponse=1 point de plus)

374) NOMMEZ le nageur américain qui a gagné cinq médailles d'or et une de bronze aux jeux Olympiques de Séoul en 1988. Il a gagné dans les épreuves du 50 et 100 mètres libre ainsi que dans les trois relais masculins.

MATT BIONDI (bonne réponse=1 point de plus)

375) QUEL précédent le joueur d'attaque Scott Gomez des Flyers de Philadelphie a-t-il créé en 1999 ?

PREMIER JOUEUR LATINO-AMÉRICAIN À JOUER DANS LA LNH (il est né à Anchorage en Alaska de parents mexicain et colombien)

376) QUELLE animatrice du réseau de télévision Newsworld a dirigé son équipe à deux championnats canadiens de curling féminin en 1982 et 1999 ?

COLLEEN JONES (à Newsworld depuis 1991) (bonne réponse=2 pts de plus)

377) QUEL pilote français de Formule 1 d'automobiles a perdu la vie dans un accident de bateau de course alors qu'il filait à 160 km/h durant une épreuve au large de l'île de Wight en Angleterre en 1987 ? Il avait abandonné la course automobile en 1982 à la suite d'un grave accident.

DIDIER PIRONI (bonne réponse=1 point de plus)

378) QUEL ex-joueur des Expos de Montréal a cogné trois grands chelem en l'espace d'une semaine pour les Rangers du Texas en 1982 ?

LARRY PARRISH

379) Les 16e Jeux d'hiver de l'Arctique sont disputés à Whitehorse au Yukon en 2000 et réunissent des centaines d'athlètes d'une dizaines de territoires dont trois situés au-delà des frontières du Canada. Un d'eux est l'Alaska. QUELS sont les deux autres ?

RUSSIE DU NORD (2 équipes)- GROENLAND (les autres ; Yukon, Terr. du N-O, le Nunavut, le Nunavut-Québec et l'Alberta-Nord) (2 b.rép.=3 points)

380) NOMMEZ le joueur qui est devenu en 2000 le plus jeune capitaine de l'histoire d'une équipe de la ligue Nationale de hockey ? Et QUEL âge avait-il ?

VINCENT LECAVALIER (Tampa Bay)- 19 ANS (1 point par réponse)

381) Trois grands Tours cycliste marquent le début de l'été en Europe. NOMMEZ celui d'Espagne qui précède le Giro d'Italie et le Tour de France cycliste chaque année. Oui, il a son propre nom et en 1984, il a été gagné par le Français Éric Caritoux.

LA VUELTA (en français ; le retour) (Bonne réponse=2 points de plus)

382) QUEL précédent a été créé en 1983 par l'équipe gagnante de la coupe Memorial, attribuée à l'équipe championne d'une des trois ligues de hockey junior majeur au Canada ?

L'ÉQUIPE CHAMPIONNE ÉTAIT AMÉRICAINE (Winter Hawks de Portland, Orégon. Le tournoi final à la ronde a été disputé dans cette ville)

383) Après avoir réussi quatre matches d'un seul coup sûr en deux ans, QUEL lanceur des Blue Jays de Toronto a finalement réussi à lancer un match sans point ni coup sûr en 1990 ? Il a blanchi les Indiens de Cleveland 3 à 0.

DAVE STIEB

384) Jugeant qu'elle avait été sous-notée par les juges aux Championnats du monde de patinage artistique, cette quadruple championne d'Europe a refusé de monter sur le podium pour recevoir sa médaille d'argent à Chiba au Japon en 1994. QUI est-elle ?

SURYA BONALY (de France)

385) QUELLE concession de la ligue Nationale de baseball devait être déménagée à Toronto en 1977 ? En février 1976, la décision a été annulée lorsque le nouveau maire de la ville qui allait perdre son équipe, est allée en cour pour faire casser le jugement et ainsi conserver la concession.

SAN FRANCISCO (Giants) (au lieu d'un transfert de concession, Toronto a hérité d'une nouvelle équipe, les Blue Jays, en 1977)

386) QUEL exploit a été réussi pour la première fois dans l'histoire du saut en ski acrobatique par Nicolas Fontaine en mars 2000 ?

UN QUADRUPLE SAUT PÉRILLEUX

387) En 1988, le grand chelem du tennis professionnel masculin a été gagné par deux joueurs du même pays. LEQUEL ? NOMMEZ les joueurs de ce pays.

SUÈDE - MATS WILANDER (3 vict.) - STEFAN EDBERG (1 vict.) (3 rép.=4 pts)

388) QUEL joueur des Flyers de Philadelphie a connu quatre saisons de 50 buts ou plus durant sa carrière entre 1980-81 et 1992-93 ?

TIM KERR (54 en 1983-84, 54 en 1984-85, 58 en 1985-86, 58 en 1986-87)

389) QUI est le seul pilote canadien à avoir gagné une course de la série Cart sur une piste canadienne (Toronto/Vancouver) depuis 1986 ?

PAUL TRACY (1993 à Toronto)

390) QUEL joueur a cogné le plus de circuits à sa première saison de l'histoire des ligues majeures de baseball ? C'était en 1987 dans la ligue Américaine. Et dites COMBIEN ?

MARK MCGWIRE (Oakland)- QUARANTE-NEUF (2 bonnes rép.=3 points)

391) QUELLE importante nation a vu ses skieuses remporter une médaille pour la première fois de son histoire de ski alpin olympique féminin aux Jeux de Sarajevo en 1984 ? En fait, elle en a gagné deux.

ÉTATS-UNIS (Debbie Armstrong et Christin Cooper, or et arg.en slalom géant)

392) Cette jeune cycliste de Lachine a remporté deux épreuves du Championnat du monde junior de cyclisme sur route en 1999 en Italie. QUI est-elle ?

GENEVIÈVE JEANSON (elle a gagné deux médailles d'or)

393) NOMMEZ le seul joueur de hockey de naissance et de culture française à avoir joué dans la ligue Nationale de hockey. Il a marqué 16 buts et obtenu 41 points en trois saisons entre 1991-92 et 1994-95.

PHILIPPE BOZON (Blues de St Louis)

394) Les Bills de Buffalo ont été battus quatre fois en finale du Super Bowl entre 1991 et 1994. Lors du match de 1991, ils ont été battus par les Giants de New York 20 à 19. QUEL joueur des Bills a raté un botté de précision de 47 verges avec 8 secondes à jouer dans la rencontre ?

SCOTT NORWOOD (bonne réponse=2 points de plus)

395) Elle a été la première patineuse au monde a réussir un triple-Lutz en compétition en 1978. Puis en 1981, elle a gagné le championnat mondial du patinage artistique à l'aide de ce même saut et d'un mouvement unique, du jamais vu : une extension de la jambe à la verticale derrière la tête. QUI est-elle ?

DENISE BIELLMANN (de Suisse. Cette acrobatie porte maitenant son nom)

396) Une première en ski alpin aux jeux Olympiques de 1984 à Sarajevo ; deux frères, jumeaux en plus, remportent l'or et l'argent en slalom. NOMMEZ-les.

PHIL ET STEVE MAHRE (nom de famille=1 point - Prénoms=1 pt chacun)

397) QUI a été nommé 9e commissaire de l'histoire de la ligue Canadienne de football en 1992 ?

LARRY SMITH (de Montréal. Il a quitté ce poste à la fin de 1996 pour devenir président des Alouettes de Montréal en 1997)

398) QUEL médaillé d'or français des jeux Olympiques de Montréal en 1976, a été nommé ministre de la Jeunesse et des Sports dans le cabinet de Jacques Chirac en 1995 ?

GUY DRUT (gagnant de l'épreuve du 110 mètres haies) (b.rép.=1 pt de plus)

399) QUEL joueur des Red Sox de Boston a inscrit un record des ligues majeures de baseball en 1989 après avoir réussi 200 coups sûrs ou plus pour une septième saison consécutive ?

WADE BOGGS (il a obtenu son 3000e c.s. à la fin de 1999)

400) QUELLE famille québécoise a le plus contribué à la popularité du ski alpin et acrobatique surtout, durant les les années 70, 80 et 90 ? COMBIEN de membres étaient-ils ? QUELS sont leurs prénoms ?

LAROCHE - CINQ - ALAIN, DOMINIQUE, LUCIE, PHILIPPE, YVES (1 point par réponse - 7 bonnes réponses=10 pts, 6 bonnes réponses=8 pts)

401) NOMMEZ le joueur qui détient le record de la ligue Nationale de hockey pour le nombre de buts marqués en un seul match par un défenseur, cinq. Cet exploit a été réussi en 1977.

IAN TURNBULL (Toronto. Les Leafs ont battu Détroit 9 à 1)

402) **Lorsque la plongeuse canadienne Annie Pelletier a remporté la médaille de bronze au tremplin de 3 mètres aux jeux Olympiques d'Atlanta en 1996, à QUEL rang se trouvait-elle parmi les 12 finalistes avant le début de la finale ?**

DOUZIÈME (elle avait été 17e sur 18 lors des qualif. pour les demi-finales)

403) **QUEL cycliste canadien a remporté trois médailles d'or aux jeux du Commonwealth à Edmonton en 1978 ?**

JOCELYN LOVELL (il a gagné 38 championnats canadiens dans cinq épreuves différentes durant les années 70 et jusqu'en 1983 alors qu'un accident a mis fin à sa carrière et le laissant paralysé)

404) **QUI a été le dernier joueur blanc à recevoir le titre de joueur le plus utile à son équipe dans la NBA en 1986 ?**

LARRY BIRD (Celtics de Boston. Il avait aussi reçu cet honneur en 84 et 85)

405) **Dans QUELLE discipline sportive le Canada a-t-il gagné trois championnats mondiaux en 2000 ; hommes, femmes et juniors ?**

CURLING (trois équipes de la Colombie-Britannique)

406) **QUELS deux joueurs de la même famille sont les seuls à avoir gagné la coupe Stanley, le trophée Hart et le trophée Lady Byng durant les années 60 et 90 ?**

BOBBY ET BRETT HULL (ils sont aussi les seuls à avoir marqué 50 buts ou plus durant une saison et plus de 600 buts durant leurs carrières)

407) **Tout premier choix au repêchage de la ligue Nationale de football en 1979, ce joueur de l'université Ohio State a préféré venir jouer avec les Alouettes de Montréal plutôt que de signer un contrat avec les Bills de Buffalo. QUI était ce joueur ?**

TOM COUSINEAU (secondeur intérieur. Après 4 matches avec les Concordes de Montréal en 1981, il a rallié les Browns de Cleveland de la LNF)

408) **QUELLE page d'histoire a été écrite le 9 août 1988 au stade Wrigley de Chicago, le terrain de baseball des Cubs depuis 1912 ?**

PREMIER MATCH À ÊTRE JOUÉ SOUS LES RÉFLECTEURS DANS CE STADE (à une condition ; que le nombre soit limité à 18 par année)

409) **QUEL incroyable combinaison de sauts le patineur russe Evgeny Plushenko a-t-il réussi lors d'une compétition internationale au début de l'an 2000 ? Jamais pareil exploit n'avait été réussi.**

QUADRUPLE-TRIPLE-DOUBLE SAUTS (tous enchainés)

410) **QUEL joueur des Canucks de Vancouver portait le titre de « Roi » après avoir conduit son équipe à la finale de la coupe Stanley en 1981-82 ?**

RICHARD BRODEUR (le gardien. Les Canucks ont perdu contre les Islanders)

411) **En 1969, les Internationaux de tennis du Canada sont devenus un omnium, donc ouvert aux professionnels comme aux amateurs. QUELLE joueuse a été couronnée championne quatre fois entre 1974 et 1985, un record de cet omnium ?**

CHRIS EVERT (après 1974, Evert-Lloyd)

412) Outre Donovan Bailey et Bruny Surin, QUI étaient les deux autres sprinters canadiens qui complétaient l'équipe de relais 4 X 100 mètres, médaillée d'or aux jeux Olympiques de 1998 à Atlanta ?

GLENROY GILBERT - ROBERT ESMIE (2 pts par bonne réponse)

413) C'est en 1989 que le premier Noir a accédé au poste d'entraineur-chef d'une équipe de la ligue Nationale de football. QUI est-il et QUELLE est l'équipe qui lui a fait confiance ?

ART SHELL - LOS ANGELES (Raiders) (2 bonnes réponses=3 points)

414) NOMMEZ l'entraineur de l'équipe de hockey soviétique qui a remporté trois championnats Olympiques (1984, 1988 et 1992) ainsi que onze de treize championnats Mondiaux entre 1978 et 1990.

VICTOR TIKHONOV (il a été congédié après les jeux Olympiques de 1994)

415) La Canadienne Gail Greenough est devenue en 1986 la première femme au monde à remporter le championnat mondial de QUELLE discipline ?

SAUT D'OBSTACLES (sports équestres) (bonne réponse=1 point de plus)

416) Avec une moyenne de .379 pour la saison de baseball majeur de 1999, ce cogneur de la ligue Nationale a inscrit la moyenne la plus élevée de ce circuit depuis 1935 alors que Arky Vaughn des Pirates de Pittsburgh avait conservé une moyenne de .385 - QUI est l'auteur du .379 de 1999 ?

LARRY WALKER (joueur canadien. Avec le club Colorado. En 1998, il avait aussi été champion frappeur avec une moyenne de .363)

417) QUEL pilote automobile canadien a terminé au 2e rang des 500 milles d'Indianapolis derrière Al Unser en 1994 ?

SCOTT GOODYEAR (bonne réponse=1 point de plus)

418) NOMMEZ le quart de la ligue Nationale de football qui a inscrit un nombre record de verges gagnées par la passe, 5,084 en 1984.

DAN MARINO (Dolphins de Miami)

419) David Graham est le seul golfeur de ce pays à avoir gagné deux tournois du grand chelem, celui de la PGA en 1979 et l'Omnium des États-Unis en 1981. De QUELLE nationalité est-il ?

AUSTRALIENNE

420) QUEL athlète québécois a remporté une des trois médailles d'or du Canada aux jeux Olympiques de Lillehammer en Norvège en 1994 ?

JEAN-LUC BRASSARD (ski acrobatique (bosses) .... les deux autres ont été gagnées par Myriam Bédard)

421) QUEL était le rare dénominateur commun négatif des chevaux qui ont gagné le derby du Kentucky entre 1980 et 1999 ?

ILS N'ÉTAIENT PAS LES PREMIERS FAVORIS DES PARIEURS (bonne réponse= 2 points de plus)

422) QUEL jeune lanceur des Cubs de Chicago a inscrit un record de la ligue Nationale de baseball en retirant 20 frappeurs sur des prises dans un match de neuf manches en 1998 ?

KERRY WOOD (Roger Clemens de Boston a réussi l'exploit en 1986) (bonne réponse=2 point de plus)

423) Elle a été à la fois la plus jeune (16 ans) et la plus vieille (28 ans) à gagner la médaille d'or dans l'épreuve du saut en hauteur aux jeux Olympiques de 1972 à Munich et de 1984 à Los Angeles. QUI était cette prodigieuse athlète allemande ?

ULRIKE MEYFARTH (saut de 2 m 02 en 84, première à atteindre 2 m)

424) NOMMEZ les deux joueurs de la ligue Canadienne de football qui ont pris part chacun à 10 finales de la coupe Grey à titre de joueur et d'instructeur durant les 60, 70, 80 et 90.

RON LANCASTER (1960-66-67-72-76 à titre de joueur; 1993-96-98-99 comme instructeur) WALLY BUONO (1974-75-77-78-79 comme joueur; 1991-92-95-98 et 99 comme instructeur) (2 bonnes réponses=3 points)

425) NOMMEZ le golfeur américain qui a réussi trois longs roulés sur les 14e, 15e et 17e trous lors de la dernière journée du tournoi de la coupe Ryder en 1999, assurant ainsi la victoire à l'équipe des États-Unis contre celle de l'Europe, 14 1/2 pts à 13 1/2 points. Son roulé au 17e trou était de 45 pieds.

JUSTIN LEONARD

426) Dans QUELLE ville a été présenté le dernier Grand Prix de Formule 1 des États-Unis en 1989 ?

DÉTROIT (il a depuis été remplacé par le circuit Cart)

427) Le plus vieux record de natation internationale, le 200 mètres papillon féminin, a été battu par l'Australienne Susan O'Neill en mai 2000. Il datait de 1981 et appartenait à QUELLE célèbre nageuse américaine ?

MARY T. MEAGHER (57s.93) (Bonne réponse=3 pts de plus)

428) QUI a été en 1999 le premier récipiendaire du nouveau trophée Maurice Richard, accordé au meilleur marqueur de buts de la ligue Nationale de hockey ?

TEEMU SELANNE (Mighty Ducks d'Anaheim - 47 buts)

DIVERS

Chapitre V

« Après six mariages, je constate que l'optimisme a eu raison de la sagesse. Mais enfin, je demeure un optimiste incorrigible ».

Norman Mailer, écrivain américain, 1988

« Mon Dieu que ce garçon se déplace bien sur une scène ».

Fred Astaire. Après avoir vu Michael Jackson en 1982. Il l'a qualifié de « fabulous mover ».

« Ces élus américains, qui admettent que leur président serre la main d'un assassin, par exemple le Chinois Li Peng, parlent de le destituer parce qu'il caresse une jeune fille, en privé, sont des tartufes et des irresponsables doublés d'ayatollahs laïques ».

Bernard-Henri Lévy, philosophe français. 1998

« L'art, c'est l'effort répété de rivaliser avec la beauté des fleurs et ne jamais y parvenir ».

Marc Chagall, peintre, 1977.

SYNOPSIS

Vivement, dites quelle a été l'invention la plus remarquable du dernier quart de siècle ? Certains affirment qu'elle est même celle du siècle. Si vous avez répondu « l'ordinateur », vous avez raison. Les peuples riches de notre monde n'en ont que pour cette invention, surtout depuis qu'on y a ajouté l'Internet. On a cessé d'écrire à l'aide d'un stylo. Le « fax » et le courriel ont remplacé la bonne vieille lettre comme la calculatrice des années 60 a remplacé le calcul mental et les dix doigts de nos mains. On ne consulte plus les livres mais plutôt les .ca et les .com pour se renseigner. Tout est devenu si électroniquement visuel et virtuel qu'on a même oublié le téléviseur, sauf lorsqu'il s'agit de regarder un film loué où suivre les reportages des désastres à CNN.

Mais l'arrivée de l'ordinateur n'a pas été le seul haut fait de la période 1976-2000. Jamais les journaux, les revues, la radio et la télévision n'ont accordé autant d'importance à l'économie sous toutes ses formes. D'abord, le cauchemar olympique dont le déficit n'est pas encore remboursé. Puis la désormais célèbre « incertitude politique » qui a coiffé toutes les discussions économiques entre le Québec, ses détracteurs et les investisseurs. Désorientés par deux récessions et un taux d'endettement effarant, résultat des folies des années 70, nous avons réussi en fin de millénaire à retrouver un équilibre financier fragile et à peu près acceptable mais qui a laissé des cicatrices. Ainsi, qui aurait cru à l'époque des bonnes sœurs qu'un jour, il faudrait attendre des semaines voire des mois avant d'être admis dans un hôpital.

Côté loisirs, le jogging a cédé la place aux centres de conditionnement et au retour en force du vélo et du nouveau patin à roues alignées. Le golf a gagné des millions d'adeptes et le tennis en a perdu des milliers. La passion pour l'automobile et particulièrement pour les véhicules utilitaires, les camions légers et les fourgonnettes est devenue contagieuse. Les crises du pétrole (73-80) auront contribué à sensibiliser nos constructeurs à l'importance de l'économie d'essence alors que l'arrivée massive des véhicules japonais aura contraint ces mêmes fabricants à nous donner de meilleurs produits. Tout compte fait, nous nous portons plutôt bien. Même avec un litre d'essence de plus en plus cher mais qui demeure le plus bas au monde après les États-Unis, détail auquel on ne pense pas toujours.

Finalement, les soubresauts des bourses dont la plus importante, la Dow Jones, qui a atteint en 2000 un sommet de 11 000 points. Les économistes et les courtiers s'évertuent à nous rassurer devant cette poussée des investissements qui n'est pas sans nous rappeler la soi-disant prospérité des années 20 suivie de l'effondrement de 1929 et la dépression des années 30. L'économie est la plus robuste depuis nombre d'années en Amérique du Nord. Mais au Canada et particulièrement au Québec, même si l'inflation n'a jamais été aussi bien maîtrisée et que le taux de chômage va toujours en diminuant, les impôts et les taxes demeurent trop élevées pour une économie aussi vigoureuse. Voilà pour la tache noire à laquelle nos gouvernements ont promis de s'attaquer au tournant du siècle. Car, permettez-moi de le rappeler, le siècle ne prendra fin qu'à minuit le 31 décembre 2000. Officiellement.

Ce dernier tome résume bien l'histoire populaire de notre monde et particulièrement celle de l'Amérique du Nord durant la période 1976 à 2000. Un quart de siècle riche d'événements, allant de la technologie à la musique populaire, du transport à l'évolution sociale, de la littérature à l'économie, des produits de consommation à la religion. Et avec un regard attentif sur notre pays.

DEGRÉ DE DIFFICULTÉ - Moyen. Une note de 60 % est forte.
NOMBRE DE QUESTIONS - 510
NOMBRE RÉSERVÉ AU CANADA - 186 (dont 101 au Québec)
POURCENTAGE SUR 510 - 36.5 %

1) QUI est l'auteur de la biographie autorisée de Céline Dion, publiée en 1998 ?
GEORGES-HÉBERT GERMAIN (la même année, le journaliste Jean Beaunoyer en a aussi publié une, non-autorisée celle-là)

2) Le pire accident de l'histoire du transport aérien s'est produit en 1977 et a causé la mort de 504 personnes. Deux gros porteurs 747 des compagnies Pan Am et KLM sont entrés en collision au sol sur la piste de QUELLE île ?
SANTA CRUZ DE TENERIFE (îles Canaries dans l'Atlantique)

3) En septembre 2000, le pape Jean-Paul II béatifie deux de ses prédécesseurs, un du 19e et l'autre du 20e siècle. QUI sont ces deux papes ?
PIE IX - JEAN XXIII

4) QUEL chanteur rock britannique a connu trois gros succès dont *Tears in Heaven* et l'album *Unplugged* en 1992 ?
ERIC CLAPTON

5) L'engin spatial américain *Pathfinder* s'est posé sur la planète Mars en 1997. Durant une période de 90 jours, il a envoyé à la terre 16 000 photos dont 550 ont été prises par QUEL véhicule à six roues qui s'est déplacé sur Mars ?
SOJOURNER (bonne réponse=2 points de plus)

6) Jamais le Canada n'avait connu avant 1981 des taux d'intérêt aussi élevés. Dites QUEL taux était accordé aux détenteurs de certificats d'épargne du Canada en 1981 ?
DIX-HUIT ET DEMI POUR CENT (Jeu de 1 % + ou - alloué)

7) QUEL pays a accueilli le plus de touristes en 1997 ? Un chiffre de 18 000 000 de visiteurs supérieur à la nation de deuxième place.
LA FRANCE (66-millions contre 48-millions pour les États-Unis)

8) La compagnie aérienne Canadien Pacifique change de nom en 1987 et devient Canadien International après avoir fusionné avec QUELLE autre compagnie aérienne du Canada ?
PACIFIC WESTERN AIRLINES (bonne réponse=1 point de plus)

9) QUEL auteur-compositeur-interprète québécois a connu un beau succès en 1981 avec la chanson *Les musiciens de la rue* ?
MANUEL BRAULT (bonne réponse=1 point de plus)

10) En 1989, la compagnie Ford fait l'acquisition de QUEL constructeur automobile européen pour la somme de deux milliards et demi de dollars ?
JAGUAR (compagnie britannique)

11) Le premier astronaute français s'est rendu dans l'espace à bord d'une navette américaine en 1984. COMMENT se nommait-il ?
JEAN-LOUP CHRÉTIEN (bonne réponse= 1 point de plus)

12) Le pire accident nucléaire de l'histoire des États-Unis s'est produit en 1979 près de Harrisburgh en Pensylvannie. QUEL est le nom de la centrale où l'accident a eu lieu ?
THREE MILE ISLAND

13) L'auteur du *Guide complet de la course à pied* meurt en 1984 à l'âge de 52 ans alors qu'il courait dans le Vermont. QUI était cet homme qui avait choisi de courir pour déjouer les maladies du cœur, fréquentes dans sa famille ?

JAMES F. FIXX (bonne réponse- 2 points de plus)

14) COMMENT a-t-on appelé la conférence des Nations Unies sur la pollution et l'environnement tenue en 1992 à Rio de Janeiro au Brésil ?

SOMMET DE LA TERRE

15) L'Australie a célébré son bicentenaire en 1988. C'est en 1788 que la première flotte jetait l'ancre dans cette baie située tout près de l'actuelle ville de Sydney. COMMENT se nomme cette baie ?

BOTANY (bonne réponse=1 point de plus)

16) QUELLE compagnie aérienne a acheté la compagnie Québécair pour la somme de 21 000 000 de dollars en 1986 ?

NORDAIR (la transaction incluait la dette de 64 millions de $ de Québécair)

17) QUI a écrit en 1969 les paroles anglaises de la chanson *My Way*, la version américaine du succès français *Comme d'habitude* composée par Claude François et Jacques Revaux ?

PAUL ANKA

18) À bord de QUELLE navette spatiale l'astronaute Marc Garneau est-il devenu le premier Canadien à se rendre dans l'espace en 1986 ?

CHALLENGER

19) Après l'Évangéline en 1982, un autre quotidien de langue française du Nouveau-Brunswick et publié à Moncton cesse de publier en 1985 après avoir déclaré faillite. COMMENT se nommait-il ?

LE MATIN (ce qui laisse seulement l'Acadie Nouvelle de Caraquet)

20) QUEL chanteur français a popularisé la chanson *La Ballade des gens heureux* en 1976 ?

GÉRARD LENORMAN (bonne réponse=1 point de plus)

21) Cette pièce de théâtre de Denise Boucher a fait des remous et en a choqué plus d'un lorsqu'elle a été présentée à Montréal en 1976. QUEL était son nom ?

LES FÉES ONT SOIF

22) L'homme d'affaires canadien Robert Campeau a fait l'achat de la chaîne de magasins américains *Federated Department Stores* pour la somme de six milliards 600 millions de dollars en 1988 et a ainsi gagné son combat contre QUEL géant américain de New York qui tentait aussi d'acquérir cette chaîne ?

MACY'S (le fardeau financier de l'entreprise a contribué à la chute de l'empire Campeau quelques années plus tard)

23) Une importante fuite de gaz toxique dans une usine chimique américaine fait plus de 2000 morts en Inde en 1984. Plus de 200 000 autres perdent la vue ou souffrent de graves problèmes aux reins ou au foie. Dans QUELLE ville s'est produite cette tragédie et QUELLE était le nom de l'usine chimique ?

BHOPAL - UNION CARBIDE (2 bonnes réponses=3 points)

24) En 1989, ce chanteur compositeur québécois né au Nouveau-Brunswick connaît un succès phénoménal avec la chanson *Hélène*. Dès lors, il remporte les plus grands honneurs et l'album *Hélène* se vend à plus d'un million d'exemplaires dans les pays francophones en 1990. QUI est cet artiste ?

ROCH VOISINE

25) La Française Jeanne Calment, la personne la plus âgée au monde, est morte en 1998. QUEL âge avait-elle ?

CENT VINGT-DEUX ANS (Jeu de 1 an + ou - alloué)

26) En 1980, un Hongrois au prénom de Erno invente un jeu qu'une minorité de gens arrive à solutionner en quelques minutes. La majorité des gens n'y arrivent jamais. On l'a qualifié de « casse-tête infernal ». Ce jeu qui se joue seul porte le nom de son créateur. LEQUEL ?

RUBIK (le cube Rubik aux six faces de couleurs différentes et composées de neuf petits carrés imbriqués sur chacune)

27) En 1978, 913 membres d'une secte religieuse se suicident à la demande de leur chef Jim Jones dans un village de ce pays d'Amérique du Sud. LEQUEL ?

GUYANA (Guyane Britannique acceptée. On avait donné le nom de Jonestown au village)

28) QUEL album de Michael Jackson a remporté huit trophées Grammy en 1983 et est devenu le plus vendu de tous les temps au monde ?

THRILLER (25 000 000 d'albums vendus)

29) QUEL soprano québécois a chanté le rôle de *Violetta* dans l'opéra *La Traviata* de Giuseppe Verdi à l'Opéra de Montréal en 1998 ?

LYNE FORTIN

30) À QUEL endroit précis le premier concert des trois ténors, Pavarotti, Domingo et Carreras, a-t-il été présenté en 1990 à l'occasion de la coupe Mondiale de soccer ?

AUX THERMES DE CARACALLA À ROME

31) QUEL sommet l'indice Dow Jones atteint-il en février de 1995 ?

QUATRE MILLE POINTS

32) Le taux de chômage aux États-Unis atteint en 1982 un sommet qui n'avait pas été vu depuis les années de la dépression. De COMBIEN est-il ?

DIX POUR CENT (Jeu de 1 % + ou - alloué)

33) À QUEL groupe vocal britannique de 1980 le chanteur Sting appartenait-il avant de faire une carrière en solo en 1983 ?

THE POLICE

34) Une enquête pour connaître les moyens de distraction des Québécois révélait en 1979 que 50 % de la population adulte n'était jamais entré dans une librairie et que 44 % ne lisait à peu près jamais. À QUEL pourcentage est passé ce dernier groupe en 1983, 4 ans plus tard ? 36 %, 41 % ou 49 % ?

QUARANTE NEUF POUR CENT

35) Des terroristes islamiques font exploser une bombe dans un important édifice de la ville de New York en 1993. Sept personnes y perdent la vie et près de mille autres sont blessées. QUEL est le nom de cet édifice ?

WORLD TRADE CENTER

36) QUI a succédé à Madame Jeanne Sauvé au poste de gouverneur général du Canada en 1990 ?

RAY HNATYSHYN

37) En mars 1996, le télescope spatial Hubble transmet les premières images de QUELLE planète découverte en 1930 ?

PLUTON

38) C'est en 1981 que Céline Dion a obtenu son premier succès avec QUELLE première chanson ? Écrite par Eddie Marnay, c'est aussi le titre de son premier album.

LA VOIX DU BON DIEU

39) QUEL quadrimoteur turbopropulsé construit par la compagnie canadienne De Havilland a été mis en service commercial régulier en 1978 ? Cet avion à décollage et atterrissage court pouvait transporter 50 passagers.

DASH-7 (son succès a été mitigé. Le bimoteur Dash-8 lui a succédé et a rapidement volé la vedette. En 2000, il était le plus vendu de sa catégorie)

40) En 1979, elle est devenue seulement la cinquième femme à recevoir le prix Nobel de la paix en plus de 75 ans. QUI est-elle ?

MÈRE THERESA

41) QUEL fabricant européen a été le premier au monde à doter ses voitures de coussins gonflables en 1980 ? Il s'agissait d'un équipement de base et non en option.

MERCEDES-BENZ

42) COMMENT se nommait l'avocate de la couronne qui a mené la poursuite contre O.J. Simpson lors de son procès pour double meurtre en 1995 ?

MARCIA CLARK

43) Dans QUELLE ville l'Exposition mondiale de 1986 a-t-elle été tenue ?

VANCOUVER

44) Lorsque les dirigeants de la compagnie Sun Life ont choisi de déménager leur siège social de Montréal à Toronto en 1978, elle détenait 9 % du marché des assurances au Québec. QUEL est devenu ce pourcentage en 1988 ?

6.6. POUR CENT (jeu de 1.6 % + ou - alloué)

45) Avec une dette de deux milliards 500 millions de dollars, cette compagnie aérienne américaine dont les avions venaient à Montréal régulièrement, déclare faillite en 1989. NOMMEZ-la.

EASTERN AIRLINES (elle cessera ses opérations en 1991)

46) QUEL évangéliste de la télévision américaine a quitté son ministère en 1987 à la suite d'une relation sexuelle avec Jessica Hahn, une secrétaire de son église en Caroline du Sud ? Peu après, il a été reconnu coupable de fraude et a été condamné à une peine de 18 ans de prison et à une amende de 500 000 dollars.

JIM BAKKER (en 1986, il s'était versé un salaire de 1 600 000 dollars)

47) QUELLE voiture s'est le plus vendue au Canada entre 1990 et 1997 ?

LA CAVALIER (de la division Chevrolet de General Motors)

48) NOMMEZ l'aéroport africain qui a été la scène en 1976 d'un audacieux sauvetage par un commando israélien d'une centaine de passagers d'un avion d'Air France détenus comme otages par des terroristes palestiniens.

ENTEBBE (situé non loin de la capitale de l'Ouganda, Kampala)

49) En 1990, le quotidien américain *Wall Street Journal* a fait renaître QUEL mot qu'il a utilisé 1 583 fois pour décrire la morosité de l'économie ?

RÉCESSION

50) Des 50 États américains, COMBIEN ont appliqué la peine capitale entre 1977 et 1996 ? 17, 26, 33 ou 40 ?

VINGT SIX (12 n'ont pas de peine capitale et 12 autres ne l'ont pas appliquée)

51) QUELLE importante agence de presse canadienne est tombée en 1996 sous le contrôle du magnat Conrad Black, propriétaire de l'entreprise Hollinger, le géant de la distribution de journaux canadiens ?

SOUTHAM (en 2000, Black a vendu Hollinger à Can West Global pour la somme de 3 milliards de dollars) (bonne réponse=2 points de plus)

52) Le taux de chômage au Canada atteint en 1983 un chiffre record, du jamais vu depuis les années de la dépression. QUEL pourcentage a-t-il atteint ?

13.6 POUR CENT (1 658 000 pers. étaient en chômage) (Jeu de 1 % +/- alloué)

53) En 1989, un homme se présente à l'école Polytechnique de Montréal et sans le moindre avertissement, abat 12 étudiantes et en blesse 13 autres. Puis il se suicide. QUI était ce meurtrier ?

MARC LÉPINE

54) Dix semaines après avoir ouvert ses portes en 1994, ce casino ontarien enregistre un bénéfice de 100 000 000 de dollars. Dans QUELLE ville est-il situé ?

WINDSOR (les Américains en sont les meilleurs clients)

55) QUI a assassiné John Lennon d'un coup de feu en 1980 à New York ?

MARK CHAPMAN (bonne réponse=1 point de plus)

56) NOMMEZ le religieux canadien qui a été déclaré « bienheureux » par le pape Paul VI en 1978.

LE FRÈRE ANDRÉ (André Bessette)

57) Quiconque avait acheté de l'or au prix de 35 dollars l'once en 1968 devait se féliciter 12 ans plus tard lorsque le prix de ce métal a atteint QUELLE valeur : 450, 660 OU 870 dollars l'once ?

HUIT CENT SOIXANTE DIX DOLLARS L'ONCE

58) En 1990, la société Air Canada prend possession de nouveaux appareils bi-réactés. DONNEZ le nom complet de cet avion.

AIRBUS 320 (A-320 aussi accepté)

59) QUEL citoyen de Sherbrooke a été victime de l'enlèvement le plus long de l'histoire du Canada en 1977 ? Il a finalement été libéré 83 jours après son enlèvement en retour d'une rançon de 50 mille dollars.

CHARLES MARION (bonne réponse=2 points de plus)

60) Lorsque ce chef d'orchestre canadien est mort en 1977, le réseau américain CBS a reçu plus d'appels de condoléances que pour la mort d'Elvis Presley, décédé la même année. QUI était-il ?

GUY LOMBARDO

61) Le néologisme *clone* a vu le jour en 1982 lorsque QUELLE compagnie d'appareils informatiques a mis sur le marché un ordinateur à demi copié d'un ordinateur IBM PC ?

COMPAQ

62) QUELLE première la NASA a-t-elle réussie en 1981 ?

LE PREMIER VOL DE LA NAVETTE COLUMBIA (premier véhicule spatial réutilisable et premier atterrissage au sol d'un engin spatial)

63) NOMMEZ le ténor canadien qui a fait ses débuts au Metropolitan Opera de New York en 1995 dans le rôle de *Pinkerton* de l'opéra *Madame Butterfly* de Puccini ?

RICHARD MARGISON (bonne réponse=1 point de plus)

64) L'année 1981 est marquée par trois tentatives d'assassinats de personnalités importantes dans le monde : le pape Jean-Paul II échappe à la mort à Rome, Ronald Reagan aussi à Washington. Mais un important leader est tué par les balles d'extrémistes alors qu'il assiste à un défilé. QUI est-il ?

ANWAR SADATE (président d'Égypte. Abattu par des soldats égyptiens au Caire)

65) En 1990, 34.5 % de la richesse des États-Unis était sous le contrôle de QUEL pourcentage de la population ? 1 %, 4 % OU 7 % ?

UN POUR CENT (au Canada à la même date, 50 % de la richesse canadienne était sous le contrôle de 11 % de la population)

66) QUEL avion court-courrier français est retiré de la flotte de la compagnie Air France en 1981 après 22 ans de fidèles services ?

LA CARAVELLE (construit par Dassault Aviation)

67) QUEL constructeur d'automobiles détenait le 3e rang mondial au chapitre du nombre de voitures vendues en 1998 après General Motors et Ford ?

TOYOTA

68) En 1985, le pire accident d'aviation de l'histoire impliquant un seul avion fait 517 morts. L'accident se produit lorsqu'un Boeing 747 perd son gouvernail peu après le décollage et s'écrase dans le flanc d'une montagne. Dans QUEL pays cet accident s'est-il produit ?

JAPON (un avion de Japan Air Lines. Un seul survivant, un enfant.)

69) QUEL journaliste québécois résidant à Paris et collaborateur au quotidien La Presse a écrit deux recueils de ses articles sous le même titre, *Et Dieu créa les Français ?* Ils ont été publiés en 1995 et 1999.

LOUIS BERNARD ROBITAILLE (bonne réponse=1 point de plus)

70) NOMMEZ le caporal des Forces armées canadiennes qui a abattu trois fonctionnaires dans l'édifice du parlement de Québec en 1984.

DENIS LORTIE (il a été condamné à l'emprisonnement à vie)

71) QUELLE nouvelle voiture de la compagnie Ford lancée sur le marché en 1999, s'est hissée au 2e rang des voitures les mieux vendues au Canada en moins de neuf mois ? Elle menaçait même de détrôner la Civic de Honda du premier rang avant la fin de l'année 2000.

FOCUS

72) QUEL était l'âge moyen de la population canadienne en 1997 ?

TRENTE-CINQ ANS (en 1970, la moyenne était de 25 ans)

73) Brian Jones était un des deux aventuriers à avoir réussi le tour de la terre sans escale à bord d'une montgolfière en 1999, une première dans l'histoire. QUI était son compagnon de voyage, un Suisse français ?

BERTRAND PICCARD (bonne réponse=2 points de plus)

74) NOMMEZ le premier Québécois à réussir l'ascension du Mont Everest en 1991.

YVES LAFOREST

75) QUEL chanteur noir de rock américain a été abattu par son père à la suite d'une dispute en 1984 ? Il avait obtenu son premier disque millionnaire en 1968 avec la chanson *I Heard It Through the Grapevine.*

MARVIN GAYE

76) QUELLE chanteuse québécoise enregistre en 1981 la chanson *L'Amour est mort* avec Gilbert Bécaud et remporte le titre de révélation de l'année ?

MARTINE ST CLAIR

77) QUEL quotidien avait le plus fort tirage au Canada en 1998, tant sur semaine que les samedis et dimanches ?

TORONTO STAR (453.000 L-V, 700.00 S et 465.000 D - Journal de Mtl est 3e)

78) NOMMEZ la Canadienne qui a été nommée en 1996 à la tête du tribunal International des crimes de guerre et qui avait la responsabilité de préparer les éventuelles accusations contre les responsables des crimes commis au Kosovo par les militaires et policiers serbes.

LOUISE ARBOUR (nommée en 2000 juge à la Cour suprême du Canada)

79) C'est un groupe musical du Bronx, *Sugar Hill Gang,* qui a donné naissance en 1979 à ce genre de musique appelé d'abord Hip-Hop. D'un rythme rapide et saccadé, il a hérité de QUEL autre nom plus connu au fil des ans à travers l'Amérique et le reste du monde ?

RAP (le disque à succès de Sugar Hill Gang s'appelait Rapper's Delight)

80) À QUI Gérald Larose a-t-il succédé au poste de président de la CSN en 1983 ?
MARCEL PÉPIN

81) Après 3 389 représentations, QUELLE comédie musicale américaine devient en 1983 le spectacle musical au plus long règne de l'histoire de Broadway, un titre qui appartenait jusque-là à la comédie musicale *Grease* ?
A CHORUS LINE

82) En 1979, ce paquebot lancé en 1960 est acheté par une compagnie maritime norvégienne, est rebaptisé *Norway* et devient un navire de croisière dans les mers du sud. COMMENT s'appelait-il avant d'être vendu ?
LE FRANCE

83) En 1987, la brasserie Carling-O'Keefe ainsi que les concessions des Argonauts de Toronto et des Nordiques de Québec ont été achetées par un conglomérat de QUEL pays étranger ?
AUSTRALIE (la compagnie Elders IXL)

84) En 1951, le pourcentage des Canadiens francophones à travers le Canada était de 29 % - QUEL était devenu ce pourcentage en 1996 ?
VINGT-QUATRE POUR CENT

85) QUEL best-seller le romancier américain Scott Turow a-t-il écrit en 1987 ? Il est devenu un succès à l'écran en 1990 avec Harrison Ford dans le rôle d'un procureur de la couronne accusé de meurtre ?
PRESUMED INNOCENT

86) NOMMEZ la femme qui a déclaré en 1993 qu'elle avait été la maîtresse de Bill Clinton depuis 10 ans.
JENNIFER FLOWERS (bonne réponse=1 point de plus)

87) En 1969, un jeune homme de la Saskatchewan a été reconnu coupable d'un meurtre et a été condamné à l'emprisonnement à vie. En 1992, des tests d'ADN ont démontré qu'il n'était pas coupable et a été libéré. En 1999, une poursuite intentée par cet innocent a été réglée à l'amiable et les gouvernements de la Saskatchewan et du Canada ont accepté de lui verser une somme de dix millions de dollars. QUI est cet homme ?
DAVID MILLGARD

88) NOMMEZ le premier orchestre de chambre permanent à Montréal. Composé de 14 musiciens, il a été fondé en 1983 et compte une quarantaine d'enregistrements discographiques distribués dans 40 pays.
I MUSICI (Grand Prix 1998 du Conseil des Arts)

89) La voiture Cavalier de General Motors a perdu en 1998 le premier rang des automobiles les plus vendues au Canada après 8 ans de domination. QUELLE voiture lui a ravi cette position ?
CIVIC DE HONDA

90) QUEL pays a été la scène de la naissance du premier bébé-éprouvette en 1978 ?
L'ANGLETERRE

91) En 1992, onze ans après les voyages dans l'espace des navettes spatiales Columbia, Atlantis, Challenger et Discovery, une nouvelle navette est lancée dans l'espace. QUEL nom porte-t-elle ?
ENDEAVOUR

92) QUELLE chanson de l'album *Un Trou dans les nuages* de Michel Rivard a connu le plus grand succès en 1987 et les années suivantes ?
JE VOUDRAIS VOIR LA MER

93) En 1997, le plus gros navire de croisière au monde depuis le Queen Elizabeth 2 est mis en service par la compagnie américaine Carnival. QUEL nom est donné à ce géant de 101 000 tonnes ?
CARNIVAL DESTINY (bonne réponse-1 point de plus)

94) QUEL pays de l'ouest de l'Europe est le plus sévèrement frappé sans le moindre avertissement par deux tempêtes de vents dépassant les 160 km/h le 26 décembre 1999 ? 80 personnes y perdent la vie et les dégâts se chiffrent à des centaines de millions de dollars.
LA FRANCE (d'autres pays européens ont aussi été touchés)

95) QUELLE importante chaîne d'alimentation canadienne a été achetée par QUELLE autre chaîne d'alimentation québécoise en 1992 ?
STEINBERG - PROVIGO (1 point par bonne réponse)

96) En 1979, le moteur de l'aile gauche d'un DC-10 d'American Airlines se détache et tombe au sol lors du décollage aux États-Unis. 272 personnes à bord de l'appareil et deux autres au sol perdent la vie. Dans QUELLE ville cette tragédie s'est-elle produite ?
CHICAGO (aéroport O'Hare)

97) En 1998, l'aéroport Pearson de Toronto a accueilli plus de 31 000 000 de passagers, le plus fort total au Canada. QUEL aéroport s'est classé au 2e rang ? Et avec COMBIEN de passagers ? 15, 20 ou 24 millions de passagers ?
VANCOUVER - 15 MILLIONS (1 point par bonne réponse)

98) À QUEL président de QUEL pays d'Amérique latine a été attribué le prix Nobel de la paix en 1987 ? Il a été l'artisan d'un plan de paix pour l'Amérique centrale.
OSCAR ARIAS SANCHEZ - COSTA RICA (2 bonnes réponses=3 points)

99) En 1985, la première mondiale de cette opérette dont la musique est de Claude-Michel Shönberg, est présentée à Londres. QUEL en est le titre ?
LES MISÉRABLES

100) En 1985, Arlette Cousture publie le premier tome du roman *Les Filles de Caleb* et dont l'action se déroule entre 1892 et 1918. QUEL sous-titre lui a-t-elle donné ?
LE CHANT DU COQ

101) QUEL volcan d'Amérique du Nord, inactif depuis plus de 120 ans, a fait sauter le sommet tout entier de sa montagne en 1980 ? Il a causé la mort de 26 personnes et fait pour 2 milliards 700 millions de dollars de dégâts.
ST HELENS (État de Washington)

102) QUELLE nouvelle marque de voiture la compagnie General Motors a-t-elle mise sur le marché européen en 1989 puis américain afin de concurrencer les voitures japonaises ?
LA SATURNE

103) Cette femme compositeur-interprète française d'une affolante vitalité nous donne en 1980 une chanson rock de grande classe qui n'a rien d'anodin, *La Femme nue*. QUI est cette artiste ?
CATHERINE LARA

104) COMMENT se nomme le premier module de la Station spatiale internationale que les astronautes russes ont mis en orbite en 1998 et qui sert de salle des machines du complexe orbital ? Sa construction doit prendre fin en 2004. Lorsque terminée, cette cité de l'espace aura coûté plus de cent milliards de dollars aux pays participants dont le Canada.
ZARYA (bonne réponse=2 points de plus)

105) QUELLE ville portuaire d'Extrême-Orient a été fortement secouée par un tremblement de terre en 1995 ? 5 000 personnes ont perdu la vie et 5 000 bâtiments se sont effondrés.
KOBE (Japon)

106) En 1995, la société Air Canada met en service un nouveau gros porteur qui est appelé à remplacer dans les années qui suivent les deux tiers de la flotte de Boeing 747. NOMMEZ ce nouvel appareil.
AIRBUS 340 (quadrimoteur long-courrier)

107) En 1980, deux importants quotidiens canadiens cessent leurs activités à cause de revenus publicitaires insuffisants. Il s'agit du *Winnipeg Tribune* et de QUEL quotidien d'Ottawa ?
OTTAWA JOURNAL (bonne réponse=1 point de plus)

108) QUELLE nouvelle bombe est mise au point par les Américains en 1977 ? La radiation qu'elle diffuse élimine la population mais ne cause pas de dégâts à la propriété.
LA BOMBE À NEUTRON

109) QUI a écrit le roman *Cosmos*, un « best-seller » américain en 1979 et 1980 ? Il a aussi reçu un prix Pulitzer en 1977 pour son livre *The Dragons of Eden*.
CARL SAGAN

110) Lorsque la bourse de New York s'est effondrée en 1929, elle a perdu 12 % de ses actions le premier jour. En 1987, autre descente aux enfers sur Wall Street. La valeur des actions à la Bourse a été diminuée de 507 milliards de dollars le 28 octobre 87, un pourcentage de COMBIEN ?
22 ET 62/CENTIÈMES POUR CENT (Jeu de 3 % + ou - alloué)

111) NOMMEZ la petite ville du grand Nord canadien que le Pape Jean-Paul II a visité en 1987 tel qu'il l'avait promis trois ans plus tôt lors d'une longue visite au Canada. À ce moment-là, le mauvais temps l'avait empêché de s'y rendre.
FORT SIMPSON (Territoires du Nord-Ouest)

112) QUELLE chanson, vendue à plus de 2 000 000 d'exemplaires en 1981-82, a été le plus grand succès solo d'Olivia Newton-John ?

PHYSICAL

113) QUELS deux importants fabricants d'avions court-courriers de l'Europe de l'Ouest ont cessé leurs activités entre 1996 et 1999 ? Une a fait faillite et l'autre a choisi de se retirer d'un marché qui lui était déficitaire.

FOKKER (Pays-Bas) - SAAB (Suède) (2 bonnes rép.=3 points)

114) C'est en 1976 qu'une bourse d'études portant le nom de QUEL célèbre homme politique de Grande-Bretagne du début du siècle est accordée pour la première fois à une femme ?

RHODES (Cecil)

115) En 1983, un chasseur soviétique abat un gros porteur 747 de la compagnie aérienne Korean Air au large de QUELLE île située dans le nord du Pacifique ?

SAKHALINE (269 personnes ont été tuées) (Bonne réponse=2 pts de plus)

116) Lors d'une fête municipale du jour de l'an 1980, 44 personnes perdent la vie dans un incendie lorsqu'un adolescent met le feu à une branche de sapin dans une salle communautaire. Dans QUELLE petite ville du nord du Québec cette tragédie s'est-elle produite ?

CHAPAIS (bonne réponse=1 point de plus)

117) QUEL sommet l'indice Dow Jones a-t-il atteint pour la première fois en 1987 ?

DEUX MILLE POINTS

118) Il y a eu en 1998 un total de 295 369 crimes violents au Canada. LAQUELLE des dix provinces canadiennes a affiché le taux le plus élevé au prorata de sa population ; Québec, Saskatchewan, Ontario, Manitoba ou N-Écosse ?

MANITOBA (1 606 crimes par 100 000 de pop. - La Saskatchewan prend le 2e rang, la N-Écosse, le 4e, l'Ontario, le 8e et le Québec, le 10e rang. Notons toutefois que les Territoires du Nord-Ouest affichent un taux de criminalité violente 10 fois plus élevé qu'au Québec)

119) Le Canada a été frappé par trois désastres naturels en trois ans. D'abord, en 1996, les inondations du Saguenay et en 1998, la tempête de verglas. Entre ces deux désastres, QU'EST-il arrivé en 1997 ?

LES INONDATIONS DU SUD DU MANITOBA

120) QUEL membre d'un célèbre groupe rock britannique a été trouvé coupable de possession d'héroïne à Toronto en 1979 ?

KEITH RICHARD (Rolling Stones. Une partie de la sentence imposée exigeait qu'il donne un concert bénéfice. Richard a rempli son engagement à Oshawa)

121) De tous les pays du monde, LEQUEL détenait en 1994 le plus grand nombre de prisonniers, plus d'un million, dans ses institutions carcérales ?

LES ÉTATS-UNIS

122) L'hôtel de la monnaie frappe une pièce d'or pour la première fois en 1979. On prédit que les ventes atteindront les 5 000 000 d'exemplaires. QUELLE était la valeur nominale de cette pièce ?

CINQUANTE DOLLARS (elle valait plus de 350 dollars)

123) Une crise de jalousie pousse cette directrice d'un collège pour filles à assassiner en 1980 son amant de plusieurs années, le docteur Herman Tarnower, le créateur de QUEL célèbre régime alimentaire ?

SCARSDALE

124) En 1985, Serge Lama joue le rôle-titre de QUELLE comédie musicale dont il est le compositeur ? Il est venu la jouer à Montréal en 1986.

NAPOLÉON

125) Pour la première fois de l'histoire, c'est une Noire qui gagne ce concours international en 1977. LEQUEL ?

MISS UNIVERS (Miss Trinidad-Tobago)

126) QUEL groupe vocal a obtenu en 1979 un disque en platine pour la chanson *Y.M.C.A.*, enregistrée en 1978 ?

VILLAGE PEOPLE

127) En 1982, le ministre fédéral de l'Énergie, Marc Lalonde, annonce qu'un permis a été accordé à trois pétrolières canadiennes dont Pétro Canada pour des travaux de forage dans l'Atlantique à 30 kilomètres au nord de QUELLE île ?

L'ÎLE AUX SABLES (située à l'est de la Nouvelle-Écosse)

128) QUEL était le nom de famille du pape Jean-Paul I, décédé en 1978 après seulement un mois à la tête de l'Église catholique ?

ALBINO LUCIANI (bonne réponse=3 points de plus)

129) En 1961, on recensait en moyenne 3.77 naissances par femme au Québec. 25 ans plus tard, en 1986, le changement de société avait ramené ce chiffre à QUELLE moyenne ? 1.36, 1.80 OU 2.15 naissances par femme ?

1.36 (51 % de moins de naissances)

130) En 1985 est publiée l'autobiographie *Elvis and Me*. QUI est « Me » ?

PRISCILLA BEAULIEU

131) Dans son bilan financier de 1984-85, l'avionnerie Canadair annonce une perte d'un milliard 400 millions de dollars, la plus élevée de toute l'histoire des corporations canadiennes. De ce montant, une somme d'un milliard de dollars avait été attribuée à la conception et à la construction de QUEL réacté exécutif ?

LE CHALLENGER (bonne réponse=1 point de plus)

132) En 1982, la compagnie Bombardier a décroché le plus gros contrat de son histoire : 825 voitures pour le métro de QUELLE ville ?

NEW YORK

133) En 1987, la maison Christie's de New York a vendu la toile *Les Iris* de ce peintre impressionniste pour la somme de 60 000 000 de dollars, du jamais vu dans l'histoire des ventes aux enchères de peintures. QUI était l'auteur de ce chef d'œuvre ?

VAN GOGH

134) QUELLE nomination plutôt honorifique accordée à certains avocats a été abolie par le premier ministre ontarien David Peterson en 1985 parce que, selon lui, cet honneur était devenu un instrument de favoritisme politique pour les gouvernements précédents ?

CONSEILLER DE LA REINE (QC - Queen's Counsel)

135) En 1983, un Boeing 767 d'Air Canada a été contraint de se poser d'urgence sur une ancienne piste militaire désaffectée depuis plus de 25 ans après que l'appareil ait manqué de carburant. Près de QUELLE petite ville du Manitoba cet incident s'est-il produit ?

GIMLI (une erreur dans le compteur n'avait pas fait la conversion gallon/litre) (bonne réponse=2 points de plus)

136) QUELLE chanson interprétée par Fabienne Thibault et Richard Cocciante en 1985 a été un grand succès du palmarès français et québécois ?

QUESTION DE FEELING

137) QUEL pays socialiste du nord-ouest de l'Europe a été le premier au monde en 1989 à accorder une reconnaissance légale aux couples homosexuels ?

LE DANEMARK

138) Des recherches scientifiques dans l'usage de cette protéine du corps humain sont entreprises avec diligence en 1979 dans le but de traiter les personnes atteintes de cancer. QUEL nom porte cette protéine ?

INTERFÉRON (bonne réponse=1 point de plus)

139) Le Festival de jazz de Montréal a été inauguré en 1980. QUI en est le président fondateur ?

ALAIN SIMARD

140) Quatre ans avant le lancement de la navette spatiale Columbia dans l'espace, le premier vol plané d'une autre navette expérimentale avait été réussi après avoir été largué d'un Boeing 747 en 1977. QUEL était le nom de cette navette qui n'est jamais allée dans l'espace ?

ENTERPRISE

141) Terminé en 1994, l'Eurotunnel a coûté aux Britanniques et aux Français une somme de COMBIEN ? Et dites QUELLE est sa profondeur sous la Manche ?

TREIZE MILLIARDS DE DOLLARS (jeu de deux milliards + ou - alloué) SOIXANTE QUINZE MÈTRES (jeu de 10 mètres + ou - alloué) (2 rép.=3 pts)

142) QUELLE ville de l'Ouest canadien a été durement touchée par une tornade en 1987 ? Vingt-cinq personnes ont été tuées et 250 autres blessées.

EDMONTON

143) La publication du livre *Roots* d'Alex Haley en 1978 suivie d'une mini-série télévisée consacrée à cette œuvre a déclenché un intérêt considérable pour QUELLE science chez les Américains ?

LA GÉNÉALOGIE

144) QUEL était le pourcentage de la population des 65 ans et plus des pays développés du monde à la fin de 1998 ?

QUATORZE ET DEMI POUR CENT (au Canada, 12.9 %) (Jeu de 1 % +/- alloué)

145) Le pire accident d'aviation à survenir au Canada fait 256 morts lorsqu'un avion nolisé de la compagnie américaine Arrow s'écrase après le décollage de QUEL aéroport de l'est du pays le 12 décembre 1985 ? Les victimes sont des soldats américains.

GANDER (Terre-Neuve)

146) En 1986, une page d'histoire de l'aviation a été écrite. Un avion bi-moteur à hélice a fait le tour du monde sans escale et sans ravitaillement. Une distance de 25 000 milles a été franchie en neuf jours à une vitesse moyenne de 117 milles à l'heure. QUEL était le nom de cet appareil ?

VOYAGER (avec un pilote et une co-pilote)

147) La chanson *Mademoiselle chante le blues* a lancé la carrière de cette chanteuse française en 1987. QUI est cette artiste très populaire en Europe ?

PATRICIA KAAS (bonne réponse=2 points de plus)

148) QUELLE œuvre littéraire de QUEL auteur britannique redevient en 1984 (cette date est importante) un « best seller » chez les étudiants ? Il avait été publié pour la première fois en 1949.

1984 - GEORGE ORWELL (les étudiants désirent évaluer les prédictions de l'auteur) (2 bonnes réponses=3 pts)

149) NOMMEZ la première ville nord-américaine à être inscrite en 1986 sur la liste du patrimoine de l'UNESCO.

QUÉBEC

150) QUEL fleuron du groupe Pernod-Ricard, la deuxième boisson non-alcoolisée en importance en France, a été vendu à la compagnie Coca Cola pour la somme de cinq milliards de francs en 1997 ?

ORANGINA

151) Andrew Lloyd Webber s'est inspiré de l'opéra *Madame Butterfly* de Puccini pour composer QUELLE comédie musicale dont la première a été présentée à Londres en 1981 ?

MISS SAIGON

152) QUE signifie en français le mot chinois *Tian-An-Men*,nom de la place publique de Beijing rendue célèbre en 1989 par les démonstrations étudiantes sévèrement réprimées par les forces de l'ordre ?

LA PORTE DE LA PAIX CÉLESTE (bonne réponse=2 points de plus)

153) À la suite de la faillite de deux banques de l'Ouest canadien, QUELLE banque canadienne a vendu la presque totalité de ses actions à la banque Lloyds de Londres en 1986 ?

CONTINENTALE

154) En 1994, 852 passagers perdent la vie dans la mer Baltique lors du naufrage d'un traversier entre la ville de Stockholm en Suède et la capitale de l'Estonie. NOMMEZ cette capitale.

TALLINN (137 personnes ont survécu. Le navire a coulé durant une forte tempête)

155) Entre 1940 et 1998 au Canada et aux États-Unis, les maladies du cœur sont la principale cause de décès. Le cancer est au 2e rang et gagne du terrain. Loin derrière se trouve la 3e principale cause de décès. QUELLE est-elle ?

MALADIES CÉRÉBROVASCULAIRES

156) NOMMEZ le plus important gestionnaire de fonds mutuels de l'année 1998 en Amérique du Nord.

FIDELITY INVESTMENTS (bonne réponse=2 points de plus)

157) En 1997, la population du Québec est passée sous la barre de QUEL pourcentage de la population du Canada pour la première fois depuis 1867 ?

VINGT-CINQ POUR CENT

158) QUEL album a valu à la chanteuse canadienne Alanis Morissette un trophée Grammy en 1995 et un trophée Juno en 1996 ? Cet album a aussi été le plus vendu au Canada en 1997.

JAGGED LITTLE PILL

159) Après 39 ans de production, ce populaire modèle de la marque de voiture Oldsmobile est retiré du marché en 1999 par General Motors. NOMMEZ-le.

CUTLASS

160) En 1995, le colonel Chris Hadfield est devenu le premier astronaute canadien à se rendre à l'intérieur de QUELLE station spatiale ?

MIR (lors du rendez-vous de la navette spatiale Atlantis avec la station russe)

161) QUEL nom a été donné à ce mouton qui est devenu en 1997 le premier clone de mammifères ?

DOLLY

162) QUI a été le premier Canadien à atteindre le sommet du mont Everest en 1982 ?

LAURIE SKRESLET (bonne réponse=3 points de plus)

163) NOMMEZ l'institution financière canadienne qui possédait l'actif le plus élevé au pays en 1999, soit 281 milliards de dollars et les plus forts revenus pour l'année 99, un peu moins de 20 milliards de dollars.

CIBC (Canadian Imperial Bank of Commerce)

164) Lorsque l'océanographe américain Robert Ballard et son équipe de chercheurs ont réussi à photographier l'intérieur de l'épave du paquebot Titanic en 1986, ils ont utilisé un sous-marin spécialement conçu pour atteindre les 12 000 pieds de profondeur et un robot équipé d'un appareil photo sophistiqué. QUELS étaient les noms du sous-marin et du robot ?

ALVIN (sous-marin de la marine américaine) - JASON (robot téléguidé) (2 points par réponse - 5 pts pour les 2)

165) NOMMEZ le microprocesseur lancé en 1993 et renfermant 3 100 000 transistors.

PENTIUM

166) Après avoir construit 7 000 000 d'exemplaires de ce modèle de voiture depuis 1948, la compagnie française Citroën met fin à sa production en 1990. QUEL était ce modèle ?

LA 2 CHEVAUX (2 CV)

167) Lors d'un encan à New York en 1978, le montant de deux millions de dollars, le plus élevé jamais déboursé pour un livre, vaut à son acheteur une Bible dite à quarante-deux lignes et publiée au 15ᵉ siècle par QUI ?

GUTENBERG (Johannes)

168) QUEL trompettiste a été choisi par le magazine *Downbeat* comme étant le meilleur musicien soliste depuis 1982 ? Qualifié de successeur de Miles Davis, il privilégie le style musical de la période entre Louis Armstrong et Davis qu'il identifie comme néo-traditionnaliste et comme étant la véritable musique classique des États-Unis.

WYNTON MARSELIS (a gagné un prix Pulitzer pour une composition)

169) En 1988, Hydro-Québec a conclu un contrat avec QUEL État américain pour l'achat d'électricité pour une période de 21 ans à partir de 1995 ? Ce contrat d'une valeur de 17 milliards de dollars était le plus important jamais obtenu par Hydro-Québec.

NEW YORK (en 1987, des contrats de 8 milliards et de 15 milliards de dollars avaient été signés avec les états du Vermont et du Maine respectivement)

170) QUELLE appellation a-t-on donné en 1983 aux pirates qui pénètrent sans scrupules dans les systèmes informatiques les plus sophistiqués ?

HACKERS

171) QUEL sportif et homme politique français a fait l'achat en 1990 du numéro un mondial des articles de sport, l'Allemand Adidas ?

BERNARD TAPIE

172) QUEL chanteur français a popularisé la chanson *Encore et Encore* en 1986 ?

FRANCIS CABREL

173) C'est en avril 1980 que l'unijambiste Terry Fox a entrepris son marathon de l'espoir dans le but d'amasser des fonds pour la recherche sur le cancer. Parti de Terre-Neuve, il a été contraint d'abandonner sa marche dans QUELLE ville située en Ontario parce qu'il était trop souffrant et trop faible ?

THUNDER BAY (atteint de cancer, il est mort en 1981)

174) Celui qui a composé en 1939 le *Concerto d'Aranjuez* est mort en 1999. QUI était ce compositeur espagnol qui avait su allier des mélodies espagnoles à des rythmes mauresques pour créer une composition romantique qui avait fait la joie des musiciens, allant du jazz aux guitaristes de flamenco ?

JOAQUIN RODRIGO (il est mort à l'âge de 97 ans) (Bonne rép.=1 pt. de +)

175) C'est en 1982 que le phénomène *El Nino* a fait l'objet de reportages après que ses caprices eurent causé de sérieux changements inhabituels du temps le long de la côte ouest de l'Amérique du Sud, en Australie et à Tahiti. QUE veut dire *El Nino* dans le dialecte de la langue espagnole ?

ENFANT DU CHRIST (ou de Dieu)

176) Des analyses scientifiques publiées en 1999 démontrent qu'il reste encore des réserves de pétrole suffisantes pour les 80 prochaines années dans ce pays membre de l'OPEP. LEQUEL ?

L'ARABIE SAOUDITE

177) C'est à la suite d'un vote par référendum que ce pays d'Europe de l'Ouest refuse en 1992 d'entrer dans l'espace économique européen, prélude à l'adhésion à la CEE, appelé peu de temps après la Communauté européenne. NOMMEZ ce pays.

LA SUISSE

178) QUI a succédé au roi Beaudoin, mort en 1993, sur le trône de Belgique ?

ALBERT II (frère du roi Beaudoin)

179) COMMENT se nomme le cosmodrome d'où ont lieu depuis les années 60 le lancement des fusées soviétiques et maintenant russes vers l'espace ? Et dans QUELLE république autonome est-elle située ?

BAIKOUNOUR - KAZHAKSTAN

180) Onze ans après la catastrophe écologique causée par le naufrage du pétrolier *Torrey Canyon*, l'histoire se répète en 1978 au large des côtes du Finistère en France lorsqu'un autre super pétrolier libère 200 000 tonnes de mazout à la suite d'un naufrage. QUEL était le nom de ce pétrolier ?

AMOCO CADIZ (bonne réponse=2 points de plus)

181) QUEL grand magasin à rayons de Montréal a fermé ses portes en 1978 ?

DUPUIS (fondé en 1868 par Nazaire Dupuis)

182) Une somme de 6 500 000 dollars est payée lors d'un encan de voitures classiques à Las Vegas en 1986. C'est une luxueuse voiture européenne de 1931 qui est vendue à ce prix record. LAQUELLE ?

BUGATTI ROYALE (bonne réponse=1 point de plus)

183) Depuis qu'elle a été découverte en 1930, la planète Pluton n'a jamais fait l'unanimité auprès des astronomes à cause de sa petite taille. Durant les années 90, plusieurs scientifiques en astronomie ont voulu retirer l'appellation de 9e planète du système à Pluton pour la coiffer d'un autre nom. LEQUEL ?

ASTÉROÏDE (Pluton est 10 fois plus petite que la Terre et est la plus éloignée du soleil. À la fin du 20e siècle, Pluton était toujours une planète)

184) En 1994, la compagnie canadienne Bombardier a annoncé la construction d'un nouvel avion conçu pour les gens d'affaires au prix de 35 000 000 dollars chacun. La livraison du premier exemplaire a eu lieu en 1999. QUEL nom lui a-t-on donné ?

GLOBAL EXPRESS (peut voler de Tokyo à New York sans escale)

185) En août 1979, un autobus transportant des personnes handicapées plonge dans un lac profond en Estrie après avoir manqué de freins. 41 personnes y perdent la vie. Près de QUELLE petite ville cet accident est-il survenu ?

EASTMAN (bonne réponse=1 point de plus)

186) Lorsqu'un incendie se déclare dans la cathédrale San Giovanni de Turin en Italie en 1995, les pompiers concentrent leurs efforts pour sauver une des plus anciennes reliques de la chrétienté conservée dans la cathédrale depuis le 16e siècle. QUELLE est cette relique ?

LE SAINT SUAIRE (le linceul qui aurait servi à ensevelir Jésus-Christ. Grâce aux pompiers de Turin, il a été épargné des flammes et de l'eau)

187) QUELLE romancière canadienne a écrit en 1977 *Ces Enfants de ma vie* ?

GABRIELLE ROY

188) QUEL appareil de communication portable a été mis sur le marché pour la première fois en 1978 ?

LE TÉLÉPHONE CELLULAIRE

189) Elles se nomment Posh, Baby, Sporty, Scary et Ginger. Elles s'imposent comme le grand succès de la musique pop en 1997. QUI sont-elles ?

LES SPICE GIRLS

190) Des membres d'une secte religieuse japonaise appelée *La Vérité suprême* répandent un gaz mortel dans le métro de Tokyo en 1995. Douze personnes y perdent la vie. COMMENT s'appelait ce gaz utilisé par les Nazis durant la deuxième guerre mondiale ?

SARIN (bonne réponse=1 point de plus)

191) De toutes les industries canadiennes, QUEL secteur privé d'activités a été le plus productif au Canada en 1995 avec une valeur de produits manufacturés de 86 milliards de dollars ?

L'INDUSTRIE DU TRANSPORT (avions, voitures, camions, trains, etc....)

192) COMBIEN d'années a-t-il fallu à la sonde américaine Pioneer 11 après son lancement en 1973, pour découvrir un satellite et un anneau de la planète Saturne ?

SIX (jeu de 1 an + ou - alloué)

193) En 1994, cet album de Céline Dion passe au premier rang des palmarès américains mais ne peut faire mieux qu'une 2e place au Canada. QUEL titre porte-t-il ?

THE COLOUR OF MY LOVE

194) QUEL auteur-journaliste québécois a écrit en 1994 *Les Héros oubliés*, une série de trois livres consacrée aux soldats canadiens durant la 2e guerre mondiale ?

PIERRE VENNAT (journaliste au quotidien La Presse)

195) Trois bandits armés et masqués enlèvent deux gardes de sécurité d'une importante compagnie de fiducie américaine à Montréal en 1984 et s'échappent avec des valeurs mobilières d'un montant de 51 000 000 de dollars. QUEL était le nom de cette fiducie ?

MERRILL LYNCH

196) Soixante-neuf et demi pour cent des investissements faits au Canada appartenaient aux Américains en 1997. QUEL était le pourcentage des investissements du Canada faits aux États-Unis à la même date ?

CINQUANTE ET UN POUR CENT (jeu de 6 % + ou - alloué)

197) Le 14e Dalai Lama du Tibet reçoit en 1989 le Prix Nobel de la paix. QUEL est son véritable nom ?

TENZIN GYATSO (bonne réponse=1 point de plus)

198) QUEL nouveau magazine scientifique populaire est mis sur le marché en 1980 par la maison Time-Life ?

DISCOVER

199) Le compositeur britannique Andrew Lloyd Webber présente une nouvelle comédie musicale à Londres en 1993. Elle s'inspire de l'époque des films silencieux de Hollywood et porte un nom célèbre. LEQUEL ?

SUNSET BOULEVARD

200) NOMMEZ le journaliste qui a reçu le Prix du gouverneur-général dans la catégorie non-fiction en 1990 pour son livre *Dans l'œil de l'aigle* ?

JEAN-FRANÇOIS LISÉE

201) En 1988, les coûts de soins de santé représentaient 11.1 % du produit national brut aux États-Unis, le plus élevé des pays industrialisés. QUEL était le pourcentage du Canada, le même que celui de la France ?

HUIT ET DEMI POUR CENT (de tous les pays industrialisés, outre les ÉU, seule la Suède avait un % plus élevé que celui du Canada)(Jeu de 1 % alloué)

202) Au début des années 80, la compagnie Chrysler met sur le marché deux modèles de voitures compactes. Chrysler leur donne l'appellation *K-Cars*. QUELS étaient leurs noms ?

RELIANT - ARIES (4 cylindres - Traction-avant) (1 point par bonne rép.)

203) En 1984, 25 % de la population canadienne est âgée entre 25 et 35 ans. Elle dispose de 25 % des dépenses de consommation. Plusieurs de ces jeunes entrepreneurs sont des diplômés d'institutions d'études commerciales. QUEL nom a-t-on donné à ces membres de ce nouveau phénomène social ? Et QUE signifie-t-il ?

YUPPIE - YOUNG URBAN PROFESSIONAL (2 pts de plus pour la 2e rép.)

204) La population de la Terre a atteint le chiffre de six milliards en 1999. QUEL a été son pourcentage d'augmentation depuis 1960 ?

CENT POUR CENT (elle était de 3 milliards d'habitants 40 ans plus tôt)

205) QUELLE capitale de ce grand État américain est sérieusement menacée de contamination par un accident dans un réacteur de la centrale nucléaire de Three Mile Island en 1979 ? Elle est située à seulement 10 milles au nord de la centrale.

HARRISBURG (Pennsylvanie)

206) QUEL magazine de langue française avait le plus fort tirage au Canada français en 1997, un honneur qu'il a détenu durant plusieurs années auparavant ?

SÉLECTION DU READER'S DIGEST (tirage de 263-mille lecteurs en 1997)

207) Au début des années 80, l'Agence spatiale canadienne était à la recherche d'astronautes. Plus de 4000 postulants ont répondu à une annonce placée dans les journaux. De ce nombre, COMBIEN ont été retenus pour composer le groupe original d'astronautes canadiens ?

SIX (cinq d'entre eux sont allées dans l'espace)

208) Un séisme fait près de 100 000 morts dans le nord de cette petite république d'URSS en 1988. NOMMEZ-la.

L'ARMÉNIE

209) NOMMEZ le journaliste et ex-conseiller municipal montréalais décédé en 1998 qui est le co-auteur de la biographie de Brian Mulroney, *The Boy from Baie Comeau.*

NICK AUF DER MAUR

210) Deux gouverneurs-général du Canada de 1979 à 1990, Ed Schreyer et Jeanne Sauvé, étaient natifs de communautés francophones de l'ouest du pays. NOMMEZ-les ainsi que les provinces où elles sont situées.

BEAUSÉJOUR (Manitoba) - PRUDHOMME (Saskatchewan) (2 pts par réponse)

211) QUEL homme d'affaires canadien, propriétaire du plus important réseau de télévision par câble, a acheté la maison d'éditions McLean-Hunter en 1994 ?

EDWARD « TED » ROGERS

212) De ces quatre catégories d'âge et de sexe, LAQUELLE a révélé en 1980 une hausse considérable de son nombre de fumeurs comparativement aux trois autres qui ont affiché des baisses plus ou moins appréciables depuis 1968 ; hommes, femmes, adolescents, adolescentes ?

ADOLESCENTES (hausse de 51 %. Baisse moyenne de 20 % chez les autres)

213) Après avoir dominé le marché nord-américain des voitures luxueuses depuis les années 30, la Cadillac de General Motors perd son titre au début de 1999 et tombe au 3e rang. QUELLE voiture lui a ravi la première place ?

LEXUS (de Toyota. La BMW a pris le 2e rang)

214) La poupée Barbie a été la chérie des petites filles durant les années 60. NOMMEZ la poupée qui a dominé le marché nord-américain à partir de 1982.

CABBAGE PATCH (en 85, chiffre de ventes de 600 millions de dollars)

215) Le rôle de *Jean Valjean* dans la comédie musicale *Les Misérables* a été tenu dans sa version anglaise à Londres en 1991 par QUEL chanteur-comédien québécois ?

ROBERT MARIEN

216) NOMMEZ le pianiste de concert québécois qui a reçu un trophée Juno en 1990 et dont le disque a été consacré meilleur album de musique classique.

ANDRÉ LORTIE

217) QUELLE était la boisson alcoolisée (spiritueux) la plus vendue aux États-Unis en 1980 ? Elle a alors détrôné la vodka qui avait pris le premier rang en 1973.

LE RHUM

218) QUEL administrateur francophone détenait les postes de président et de directeur-général de la compagnie Chrysler Canada avant sa mort en 1998 ? Il était aussi le porte-parole de la compagnie dans les publicités télévisées de Chrysler en français.

YVES LANDRY

219) NOMMEZ le satellite canadien de communications qui a été mis en orbite en 1976 et qui allait permettre entr'autres usages d'assurer la transmission d'émissions de télévision pour les détenteurs d'antennes paraboliques.

HERMÈS (bonne réponse=2 points de plus)

220) QUEL groupe rock britannique a été un pionnier de la musique *Heavy Metal* en 1969 ? Il a mis sur le marché en 1971 sa chanson signature, *Stairway to Heaven* et dont l'album s'est vendu à plus de 10 000 000 d'exemplaires.

LED ZEPPELIN

221) QUELLE grande entreprise de produits chimiques a fait l'acquisition du géant Union Carbide pour la somme de 9 milliards 300 millions de dollars en 1999 ? Ce faisant, elle est devenue la 2e plus importante compagnie du genre au monde derrière QUEL autre géant de l'industrie chimique ?

DOW CHEMICAL - DUPONT (2 bonnes réponses=3 points)

222) Un pont-tunnel reliant deux pays de l'Europe de l'Ouest a été inauguré en 2000. Long de 16 kilomètres et d'un coût de 3 milliards de dollars, il relie la capitale d'un des deux pays et la 3e ville en importance de l'autre. QUELS sont ces deux pays ? Et NOMMEZ les deux villes ainsi reliées.

SUÈDE - DANEMARK - MALMÖ - COPENHAGUE (1 pt par réponse - 5 pts pour 4 bonnes réponses)

223) En 1998, le désert Atamaca, le plus aride au monde, a été tellement inondé par le phénomène climatique El Nino que des lacs se sont formés. Des fleurs ont poussé sur un sol décharné qui n'avait pas reçu de précipitations depuis 400 ans dit-on. Dites dans QUEL pays d'Amérique du Sud est situé ce désert ?

CHILI (le pays le plus affecté des Amériques par El Nino)

224) En 1998, le taux quotidien de natalité en Inde était de 72 000. Ce chiffre était le même au Québec mais à une fréquence différente. LAQUELLE ?

ANNUELLE (l'Inde a atteint le cap du milliard d'habitants à la fin de 1999)

225) QUELLE province canadienne avait le plus haut pourcentage per capita de fumeurs et QUELLE autre possédait le plus faible pourcentage en 1999 ?

QUÉBEC (36 %) - COLOMBIE-BRITANNIQUE (26 %) - (la moyenne pour le Canada se situait à 29.4 %) (Deux points de plus pour la 2e réponse)

226) Elle a été reine de Hongrie et dernière impératrice d'Autriche au début du siècle. Elle avait succédé à Sissi et avait épousé Charles Habsbourg, petit-neveu de l'empereur François-Joseph. Elle est morte en 1989 en Suisse à l'âge de 97 ans. QUI était-elle ?

ZITA (elle était la marraine de Jean-Marie DeKoninck, docteur en mathématiques à l'université Laval) (Bonne réponse=2 points de plus)

227) QUEL dessinateur prometteur et avant-gardiste de General Motors a choisi de quitter cette entreprise en 1981 afin de lancer une voiture sport au style révolutionnaire en Irlande du Nord ? Il a déclaré faillite un an plus tard.

JOHN DELOREAN (bonne réponse=2 points de plus)

228) QUELLE colonie britannique des petites Antilles a été détruite dans une proportion de 75 % par l'éruption de QUEL volcan en 1995 ? Les trois quarts des 11 000 habitants de l'île ont pris la fuite et 90 % des bâtiments ont été abandonnés.

MONTSERRAT - LA SOUFRIÈRE (2 bonnes réponses=3 points)

229) Au 31 juillet 1999, la population du Canada était de 30 millions et demi d'habitants. De ce nombre, QUEL pourcentage appartenait au Québec ?

VINGT-QUATRE POUR CENT (7,363,262 hab. Celui de l'Ontario est de 37.8 %)

230) Des cinq principales sources d'énergie, à savoir le charbon, le gaz naturel, l'hydroélectricité, le pétrole et le nucléaire, LAQUELLE était la plus utilisée en Amérique du Nord en 1976 ?

LE PÉTROLE (45 % de l'énergie suivi du gaz naturel, 27 % et du charbon, 18 %)

231) QUEL type d'avion de la compagnie aérienne Swissair s'est écrasé au large de la Nouvelle-Écosse en 1998 ? 229 personnes y ont perdu la vie.

MD-11 (tri-réacté de McDonnell-Douglas)

232) QUELLE province canadienne affichait le taux de chômage le plus bas au Canada en 1999 ? Et de COMBIEN était-il ?

LA SASKATCHEWAN - 5.6 % (Jeu de .6 % + ou - alloué) (2 b.rép.=3 pts)

233) En 1991, la voiture la plus vendue aux États-Unis était l'Accord de Honda. En 1992, elle a perdu le premier rang aux mains de QUELLE voiture américaine ?

TAURUS (de Ford)

234) C'est l'Italie qui détient en 1999 le premier rang de l'âge moyen de sa population le plus élevé d'Europe. QUEL est-il ? 32, 36 ou 40 ans ?

QUARANTE ANS (un taux de croissance de 0 %. L'âge moyen des Canadiens frôlait les 36 ans au début de l'an 2000)

235) NOMMEZ la compagnie pharmaceutique qui a mis le Viagra sur le marché en 1998.

PFIZER

236) Quelques années après son énorme succès, l'album *Thriller*, le chanteur Michael Jackson nous offre un autre album, produit en collaboration avec Quincy Jones en 1987. QUEL est le titre de ce nouvel album dont dix des chansons figurent parmi les meilleures ventes ?

BAD

237) COMBIEN de voyages à l'extérieur de l'Italie le pape Jean-Paul II avait-il faits entre 1978, l'année de son accession à la papauté et la fin de 2000 ? Était-ce 60, 80 ou 100 ?

CENT (une moyenne de 5 par année)

238) En 1990, la part de marché des ventes de voitures de la compagnie General Motors tombe de 45 % à 35 % en dix ans sur le marché nord-américain. Ce sont les voitures japonaises qui provoquent cette baisse. QUEL était alors le pourcentage de voitures japonaises vendues sur le marché nord-américain ?

TRENTE-TROIS POUR CENT (Jeu de 3 % + ou - alloué)

239) Des 17 régions administratives du Québec, LAQUELLE affichait le taux de chômage le plus élevé en 1997 selon le Bureau de la statistique du Québec : La Côte-Nord, la Gaspésie Îles-de-la- Madeleine, l'Abitibi-Témiscamingue OU le Saguenay Lac St Jean ?

GASPÉSIE ÎLES-DE-LA-MADELEINE (23.4 %)

240) QUELLE populaire chanteuse américaine a fait de la chanson *I Will Always Love You* un énorme succès en 1993 ?

WHITNEY HOUSTON

241) QUEL pays était représenté par sept banques au classement mondial des dix banques aux actifs les plus considérables en 1990 ?

LE JAPON (dont les 6 premières. La France détenait les 3 autres positions)

242) QUEL pourcentage des 6 milliards d'habitants de la terre vivaient en Asie en 1999 ?

CINQUANTE-NEUF POUR CENT (jeu de 2 % + ou - alloué)

243) La France est le pays qui attire annuellement depuis plus de 25 ans le plus grand nombre de touristes. Les États-Unis sont au 2e rang suivis de l'Espagne. À QUEL rang se situe le Canada ?

NEUVIÈME (La Chine gagne rapidement du terrain depuis 1995) (Jeu de 2 rangs + ou - alloué)

244) En 1995 est née l'Association mondiale du commerce, organisme regroupant 135 nations. À QUELLE autre association fondée en 1947 a-t-elle succédée ?

LE « GATT » (General Agreement on Tariffs and Trade)

245) QUELLE était la fréquence des décès causés par le tabac dans le monde en 1997 ? Un aux 10 secondes, aux 60 secondes OU aux 5 minutes ?

DIX SECONDES

246) NOMMEZ le scientifique québécois qui a reçu de l'UNESCO en 1978, le prix Kalinga, la plus haute distinction internationale pour la vulgarisation scientifique.

FERNAND SEGUIN

247) De 1974 à 1997, une période ininterrompue de 35 ans, les parents de bébés américains ont préféré ce prénom masculin à tous les autres. Dites LEQUEL. Est-ce William, Michael, Steven ou David ?

MICHAEL (En 1998, il a été détrôné par Jacob)

248) L'année 1992 a été pénible pour la reine Élisabeth d'Angleterre. Il y a eu parmi ses moments difficiles la séparation de son fils Charles et de la princesse Diana ainsi que l'incendie du château de Windsor. COMMENT a-t-elle qualifié en latin, lors d'une allocution, cette année misérable ?

ANNUS HORRIBILIS

249) COMBIEN de personnes à travers le monde vivaient avec le sida à la fin de 1999 ? Dites aussi COMBIEN de personnes sont mortes de cette maladie depuis sa découverte en 1981 ?

34 MILLIONS (dont 25M en Afrique) (écart de 5 millions +/- accepté) 19 MILLIONS (écart de 2 millions +/- accepté)

250) QUI a succédé à Jean-Paul Jeannotte au poste de directeur général et artistique de l'Opéra de Montréal en 1988 ?

BERNARD UZAN (il était toujours en poste en 2000)

251) QUEL pourcentage des mères séparées ou divorcées canadiennes obtenaient le droit de garde de leur(s) enfant(s) par opposition à celui des pères en 1998 ?

85 POUR CENT (les pères, 9 % et le droit de garde partagée, 6 %) (jeu de 3 % + ou - alloué)

252) À COMBIEN s'élevait la dette olympique de Montréal au début de l'an 2000 ?

420 000 000 DE DOLLARS (un dirigeant de la RIO a affirmé qu'elle sera entièrement remboursée autour de l'an 2006) (Jeu de 50 000 000 +/- alloué)

253) QUELLE musique a rapidement gagné la faveur des amateurs grâce au film *Saturday Night Fever* en 1978 ?

DISCO

254) À QUELLE vitesse moyenne les navettes spatiales voyagent-elles lorsqu'elles sont dans l'espace ?

18 000 MILLES À L'HEURE (jeu de 2,000 milles à l'heure +/- alloué)

255) On a dit qu'il était le chef de file du crime organisé dans la région de Montréal. En 1978, il a été assassiné dans son restaurant du nord de la ville. QUI était-il ?

PAOLO VIOLI (bonne réponse=1 point de plus)

256) QUELLE manifestation populaire a été ressuscitée dans les rues de Montréal en 1990 après une interruption de 20 ans sauf pour une année, 1981 ?

LE DÉFILÉ DE LA ST JEAN BAPTISTE (les émeutes de 1968 et 1969 avaient obligé les dirigeants à l'annuler)

257) QUEL célèbre « styliste » montréalais, surnommé « le roi de l'ultra suède » durant les années 80, est décédé en 2000 à l'âge de 65 ans ?

LÉO CHEVALIER (il avait ouvert sa première boutique de modes, Cheval, en 1967, à Montréal. En 1979, a été le premier styliste à recevoir l'Ordre du Canada)

258) En 1982, la compagnie japonaise Seiko met sur le marché une montre-bracelet révolutionnaire qui fait plus que donner l'heure. QUELLE est cette invention ?

LA MONTRE-BRACELET-TÉLÉVISION (l'écran mesure 3 cm.)

259) Diane Tell a reçu le Félix de la chanson de l'année en 1981 pour QUELLE chanson ?

SI J'ÉTAIS UN HOMME

260) En retour de QUEL montant la distillerie canadienne Seagram's a-t-elle accepté en 2000 de fusionner ses activités avec la firme française Vivendi Universal et de lui céder sa division de spiritueux ?

TRENTE-QUATRE MILLIARDS DE DOLLARS (jeu de 4 milliards +/- alloué)

261) Le plus gros paquebot français depuis le France durant les années 60 est mis à la mer à St Nazaire en 1998. Mesurant plus de 220 mètres, il sera affecté aux croisières dans les mers chaudes. Il porte le nom d'un vent chaud du sud de la France. LEQUEL ?

MISTRAL (14 autres navires de croisière étaient en chantier en France en 98)

262) En 1978 à Montréal, on annonce la fermeture définitive de l'usine d'assemblage de QUELLES voitures étrangères ?

RENAULT (elles seront désormais assemblées à Détroit)

263) Bryan Adams est le seul chanteur canadien à avoir atteint le premier rang du palmarès Billboard. C'était en 1991 grâce à QUELLE chanson, la plus populaire de l'année selon le célèbre magazine ?

(EVERYTHING I DO) I DO IT FOR YOU

264) Entre 1979 et 1994, le taux de fréquentation des bibliothèques du Québec a été en moyenne de 33 %. En fait, il n'a à peu près pas fluctué durant cette période de 15 ans. En 1994, on a constaté que l'intérêt pour la lecture de livres n'avait à peu près pas changé. QUEL pourcentage de Québécois admettait alors ne jamais lire de livres ?

QUARANTE-TROIS POUR CENT (jeu de 5 % + ou - alloué)

265) QUELLE nation regroupait le plus grand nombre de catholiques au monde à la fin du 20e siècle ?

BRÉSIL (90 % de sa population de 165,000,000)

266) Si la reine Élisabeth II devait abdiquer son trône ou mourir, c'est le prince Charles qui hériterait de la couronne royale. QUI serait le 2e héritier du trône si Charles devait mourir ou renonçait à devenir roi ?

PRINCE WILLIAM (fils aîné de Charles)

267) Le vaisseau spatial Mars Global Surveyor a été lancé des États-Unis le 7 novembre 1996 afin de transmettre des données sur la surface de Mars ainsi que la météo. Filant à une vitesse de 40 000 kh, COMBIEN de temps a mis le vaisseau pour atteindre l'orbite désirée de la planète ? 3, 10 ou 16 mois ?

DIX MOIS (...et 4 jours. Il devait orbiter Mars durant 687 jours)

268) En 1998, ce sont les habitants de l'Éthiopie qui dominaient la liste des pays du monde utilisant le MOINS les méthodes contraceptives, un pourcentage de 95.7 %.C'est un pays d'Europe qui par diverses méthodes possédait le pourcentage le PLUS élevé de citoyens pratiquant la contraception, 81.9 %. LEQUEL ? France, Danemark, Suisse, Russie ?

LA SUISSE (France, 75.1 %, Danemark, 78.0 %, Russie, 66.8 %) (Canada, 73.1 %)

269) Après leur énorme succès à Rome en 1990, les ténors Placido Domingo, Jose Carreras et Luciano Pavarotti ont donné un autre concert à Los Angeles en 1994 ? POURQUOI ont-ils choisi ces villes et à des intervalles de quatre ans ?

POUR CÉLÉBRER LA COUPE DU MONDE DE FOOTBALL (soccer)

270) QUELLE entreprise commerciale possédait le plus grand nombre d'employés au Canada en 1995 ? General Motors, Bell Canada, Canadien Pacifique OU Imasco ?

BELL CANADA (121,000 employés - 2e, Imasco, 67,000)

271) QUEL écrivain français a écrit une histoire romancée de Jésus en 1988 et qu'il a intitulé *« L'Homme qui devint Dieu ? »*

GÉRALD MESSADIER (bonne réponse=3 points de plus)

272) En 1985, cette compagnie américaine a décidé de modifier le goût de son principal produit. Le mécontentement des adeptes de ce produit a été tel que la compagnie a décidé de ramener l'ancienne recette et de lui donner un nouveau nom. QUEL est ce nom ?

CLASSIQUE (Coca Cola)

273) En 1991, un quadrimoteur DC-8 d'une compagnie canadienne de vols nolisés s'écrase peu après le décollage à l'aéroport de Jedda en Arabie Saoudite. 261 personnes, la plupart des pèlerins musulmans retournant au Nigéria, perdent la vie. NOMMEZ cette compagnie aérienne.

NATIONAIR

274) À QUEL rang mondial le Canada se classait-il en 1997 pour l'espérance de vie de sa population ?

CINQUIÈME (79.37 ans. Après Andorre, San Marino, Australie et Japon) (jeu de 1 rang + ou - alloué)

275) Entre 1975 et 1998, les migrations interprovinciales ont vu 735 000 Canadiens s'installer au Québec, les deux tiers des Ontariens. En revanche, COMBIEN de Québécois ont choisi d'aller vivre ailleurs au Canada durant cette période ?

1 177 000 (la plupart vers l'Ontario, une perte de 442 000 personnes) (jeu de 100 000 personnes +/- alloué)

276) L'aéroport le plus achalandé au monde a vu 73 475 000 passagers monter ou descendre des avions en 1998. NOMMEZ-le.

ATLANTA (aéroport de Hartsfield. O'Hare à Chicago, 2e, Londres, 4e, Paris, 9e et Toronto, 25e avec 26,745,000 passagers)

277) En 1981, QUEL était le pourcentage du salaire des femmes au travail à temps plein comparativement à celui des hommes aux États-Unis et au Canada ? 51 %, 59 %, 65 % ou 72 % ?

CINQUANTE-NEUF POUR CENT (le même qu'en 1961. En 1951, le salaire des femmes était à 64 % de celui des hommes)

278) En 1989, une maison unifamiliale de dimension moyenne se vendait au prix de 273,000 dollars dans QUELLE ville canadienne, le prix le plus élevé au pays ?

TORONTO (210,000$ à Vancouver, 110,000$ à Montréal)

279) Selon les critères des Nations-Unies, à savoir ; l'espérance de vie, le taux d'alphabétisation, le taux d'enregistrement dans les institutions scolaires, et le PNB par habitant, le Canada se classe au premier rang des 174 nations recensées par l'ONU en 1999. QUEL pays se classe au 2e rang ? France, États-Unis, Norvège, Suisse OU Japon ?

NORVÈGE (EU, 3e, Japon, 4e, France, 11e, Suisse, 12e)

280) En 1973, 30 % des mères allaitaient leurs bébés aux États-Unis et au Canada. À COMBIEN était rendu ce pourcentage en 1993, 20 ans plus tard ?

CINQUANTE-HUIT POUR CENT (jeu de 3 % + ou - alloué)

281) QUELLE était la ville la plus meurtrière des États-Unis avec 301 meurtres répertoriés en 1996 ? Et QUEL État en a enregistré le plus, 2,579 ?

WASHINGTON (suivie d'Atlanta, Baltimore et Détroit) CALIFORNIE (suivie du Texas, Illinois, New York. Le Vermont ; 9) (2 pts par bonne réponse)

282) De 1983 à 1997, le règne le plus long d'une comédie musicale sur Broadway appartenait à *A Chorus Line*. C'est alors qu'une œuvre musicale britannique est venue lui ravir ce titre, atteignant le chiffre de 6 138 représentations consécutives. NOMMEZ cette comédie musicale et son compositeur.

CATS - ANDREW LLOYD WEBBER (1 point par réponse)

283) QUELLE grande maison de cognac français a été achetée par le géant canadien Seagram pour la somme de 5 milliards 250 millions de francs en 1988 ?

MARTELL (en se faisant, Seagram devenait le no 2 mondial des spiritueux)

284) Après un règne de huit ans, la voiture de catégorie compacte Cavalier de General Motors a perdu en 1998 le premier rang des voitures les plus vendues aux États-Unis. QUELLE voiture importée (fabricant et modèle) lui a ravi ce titre ?

CAMRY DE TOYOTA (1 point par bonne réponse)

285) En 1989, des égyptologues et archéologues découvrent à Louxor en Haute-Égypte (sud du pays), cinq statues en quartz de grande taille et très bien conservées. Elles datent du règne de Aménophis III il y a 35 siècles. QUEL était l'ancien nom de cette ville égyptienne où cette découverte a été faite et dont la partie sud s'appelle maintenant Louxor ?

THÈBES

286) C'est en 1992 que le l'abréviation WWW apparaît dans le langage informatique. QUE signifient ces trois lettres ?

WORLD WIDE WEB

287) En 1967, le pilote américain Pete Knight aux commandes d'un avion expérimental, le X-15, a atteint une vitesse record qui n'a pas été abaissée depuis. ÉTAIT-ce 2,800 MH, 3,700 MH OU 4,500 MH ?

QUATRE MILLE CINQ CENTS MILLES À L'HEURE

288) QUEL populaire auteur français a reçu le prix Fémina de littérature pour son roman *Le Zèbre* en 1988 ?

ALEXANDRE JARDIN (ce prix n'est pas toujours accordé à une femme)

289) Au large des côtes de QUEL pays européen le Boeing 747 des lignes aériennes Air India s'est-il écrasé en 1985 à la suite d'une explosion provoquée par une bombe ? 329 personnes ont été tuées.

L'IRLANDE

290) QUELLE expression lancée par l'actrice octogénaire Clara Peller dans une réclame des restaurants Wendy's à la télévision est rapidement devenue populaire en 1984 ? Le candidat présidentiel Walter Mondale l'a même utilisée pour dénoncer le manque de contenu du programme d'un adversaire.

« WHERE'S THE BEEF »

291) QUI est l'auteur de la comédie théâtrale *La Cage aux folles*, gagnante d'un trophée Emmy en 1984 et portée à l'écran trois fois entre 1978 et 1988 ?

JEAN POIRET (bonne réponse=1 point de plus)

292) En 1970, il y avait 10 divorces pour 100 mariages au Québec, un pourcentage comparatif de 10 %. À QUEL pourcentage était rendu ce taux de divorce en 1998 en comparaison du nombre de mariages ?

SOIXANTE DIX-HUIT POUR CENT (en 98 ; 23,000 mariages - 18,000 divorces)

293) En 1930, 4 291 personnes ont été exécutées dans les pénitenciers américains. Ce chiffre a considérablement diminué au fil des ans. QUEL a été le pourcentage de la baisse du nombre d'exécutions en 1977 comparativement à 1930 ? 300 %, 600 % OU 1000 % ?

MILLE POUR CENT (432 prisonniers ont été exécutés en 1977)

294) QUEL groupe vocal a popularisé la chanson *Hotel California* en 1977 et en a fait un disque d'or ?

EAGLES

295) En 1999, l'indice Dow Jones a atteint le chiffre de 11,000 points. Douze ans plus tôt (janvier 1987), QUEL cap atteignait ce même indice ?

2000 POINTS (il avait fallu attendre 14 ans pour qu'il passe de 1000 à 2000 points) (jeu de 2000 points + ou - alloué)

296) En 1987, le pilote allemand Mathias Rust devient célèbre après avoir réussi à atterrir son monomoteur à QUEL endroit ? Son exploit lui vaudra une peine de prison de 4 ans.

SUR LA PLACE ROUGE À MOSCOU (à l'insu des radars soviétiques. Il a été libéré par les autorités soviétiques après un an de détention)

297) NOMMEZ le sous-marin russe qui a sombré dans une mer située au nord-ouest de la Russie en août 2000 et faisant 116 morts. Dites aussi QUEL est le nom de cette mer.

KOURSK (nom d'une ville russe) - BARENTS (rattachée à l'océan Arctique)

298) QUELLE était la population amérindienne en réserve et hors réserve du Canada en 1996 ? 340,000, 610,000, OU 870,000 ?

SIX CENT DIX MILLE (elle a doublé entre 1981 et 1996)

299) Si tous les impôts et les taxes que nous payons durant une année étaient versés entièrement en y consacrant tous nos revenus à partir du 1er janvier, à QUELLE date de l'année serions-nous épargnés entièrement de taxes et d'impôts au Québec ? Cet exercice s'applique à l'année 1998.

LE 6 JUILLET (la date dite de « la délivrance » pour l'ensemble du Canada était celle du 27 juin) (jeu de 5 jours + ou - alloué)

300) QUEL important pays a eu 700,000 morts de plus que de nouveaux-nés en 1999 ? Chine, Russie, Allemagne ou Japon ?

LA RUSSIE (un des plus bas taux de natalité au monde, une économie chancelante, des services de santé médiocres, un taux de criminalité élevé et une misère généralisée chez les vieux en sont les causes principales)

301) COMMENT est appelée la région au sud de San Jose en Californie où sont concentrées la plupart des activités de l'industrie de l'informatique depuis les années 80 ?

SILICON VALLEY

302) On a célébré en janvier 2000 le centenaire d'un célèbre opéra de Puccini à Rome. LEQUEL ? Et QUEL ténor chantait le rôle de *Cavadarossi* ?

TOSCA - LUCIANO PAVAROTTI

303) Après avoir repéré les épaves des célèbres navires *Titanic* et *Bismarck* durant la 2e moitié des années 80, l'océanographe américain Robert Ballard se met à la recherche des épaves de deux porte-avions coulés durant la célèbre bataille de Midway dans le Pacifique en 1942. En 1996, il en repère un des deux. Il s'agit d'un navire américain portant le nom de QUELLE célèbre bataille de la guerre d'indépendance américaine en 1781 ?

YORKTOWN (le porte-avions japonais Kaga est demeuré introuvable) (Bonne réponse=3 points de plus)

304) Les présidents américains Bush (1988-1992) et Clinton (1992-2000) sont des musiciens à leurs heures. QUELS instruments pratiquent-ils ?

GUITARE (Bush) - SAXOPHONE (Clinton) (1 point par réponse)

305) C'est en 1981 que l'ordinateur PC (Personal Computer) a été mis sur le marché par la compagnie IBM. Le système d'exploitation DOS de Microsoft était intégré à l'ordinateur. QUE signifie l'abréviation DOS ?

DISK OPERATING SYSTEM

306) QUEL pays catholique d'Europe abroge en 1995 l'interdiction constitutionnelle sur le divorce ?

L'IRLANDE

307) QUELLE caractéristique, un précédent, marque la composition de la cour Suprême du Canada, les cours Supérieure et Fédérale du Québec, la cour Municipale de Montréal et les ministères de la Justice du Canada et du Québec à la fin de 1999 ?

ELLES/ILS ONT DES FEMMES À LEUR TÊTE

308) Six des dix quotidiens aux plus forts tirages au monde appartenaient au même pays en 1998. LEQUEL ?

JAPON (le 1er, le Yomiuri Shimbung, possédait un tirage de 14,000,000 de lecteurs. Le Wall Street Journal était au 19e rang. Le Canada n'avait aucun quotidien parmi les 100 premiers au monde)

309) Lorsque le président Raul Alfonsin a été défait aux élections de ce pays en 1989, le taux d'inflation était de 3000 pour cent. NOMMEZ ce pays d'Amérique latine.

ARGENTINE (son successeur Carlos Menem a étouffé en grande partie ce problème en rendant le peso argentin égal au dollar américain)

310) NOMMEZ le député fédéral qui a été le premier en 1988 à rendre publique son homosexualité.

SVEND ROBINSON (Néo-démocrate)

311) Deux jours fériés ont été ajoutés au calendrier américain au 20e siècle, celui du jour des vétérans (jour du Souvenir) le 11 novembre (institué en 1938) et QUEL autre, approuvé par le Congrès en 1983 et fêté en janvier ?

JOUR « MARTIN LUTHER KING » (pour sa vie et son œuvre)

312) COMBIEN en a-t-il coûté aux pays du monde pour éliminer le bogue de l'an 2000 ; 50, 200 OU 400 milliards de dollars ?

QUATRE CENT MILLIARDS DE DOLLARS

313) QUELLE nation du monde hautement industrialisée produisait en 1989 le plus d'électricité à partir d'énergie nucléaire ? 74.7 % de ses besoins provenaient de cette source.

LA FRANCE (suivie de la Belgique, 61.5 %, Suède, 45.8 %. - Canada (8è) 16 %)

317) QUEL était en 1997 le taux d'imposition fédéral maximum sur le revenu des particuliers aux États-Unis ?

TRENTE-NEUF POUR CENT (au Canada, il était de 52 %)

318) À l'occasion de son 150e anniversaire, cette firme suisse lance en 1989 la montre la plus perfectionnée et la plus chère du monde, 8 000 000 de francs suisses. QUEL est le nom de cette firme ?

PATEK PHILIPPE (bonne réponse=1 point de plus)

319) Une nouvelle danse aux rythmes latino-américains et qui s'adresse à tous les groupes d'âge fait son apparition en 1995. QUEL nom porte-t-elle ?

MACARENA (elle n'a pas tenu le coup)

320) QUI est l'auteur du roman best-seller de 1978, *The World According to Garp ?*

JOHN IRVING

321) QUELLE compagnie européenne fabricante de voitures, de camions et d'autobus a acheté en 1995 la compagnie québécoise d'autobus Prévost Car de Ste Claire pour la somme de 140 000 000 de dollars ?

VOLVO

322) QUELLE nation s'est donnée en 1989 la cathédrale la plus haute au monde (sa coupole atteint 525 pieds) pour une population de foi catholique d'à peine un million et située dans un endroit isolé à 200 kilomètres de la capitale du pays ? Copiée sur la basilique St Pierre de Rome, elle est dotée d'un système d'air climatisé et peut accueillir 300 000 fidèles sur son immense place de sept âcres construite en granit et en marbre.

LA CÔTE D'IVOIRE (10 000 000 d'habitants. Elle a été commandée par le président du pays, Houphouët-Boigny alors âgée de 83 ans)

323) En 1988, un Boeing 747 de la compagnie Pan Am s'écrase près du village de Lockerbie et fait 270 morts. Une bombe déposée à bord de l'avion à Francfort en Allemagne est la cause du désastre. De QUELLE nationalité était les auteurs de cet attentat ? Et dites OÙ est située la ville de Lockerbie ?

LIBYENNE - ÉCOSSE (1 point par bonne réponse)

324) QUEL ennemi public no 1 de France, auteur de plusieurs attaques à main armée et évasions spectaculaires, est abattu de quinze balles par la police de Paris en 1979 ?

JACQUES MESRINE (bonne réponse=2 points de plus)

325) QUELLE chanteuse pop canadienne a remporté un trophée Grammy comme meilleure artiste de la chanson en 1997 ? C'est la chanson *Building a Mystery* qui lui a valu cet honneur ?

SARAH McLACHLAN

326) Lors de la 2e mission de la navette spatiale Columbia en 1981, la NASA a ajouté à la navette un « bras » sophistiqué construit par le Canada. Il a alors été mis à l'essai avec succès. QUEL nom lui a-t-on donné ?

CANADARM

327) QUELLE femme de lettres française a publié *Mémoires d'Adrien* en 1951 et *L'Oeuvre au noir* en 1968 ? Elle était native de Belgique mais naturalisée Française et Américaine.

MARGUERITE YOURCENAR (bonne réponse=1 point de plus)

328) QUELLE était en 1991 la religion dominante en Irlande du Nord (Ulster) ? QUEL était aussi son pourcentage de la population irlandaise ?

PROTESTANTE - SOIXANTE POUR CENT (jeu de 2 % +/- alloué)(1 pt par rép.)

329) NOMMEZ l'écrivain colombien qui a été proclamé récipiendaire du prix Nobel de littérature en 1982 ? Il a publié la même année *Chronique d'une mort appréhendée.*

GABRIEL GARCIA-MARQUEZ (bonne réponse=1 point de plus)

330) QUEL a été le dernier pays démocratique d'Europe occidentale à abolir la peine de mort en 1981 ?

LA FRANCE (entre 1956 et 1979, 20 criminels ont été guillotinés)

331) À QUEL événement de 1994 associez-vous les noms de Timothy McVeigh et de Terry Nichols ?

AUTEURS DE L'EXPLOSION D'UN ÉDIFICE FÉDÉRAL À OKLAHOMA CITY (169 personnes dont 15 enfants ont été tués par la déflagration)

332) La ville de Montréal célèbre en 1983 et pour la première fois depuis 1889, une fête qui est répétée depuis à chaque année et qui durent plusieurs jours. LAQUELLE ?

LA FÊTE DES NEIGES

333) Il en coûte des centaines de millions de dollars aux fabricants de voitures américaines à la fin des années 70 pour produire de petites voitures afin de concurrencer les produits japonais. Outre les *Reliant* et *Aries* de Chrysler et l'*Escort* de Ford, QUELLE petite voiture de la division Chevrolet, la compagnie General Motors met-elle sur le marché en 1980 ?

CHEVETTE (la division Pontiac offre l'Acadian)

334) En 1984, 57 000 personnes assistent au Stade olympique de Montréal au spectacle *Magie rose*, la présentation artistique la plus coûteuse de l'histoire du show business québécois. QUI en était la vedette ?

DIANE DUFRESNE

335) QUELLE nation, selon Amnistie internationale, a exécuté le plus grand nombre de ses condamnés à mort en 1998, un total de 1 769 sur 2 701 ?

LA CHINE

336) Déjà propriétaire des produits Kraft, de la brasserie Miller, des desserts Jell-O et des cigarettes Marlboro, cette multinationale fait l'acquisition en 2000 de 80.6 % de la compagnie Nabisco pour la somme de 15 milliards de dollars. NOMMEZ cette entreprise qui conserve ainsi le 2e rang mondial des sociétés agroalimentaires derrière QUEL autre géant, européen celui-là ?

PHILIP MORRIS - NESTLÉ (2 bonnes réponses=3 points)

337) Publiés en 1997, 98 et 99, ces trois volumes sous-titrés *Une Vie privée, Une Vie publique et Une Vie engagée* sont une autobiographie de l'auteure. QUI est-elle et QUEL est le titre général des trois livres ?

LISE PAYETTE - DES FEMMES D'HONNEUR (de 1931 à 2000)

338) En 1988, le premier avion commercial guidé entièrement par un ordinateur, est mis en service par la compagnie Air France. NOMMEZ ce bi-réacté révolutionnaire qui laisse présager la disparition éventuelle des pilotes.

AIRBUS 320

339) QUEL sort ont connu les Italiens Giovanni Falcone, Paolo Borsellino et Giovanni Lizzio en 1992 ?

ILS ONT ÉTÉ ASSASSINÉS PAR LA MAFIA (ils étaient respectivement juge, procureur en chef et enquêteur fédéral mandatés pour traduire les leaders de la mafia devant les tribunaux)

340) Des 100 000 greffes d'organes pratiquées aux États-Unies entre 1992 et 1996, LEQUEL des cinq organes les plus en demande a été transplanté le plus souvent ?

LE REIN (57 %. Foie, 18 %, Cœur, 13 %, Pancréas, 4 %, Poumon, 3.6 %)

341) Le plus long tunnel au monde, dont la construction a pris fin en 1988 après 13 ans de travaux, relie par train deux des quatre principales îles du Japon sur une distance sous-marine de 54 kilomètres. NOMMEZ ces deux îles.

HONSHU ET HOKKAIDO (2 bonnes réponses=3 points)

342) Enregistré en 1978, l'album *Living in the U.S.A.* atteint le chiffre de vente de trois millions d'exemplaires un an plus tard. QUELLE artiste « country » en est l'interprète ?

LINDA RONSTADT

343) Il a fallu 38 ans à la radio pour qu'elle rejoigne 50,000,000 d'auditeurs aux États-Unis et 13 ans à la télévision pour atteindre le même nombre d'auditeurs. COMBIEN a-t-il fallu d'années au site Web pour qu'il soit utilisé par le même nombre de citoyens américains durant les années 90 ?

QUATRE

344) QUEL roman de Michel Tremblay est devenu le premier volet de sa série appelée *Chroniques du plateau Mont-Royal* en 1978 ?

LA GROSSE FEMME D'À CÔTÉ EST ENCEINTE

345) Le sida a été identifié pour la première fois en 1981 et on estime qu'il a fait dix-neuf millions de victimes depuis ce temps. QUE signifie l'abréviation SIDA ?

SYNDROME D'IMMUNODÉFICIENCE ACQUISE

346) QUELLE petite ville du nord du Québec a été fermée en 1984 à cause de la concurrence du marché mondial du fer qui occasionne une importante baisse de production du minerai de fer au Québec ?

GAGNON (située à 250 km au nord-ouest de Sept-Îles)

347) De toutes les religions du monde, QUEL pourcentage de fidèles la religion catholique possédait-elle en 1990 ?

VINGT POUR CENT (environ un milliard) (jeu de 3 % + ou - alloué)

348) En 1976, la Commission d'enquête sur le crime organisé (CECO) dévoile les dessous du monde interlope du Québec et de Montréal en particulier. Les audiences sont diffusées en direct à la télévision et on apprend à connaître trois familles associées à divers crimes ; Cotroni, Violi et QUELLE autre ?

DUBOIS (les frères .... du quartier St Henri)

349) D'abord acteur, il a joué dans quelques films au début des années 80 dont *La Tête dans le sac* en 1984. Il obtient aussi deux grands rôles au théâtre. Puis, il fait ses premiers pas dans la chanson avec *Marre de cette nana-là* et *Comment ça va* en 1985. Sa carrière n'a pas cessé de grandir depuis lors. QUI est cet acteur-chanteur-compositeur ?

PATRICK BRUEL (de naissance algérienne)

350) QUEL État américain avait en 1990 une population plus élevée que celle du Canada tout entier ?

CALIFORNIE (29,786,000 - le plus populeux des É-U - Le Canada ; 28,100,000)

351) L'ensemble du monde musical a célébré le bicentenaire de la mort de ce grand compositeur en 1991. De QUI s'agit-il ?

WOLFGANG AMADEUS MOZART

352) QUEL rôle jouait la chanteuse Fabienne Thibault dans l'opéra-rock *Starmania* lors de la première de ce spectacle à Paris en 1979 ?

MARIE-JEANNE (bonne réponse=1 point de plus)

353) Le nombre de vols d'avions commerciaux à travers le monde en 1997 avait augmenté de 1000 % comparativement à ceux de 1947. QUEL a été la hausse du nombre d'accidents fatals durant la même période ? 0 %, 50 % OU 100 % ?

ZÉRO POUR CENT

354) Le salaire moyen des Canadiennes en 1996 représentait QUEL pourcentage du salaire moyen des Canadiens ?

74 POUR CENT (en 1981, il était de 59 %) (jeu de 2 % + ou - alloué)

355) C'est en 1980 que ce genre de lampe à incandescence contenant QUEL élément a été mis sur le marché ?

HALOGÈNE

356) QUELLE était la ville la plus populeuse du globe en 1996, au sens de la ville proprement dite et non avec l'ajout de la population des autres villes ou communautés situées dans sa périphérie ?

SÉOUL (Corée du Sud, 10,231.000 suivie de Sao Paulo et de Bombay)

357) La chaîne de magasins Woolco du Canada a été achetée en 1994 par QUELLE autre grande chaîne ?

WAL-MART

358) NOMMEZ l'album du chanteur américain Prince qui a connu succès fou en 1984.

PURPLE RAIN

359) QUEL mot anglais s'est rapidement internationalisé durant les années 70 et 80 avec l'arrivée de produits tels le Walkman Sony, l'appareil photo Olympus et la calculatrice portable Sharp ? Ce mot est devenu synonyme de ralliement populaire, de mode, d'esthétisme, de garantie de valeur ajoutée pour le consommateur, de ventes accrues et de bénéfices pour le fabricant.

DESIGN (designer aussi accepté)

360) La première tentative d'indexation de l'Internet a été faite en 1989 par un chercheur de l'Université McGill de Montréal. Son système s'appelait *Archie*. QUI était-il ?

PETER DEUTSCH (bonne réponse=3 points de plus)

361) QUEL populaire magazine français fondé en 1946 lance une édition américaine en 1986 ?

ELLE

362) Le géophysicien américain Charles Richter, celui qui a donné son nom à la méthode pour mesurer l'amplitude d'un séisme en 1935, est mort à l'âge de 85 en 1985. Sa célèbre échelle des amplitudes a été convertie en valeurs numériques qui vont de 0 à COMBIEN ?

NEUF (tout ce qui dépasse 5.5 à l'échelle est considéré comme sérieux)

363) QUELLE nation a été la première à accueillir le nouveau siècle et le nouveau millénaire le premier janvier 1999 (ou 2000 selon les sources) ?

KIRIBATI (République. Groupe d'îles de corail situées les plus près de la ligne horaire internationale)

364) QUI est l'époux de la gouverneur général du Canada, Adrienne Clarkson, nommée à ce poste en 1999 ? Il est un écrivain réputé.

JOHN RAULSTON SAUL

365) QUEL titre a été enlevé à la princesse Diana à la suite de son divorce du prince Charles en 1996 ?

SON ALTESSE ROYALE

366) 350 000 000 de personnes de 75 pays du monde lisaient cette bande dessinée présentée pour la première fois en 1950. Son auteur a cessé de la publier en 1999 alors qu'il avait 77 ans. Il est mort peu de temps après. QUI était-il ?

CHARLES SCHULTZ (sa création ; Peanuts)

367) Entre 1979 et 1994, LEQUEL de ces secteurs d'activités artistiques a été le seul au Québec à enregistrer une hausse de fréquentation par la population au prorata du nombre de spectacles ; musées, théâtre, bibliothèques, spectacles musicaux (tous types confondus) et danse ?

LES MUSÉES (de 31 % en 79 à 37 % en 94. Il est estimé qu'à peine 7 % de la population du Québec consomme régulièrement des « produits culturels » autres que ceux du cinéma et de la télévision malgré une hausse importante du nombre de spectacles sur scène depuis 1979)

368) En 1985, cette agence de presse, la plus vieille au monde, fête son 150e anniversaire d'existence. NOMMEZ-la.

AGENCE FRANCE-PRESSE (AFP)

369) Woodstock II est présenté en 1994, 25 ans après le premier. Mais seulement une des vedettes solo du rock de 1969 est au rendez-vous. LEQUEL ?

JOE COCKER (350 000 personnes y étaient)

370) Le Sommet social de l'ONU tenu à Genève en 2000 a révélé un lamentable constat d'échec de la lutte à la pauvreté dans le monde. Avec à peine un peu plus d'un milliard d'habitants (22 % de la population mondiale), l'Amérique du Nord et l'Europe (incluant la Russie) détiennent QUEL pourcentage du PIB mondial (richesses) ? 48 %, 55 %, 62 % OU 70 % ?

SOIXANTE-DEUX POUR CENT (L'Afrique ;765 millions de pop. ; 4 % du PIB)

371) En octobre 1994, les policiers découvrent les corps de 50 Suisses, Français et Canadiens, tous membres de la secte du Temple de l'ordre solaire, dans deux chalets en Suisse et dans une maison de ferme au Québec. C'est un médecin suisse de 47 ans, chef fondateur de cette secte, qui est alors soupçonné de ce carnage. QUI est-il ?

LUC JOURET

372) Cette danse au style acrobatique voit le jour dans le Bronx à New York. Elle se distingue des autres danses par le fait que ses adeptes tourbillonnent sur toutes les parties du corps, sauf sur leurs pieds. QUEL nom a-t-on donné à cette danse qui a vu le jour en 1984 ?

BREAK-DANCING

373) Avec des actifs de 208 milliards de dollars, cette multinationale canadienne est passée en 2000 au 14e rang mondial des entreprises les plus riches, reléguant des compagnies comme Coca Cola, IBM et Sony derrière elle. COMMENT se nomme cette entreprise qui représente un tiers de toutes les actions à la bourse de Toronto ?

NORTEL (General Electric est au 1er rang avec des actifs de 500 milliards)

374) NOMMEZ le premier duo père-fils de l'histoire du Metropolitan Opera de New York à chanter ensemble dans un même opéra en 1987 ?

LOUIS ET GINO QUILICO (barytons canadiens. Dans Manon) (1 pt par rép.)

375) Un chat rendu célèbre par la télévision meurt en 1978 à l'âge de 17 ans. Dans les publicités, il levait le nez sur tout... sauf lorsqu'on lui servait la nourriture *Nine Lives*. QUEL était son nom ?

MORRIS (le difficile. Il a été remplacé par un autre chat quasi-identique)

376) QUEL État du nord-est des États-Unis a été le premier au pays à légaliser les mariages civils entre homosexuels et entre lesbiennes en 2000 ?
VERMONT

377) QUEL populaire romancier britannique s'inspire de l'histoire pour écrire ses romans qui depuis 1978 se vendent par millions dans plusieurs langues ? Au nombre de ses « best-sellers » ; *L'Arme à l'œil (Eye of the Needle, 1978), Le Code Rebecca (The Key to Rebecca, 1980)* et *Les Piliers de la terre (The Pillars of the Earth, 1989).*
KEN FOLLET (de naissance galloise) (Bonne réponse=1 point de plus)

378) QUEL néologisme les Français ont-ils créé au milieu des années 80 pour désigner les astronautes qui iraient dans l'espace à bord d'une navette spatiale avant la fin du siècle et qui s'appellerait *Hermès ?* C'était là une promesse du président François Mitterrand.
SPATIONAUTE (Hermès n'a jamais volé)

379) Alors que les firmes BMW et Volkswagen se disputent l'acquisition de Rolls Royce en 1998, le constructeur Audi, une filiale de VW, fait l'achat d'une firme européenne de voitures prestigieuses. Chères surtout. LAQUELLE ?
LAMBORGHINI

380) QUEL était l'animal domestique le plus populaire des Américains en 1987, une première dans l'histoire de ce pays ?
LE CHAT (cinq millions de plus que les chiens)

381) NOMMEZ le mannequin féminin noir le plus célèbre des années 90 au monde.
NAOMI CAMPBELL

382) Lors d'un encan tenu chez Sotheby's à New York en 1985, un œuf de Pâques de la cour des tsars est vendu au prix de 1 800 000 dollars. QUEL célèbre artiste l'avait dessiné et fabriqué ?
FABERGÉ (Carl. De naissance russe et fondateur de la maison Fabergé)

383) QUEL peuple, selon une enquête menée par l'Institut national de santé européenne en 1994, mange le plus de fromage au monde, une moyenne de 23 kilos par habitant par année ? Suisse, Argentine, France, Pays-Bas ?
FRANCE

384) QUELLE chanson a valu à l'interprète Marjo le titre de chanson de l'année au gala des Félix en 1987 ? Ce fut son plus grand succès.
CHATS SAUVAGES

385) Le 22 janvier 1978, les Soviétiques ont réussi un exploit sans précédent en envoyant un véhicule spatial téléguidé, sans pilote, chargé de nourriture, de combustible et d'autres provisions. Dans QUEL but ?
RAVITAILLER LA STATION SPATIALE SALYOUT (habitée par des cosmonautes qui y passeront jusqu'à 5 mois) (bonne réponse=2 étapes de plus)

386) Inauguration à Blackpool en Angleterre en 1994 des plus grandes montagnes russes au monde. Elles détiennent aussi le record de la plus forte inclinaison. De COMBIEN est-elle ? 47, 56 OU 65 degrés ?
SOIXANTE-CINQ DEGRÉS

387) C'est en 1987 que les Canadiens ont commencé à utiliser le huard, la pièce de un dollar en métal qui remplacera complètement le dollar en papier. La pièce de couleur or a onze côtés. QUEL nom porte cette forme ?
HENDÉCAGONALE

388) Après 94 jours d'audience, le procès des auteurs des faux carnets d'Hitler a pris fin à Hambourg. La supercherie aura coûté la réputation et plus de neuf millions de marks à QUEL magazine qui a publié en 1983 les reportages d'un faussaire ?
DER STERN (le reporter a été condamné à 4 ans et 8 mois de prison et le faussaire à 4 ans et 6 mois)

389) En mai de 2000, le prix du litre d'essence ordinaire a atteint le prix de 84.9 cents au Québec. Si on enlevait toutes les taxes sur ce prix, COMBIEN vous coûterait ce même litre d'essence ?
40.8 CENTS (jeu de 2 cents + ou - alloué)

390) C'est le journaliste Guy Pinard du quotidien La Presse qui a été engagé en 1977 comme recherchiste par QUELLE Commission royale d'enquête sur le coût des installations olympiques ?
COMMISSION MALOUF (Albert. Juge nommé pour présider l'enquête)

391) QUELLE entreprise spécialisée en informatique a inventé en 1989 le *mircrochip,* une puce révolutionnaire d'un million de transistors sur une surface équivalente à un demi-timbre postal ?
INTEL CORPORATION (bonne réponse=2 points de plus)

392) NOMMEZ les deux villes européennes dans lesquelles ont été tenues les deux dernières Expositions universelles du siècle en 1998 et 2000 respectivement.
LISBONNE (Portugal)- HANOVRE (Allemagne) (2 bonnes rép.=3 points)

393) QUEL titre portait le premier magazine féministe québécois de langue française, mis sur le marché en 1980 ? Trimestriel puis mensuel à partir de 1984, il a un tirage de 30 000 exemplaires. Mais en 1987, il disparaît.
LA VIE EN ROSE (bonne réponse=2 points de plus)

394) De tous les aéroports du monde, celui de Toronto est au 25e rang pour le nombre de voyageurs qui y transitent, un total de 27 000 000 par année en 1997. L'aéroport de Vancouver est au 59e rang avec 18 000 000 de passagers. À QUEL rang se situe l'aéroport de Dorval avec ses 8 000 000 de voyageurs ?
106e (88e avec Mirabel et son million de passagers)(Jeu de 6 rangs +/- alloué)

395) Après plusieurs échecs auprès du public nord-américain, l'industrie automobile japonaise n'abandonne pas la lutte et en 1966, elle obtient ses premiers succès avec QUEL modèle de la compagnie Toyota ? C'est le début d'une invasion japonaise qui ébranlera le monopole américain.
CORONA

396) La toile intitulée *Les Tournesols*, une œuvre d'un célèbre peintre non-français, est vendue à Londres pour la somme de 40 000 000 de dollars en 1987, le plus haut prix jamais payé pour une toile à une enchère. QUI est l'auteur de cette peinture ?

VAN GOGH (Vincent. 1853-1890)

397) À partir de 1977, le sujet fétiche de la société occidentale tourne autour de la question ; « *Les hommes ressemblent-ils de plus en plus aux femmes et vice-versa ?* ». COMMENT a-t-on alors qualifié ce soi-disant comportement ?

ANDROGYNIE (qui tient des 2 sexes. Hermaphrodisme également accepté) (bonne réponse=1 point de plus)

398) C'est en 1994 que le festival de la chanson des Francopholies fête son 10e anniversaire dans cette ville de France. NOMMEZ-la.

LA ROCHELLE

399) QUELLE chanteuse pop américaine a lancé en 1985 sa première tournée appelée le *Virgin Tour* ?

MADONNA

400) QUELS établissements québécois de consommation réservés exclusivement aux hommes ont été obligés par le gouvernement en 1980 d'ouvrir leurs portes aux femmes ? La loi n'affectera toutefois que les établissements ouverts depuis 1979.

TAVERNES

401) QUEL fabricant d'automobiles a été le premier de l'histoire des États-Unis à offrir un modèle à essence diesel en 1977 ?

GENERAL MOTORS (la Cadillac)

402) QUELLE chanteuse canadienne a remporté son premier trophée Grammy dans la catégorie jazz en 2000 avec la chanson *When I Look in your Eyes* ?

DIANA KRALL (bonne réponse=1 point de plus)

403) QUEL organisme fédéral de communications a été acheté par la compagnie Memotec Data Inc. pour la somme de 488 000 000 de dollars en 1987 ?

TÉLÉGLOBE CANADA

404) Plus de 80 membres de la secte des Davidiens meurent dans l'incendie de leur domaine situé près de QUELLE ville du Texas après l'assaut donné par les forces de l'ordre en 1993 ?

WACO

405) QUEL groupe rock a enregistré l'album *The Joshua Tree* en 1987 ? Il s'est vendu à plus de deux millions d'exemplaires durant la première année. DITES aussi de QUELLE nationalité est ce groupe ?

U2 - IRLANDAIS (3 pts pour les 2 réponses)

406) Une danse jadis interdite à cause de ses mouvements des hanches plutôt osés et aux rythmes latino-américains, fait une entrée remarquée au début de 1990 en Amérique du Nord. Mais elle ne gagne pas la faveur populaire et disparaît moins d'un an plus tard. COMMENT se nomme cette danse dite très « collée » ?

LAMBADA

407) Avec QUELLE dénomination religieuse de QUEL pays le Vatican s'est-il réconcilié lors d'une visite officielle du pape Jean-Paul II dans ce pays étranger en 1981 ? Ainsi prenait fin une scission qui datait de 450 ans.

ANGLICANE - ANGLETERRE (Église d'Angleterre aussi acceptée)

408) Cette piste d'atterrissage construite à la fin des années 70 pour les navettes spatiales américaines a une longueur de 17 milles, la plus longue au monde. COMMENT se nomment la base et l'État où elle est située ?

EDWARDS - CALIFORNIE

409) Le revenu annuel brut d'un ménage moyen type (deux personnes ou plus) se situe en 1999 à 68 000 dollars en Ontario. De COMBIEN est-il au Québec ?

54 000 DOLLARS (jeu de 2 000 dollars + ou - alloué)

410) QUEL populaire comédien de la télévision américaine a écrit deux « best sellers », *Fatherhood* en 1986 et *Time Flies* en 1987 ?

BILL COSBY (ces deux livres ont dominé la liste des livres de non-fiction pour le nombre d'exemplaires vendus)

411) En 1978, la compagnie Sony nous donne le *Walkman*. Quatre ans plus tard, il nous offre un micro-téléviseur portable. QUEL nom lui est donné ?

WATCHMAN

412) QUEL nom a été donné à la nouvelle ère de musique rock lancée en Grande-Bretagne en 1977 par des groupes contestataires comme les *Sex Pistols* ?

PUNK

413) Le 19 juillet 1999, une première est enregistrée au sein de l'équipage dans une mission des navettes spatiales américaines. LAQUELLE ?

LE COMMANDANT DE LA MISSION EST UNE FEMME (Eileen M. Collins)

414) QUELLE province canadienne a atteint une population de 3 000 000 d'habitants au printemps de l'an 2000 ?

L'ALBERTA (4e plus populeuse après l'Ontario, le Québec et la C.-B.)

415) En 1990, la compagnie Pepsi Cola signe un contrat d'exclusivité de 10 ans de trois milliards de dollars avec le gouvernement d'U.R.S.S.. Mais une loi soviétique interdit le rapatriement des bénéfices aux États-Unis. QUEL produit soviétique Pepsi Cola accepte-t-il en échange de son produit ?

LA VODKA (marque Stolichnaya)

416) NOMMEZ la première ville d'Afrique à inaugurer un service de métro en 1987.

LE CAIRE (Égypte. Construit et financé par des intérêts français au coût de six milliards de francs)

417) COMBIEN de trophées Grammy ont été attribués au musicien-chanteur-compositeur Santana, égalant le chiffre record de Michael Jackson en 1983 ?

HUIT

418) Le stade Skydome de Toronto a été inauguré en 1989 au coût de plus de 500 000 000 de dollars, un chiffre supérieur de QUEL pourcentage à celui qui avait été prévu ? 0 %, 150 % ou 350 % ?

350 POUR CENT (on avait prévu le construire au coût de 150 000 000 de $)

419) L'Europe occupait en 1990 neuf des douze premières places des pays du monde possédant le plus grand nombre de fumeurs de cigarettes. LEQUEL était en tête du classement ? Pologne, Grèce, Suisse ou Espagne ?

GRÈCE (suivie de la Pologne. Le Japon était au 3e rang et le Canada, 7e)

420) QUEL néologisme français entré dans le vocabulaire à la fin des années 70, décrit bien les énormes profits encaissés par les trafiquants de stupéfiants ?

NARCODOLLAR

421) En 1950, les pays d'Asie comptaient pour 54.7 % de la population mondiale. En 1990, elle était passée à 58.8 %. Mais durant la même période, l'Europe a connu une diminution de son pourcentage mondial. Ainsi, de 15.6 % qu'il était en 1950, à QUEL pourcentage était-il passé en 1990 ?

9.4 POUR CENT (jeu de 1.6 % alloué)

422) NOMMEZ le virus qui a semé la confusion dans le monde de l'informatique à travers les cinq continents en 1999. Des milliers de systèmes de courriel ont été bloqués ou effacés par un Américain du New Jersey qui a été arrêté peu de temps après son méfait.

MELISSA (bonne réponse=1 point de plus)

423) QUELLE championne olympique de patinage artistique des États-Unis a donné naissance en 1976 à une nouvelle coupe de cheveux courts qui est rapidement devenue populaire en Amérique du Nord ?

DOROTHY HAMILL (championne olympique à Innsbruck en 1976)

424) Lorsque les magnétoscopes ont envahi le marché nord-américain au milieu des années 70, QUEL appareil populaire de prises de vue a perdu la faveur des consommateurs au début des années 80 ?

LA CAMÉRA 8 mm

425) QUEL titre portait le spectacle américain présenté en 1978 à New York et qui rassemblait plusieurs compositions du chanteur Jacques Brel ?

JACQUES BREL IS ALIVE AND WELL AND LIVING IN PARIS

426) OÙ a été construite la première centrale nucléaire au Québec en 1983 ?

GENTILLY II (située sur la rive sud du St Laurent à l'est de Trois-Rivières. Gentilly I a cessé de produire de l'électricité après l'ouverture de Gentilly II)

427) QUEL livre Mikhaïl Gorbatchev a-t-il publié en 1987 ?

PERESTROIKA (restructuration de l'économie)

428) QUELLE nation européenne a élu une star du cinéma porno en 1987 ? Un an plus tard, elle a perdu son immunité parlementaire après avoir été accusée d'avoir fraudé le fisc et commis des actes obscènes en public.

LA CICCIOLINA (veut dire « petit chou ». Vrai nom ; Ilona Staller. Lors du scrutin, elle est partie de la dernière position du Parti radical et a profité d'un vote divisé entre plusieurs candidats pour l'emporter) (B. rép.=3 pts de plus)

429) C'est en 1992 que le CRTC (Conseil de la radio et des télécommunications) abolit QUEL monopole alors détenu par Bell Canada ?

LES APPELS INTERURBAINS

430) NOMMEZ le compositeur et interprète anglophone québécois qui est devenu seulement le 2e artiste canadien après Bryan Adams à vendre plus d'un million d'exemplaires d'un album, *Boy in the Box*, en 1985.

COREY HART (il a remporté 5 trophées Félix en 1984 et 1985)

431) L'exercice du pouvoir au Québec de 1960 à 1976 est raconté dans ce livre, *Les Mandarins du pouvoir*, écrit par Jacques Benjamin et QUEL autre auteur québécois en 1978 ?

PIERRE O'NEILL (bonne réponse=1 point de plus)

432) Après avoir composé la comédie musicale *Les Misérables* en 1980, QUELLE autre œuvre musicale Claude-Michel Schönberg nous a-t-il donnée en 1990 ?

MISS SAIGON (bonne réponse=1 point de plus)

433) La médecine se donne une nouvelle méthode de détection en 1977 aux États-Unis grâce à l'IRM. QUE signifie cette abréviation ?

IMAGERIE PAR RÉSONANCE MAGNÉTIQUE

434) QUEL avion long-courrier commercial géant a été mis en service par plusieurs grandes lignes aériennes durant la 2e moitié des années 90 ? Construit aux États-Unis, ce bi-réacteur peut transporter plus de 400 passagers.

777 DE BOEING (à peine plus court que le 747)

435) Des 185 pays membres de l'ONU, cet important et riche pays était le dernier en 1999 à interdire l'usage de la pilule contraceptive ? NOMMEZ ce pays où l'interdiction a finalement été levée ?

LE JAPON (le pouvoir voulait éviter une chute du taux de natalité dans un pays où l'avortement est utilisé par un quart des femmes enceintes)

436) C'est en 1987 que la Cour suprême des États-Unis ordonne à QUEL club social d'admettre des femmes comme membres ?

ROTARY

437) QUEL auteur québécois a écrit en 1999 *On a assassiné Napoléon* ?

BEN WEIDER

438) Dépeint dans deux des albums de *Tintin*, ce personnage est le seul qui ait vraiment existé. En 1933, il avait rencontre Hergé à Bruxelles et l'avait conseillé pour ses albums *Le Lotus bleu* et *Tintin au Tibet*. QUI est ce personnage qui a retrouvé Hergé en 1981 après 48 ans d'absence ?

TCHANG (il avait été emprisonné en Chine durant la révolution culturelle)

439) Il y avait en 1988, 10 513 restaurants McDonald à travers le monde. Pour sa part, la compagnie Pepsi Cola exploitait 17 353 Kentucky Chicken, Taco Bell et QUELLE autre chaîne de restauration rapide spécialisée ?

PIZZA HUT

440 En 1999, les revenus générés par la cinquantaine de casinos, les loteries de tous les genres et les bingos ont atteint vingt-et-un milliards de dollars au Canada. QUEL pourcentage de ces revenus est revenu aux gouvernements provinciaux ? 23.4 %, 31.7 %, 40.1 % OU 48.6 % ?

31.1 % (les revenus ont triplé en six ans. Les revenus des casinos ont dépassé ceux des loteries en 1998)

441) QUEL âge avait l'ex-astronaute John Glenn lorsqu'il a décidé de retourner dans l'espace en 1998 à bord de la navette Discovery ?

77 ANS (36 ans après avoir été le premier Américain à se rendre en orbite)

442) QUELLE populaire chanteuse dont le succès avait été acquis en 1956, a fait comme ces trois hommes qu'elle avait aimés ; elle s'est suicidée. Dans son message d'adieu en 1987, elle écrit ; « *La vie m'est insupportable. Pardonnez- moi* ». Elle avait 54 ans.

DALIDA (de naissance égyptienne. Son premier succès avait été Bambino)

443) QUELLE œuvre littéraire a valu à la Canadienne Antonine Maillet le très convoité Prix Goncourt en 1978 ?

PÉLAGIE-LA-CHARETTE

444) QUEL opéra connu d'Hector Berlioz mais rarement joué fait les frais en 1990 de l'ouverture de la Place de la Bastille, nouvelle salle d'opéra parisienne ?

LES TROYENS (bonne réponse=1 point de plus)

445) QUELLE petite voiture d'allure sportive la compagnie Mazda a-t-elle mise sur le marché pour la somme de 13 800 dollars américains en 1989 ?

MIATA (elle est si populaire que le prix passe à 18 000 dollars en 9 mois)

446) La population du Canada est passée de 25 000 000 à 31 000 000 d'habitants entre 1983 et 1998, une augmentation de 400 000 par année. QUELLE a été l'augmentation annuelle de la France durant la même période ?

220 000 habitants (de 56 750 000 en 1983 à 60 000 000 en 1998) (jeu de 30 000 habitants + ou - alloué)

447) C'est en 1995 qu'a été inauguré le Temple de la renommée des artistes du rock and roll, un immense édifice au style architectural très futuriste. Dans QUELLE ville américaine a-t-il été construit ?

CLEVELAND (sur le bord du lac Érié) (bonne réponse=1 point de plus)

448) C'est en 1989 que cette drogue très à la mode dans l'Ouest des États-Unis, se retrouve sur la côte Est. QUEL nom donne-t-on à cette drogue dont la dépendance de ses usagers est plus grande que celle de la cocaïne ?

ICE (bonne réponse=1 point de plus)

449) QUELLE compagnie de films a mis sur le marché en 1987 un appareil photo jetable ? Il ne coûte que le prix du film plus un dollar.

FUJI

450) À COMBIEN a-t-on estimé la fortune de Bill Gates au milieu de l'an 2000 ? 60, 100 OU 140 milliards de dollars ?

CENT MILLIARDS (l'homme le plus riche au monde, dit-on)

451) Le nombre d'avortements pratiqués au Québec en 1998 atteint un niveau sans précédent. QUEL a été le pourcentage d'avortements par opposition au chiffre des naissances vivantes cette année-là : 38.1 %, 44.4 % ou 51.6 % ?

38.1 % (28 833 avortements en 98, un des plus hauts taux en Occident)

452) QUI accompagnait la princesse Grace de Monaco au moment de l'accident de voiture qui a coûté la vie à l'épouse du prince Rainier en 1982 ?

LA PRINCESSE STÉPHANIE (fille de Grace)

453) C'est aux États-Unis qu'a été présentée l'Exposition universelle de 1984. Pour la première fois, elle portait le nom d'un État et non d'une ville. Un État où le mot d'ordre des premiers habitants est « *Laissez le bon temps vous gagner* », expression répétée par le gouverneur de l'État lors de l'ouverture ; *Let the Good Times Roll.* NOMMEZ cet État.

LOUISIANE

454) Selon l'Organisation mondiale de la santé, un sixième de la population mondiale fait de l'embonpoint. Ces sont les Américains qui sont les plus gros pour ne pas dire obèses. QUEL est le pourcentage des Américains qui présentaient un surpoids en 1998 ?

CINQUANTE-CINQ POUR CENT (et 25 % sont obèses) (jeu de 5 % +/- alloué)

455) COMMENT se nomment les récompenses remises annuellement depuis 1986 aux meilleurs artistes de la chanson francophone à Paris ? QUELLE chanteuse québécoise en a gagné une en 1998 ?

VICTOIRES DE LA MUSIQUE - LAURA FABIAN (2 bonnes rép.=3 points)

456) En l'an 2000, la musique populaire fait une place prépondérante aux artistes d'origine hispanophone. Les plus connus sont Jennifer Lopez, Ricky Martin, Marc Anthony, Carlos Santana et QUEL autre, fils d'un chanteur de réputation internationale des années 60, 70 et 80 ?

ENRIQUE IGLESIAS (fils de Julio Iglesias)

457) QUEL ex-ministre dans le cabinet de Pierre-Elliott Trudeau a publié en 1983 le livre intitulé *Les Années d'impatience, 1950-1960 ?*

GÉRARD PELLETIER (une des 3 colombes avec Trudeau et Jean Marchand)

458) Le plus long pont du Canada a été inauguré en 1997 entre les rives des provinces du Nouveau-Brunswick et de l'Île-du-Prince-Edouard. D'une longueur de plus de 11 kilomètres, il est 19 fois plus long que le pont Pierre Laporte de Québec. QUEL nom porte-t-il ?

PONT DE LA CONFÉDÉRATION

459) QUI est devenu en 1999 le deuxième Québécois à atteindre le sommet du mont Everest ?

BERNARD VOYER (Yves Laforest avait été le premier en 1991)

460) C'est en 1992 que les musulmans ont dépassé les catholiques au chapitre du plus grand nombre de fidèles à travers le monde. QUEL pourcentage de la population mondiale détenaient-ils en 1997 ? 19.6 %, 27.5 % ou 32.3 % ?

19.6 % (catholiques, 18.9 %, hindouistes, 13.6 %, protestants, 7.5 %)

461) Le dollar canadien a connu une dégringolade spectaculaire de 9.8 cents en l'espace d'une année entre la fin de 1997 et la fin de 1998 pour atteindre la valeur la plus basse de son histoire contre le dollar américain. LAQUELLE ?

63.47 CENTS (jeu de 1 cent + ou - alloué)

462) En 1992 au Stade olympique de Montréal, la foule manifeste bruyamment lorsque les membres d'un populaire groupe rock décide d'écourter leur spectacle. S'ensuit une manifestation violente qui fait une douzaine de blessés. QUEL est le nom de ce groupe rock ?

GUNS N' ROSES

463) Après deux semaines de pluies torrentielles, des avalanches de boue charriant des rochers et des troncs d'arbres, s'abattent sur plusieurs villes de ce pays d'Amérique du Sud dont la capitale en 1999. Plus de 40 000 personnes y perdent la vie et 400 000 autres sont sans abri. NOMMEZ-le.

VÉNÉZUÉLA (l'archevêque de Caracas, Mgr Ignacio Velasco, déclare que la colère de Dieu a ainsi puni le président Hugo Chavez pour ses péchés)

464) Cet accessoire d'ordinateur mis sur le marché par la compagnie Apple en 1983 est devenu quasi indispensable par la suite. NOMMEZ-le.

LA SOURIS

465) NOMMEZ le chef d'orchestre de 25 ans qui a succédé à Joseph Rescigno à la direction de l'Orchestre métropolitain (région de Montréal) en 2000.

YANNICK NÉZET-SÉGUIN (bonne réponse=1 point de plus)

466) POURQUOI l'astronaute américain Guion Bluford est-il passé à l'histoire en 1983, plus de 20 ans après John Glenn, premier Américain à orbiter la terre ?

IL A ÉTÉ LE PREMIER NOIR À SE RENDRE DANS L'ESPACE

467) En 1990, les Noirs représentent 12.1 % de la population des États-Unis et les Hispaniques, 9.0 %, un total de 42 350 000 personnes. QUELLE origine représente plus de la moitié de la population hispanique ?

MEXICAINE (suivie des Porto-Ricains et des Cubains)

468) En faisant l'acquisition de 20 % des actions de la compagnie d'automobiles Fiat en mars 2000, le géant américain General Motors hérite aussi du même nombre d'actions dans la fabrication de deux autres marques de voitures italiennes sous le contrôle de Fiat ; Lancia et QUELLE autre ?

ALFA ROMÉO

469) QUEL homme d'affaire québécois a ouvert le premier casino au Canada ? C'était en 1989 à l'hôtel Fort Gary de Winnipeg ?

RAYMOND MALENFANT (il avait acheté l'hôtel peu de temps avant)

470) QUELLE chanteuse américaine a réussi après 8 ans d'efforts à atteindre le premier rang du palmarès en 1984 avec la chanson *What's Love Got To Do With It ?*

TINA TURNER

471) QUEL âge avait Elvis Presley lorsqu'il est mort en 1977 ?

QUARANTE-DEUX ANS

472) Accablant, consternant, inquiétant. Autant de qualificatifs pour décrire le constat de l'intérêt des Français pour la lecture. Un sondage du quotidien Le Monde et du club France-Loisirs révèle un pourcentage étonnamment élevé de personnes n'ayant pas un seul livre en cours de lecture. QUEL est ce pourcentage ? Est-ce 65 %, 73 % ou 80 % ?

SOIXANTE-CINQ POUR CENT (22 % des Français lisent occasionnellement)

473) Après l'écrasement du Concorde d'Air France en juillet 2000, COMBIEN d'avions supersoniques de ce type demeuraient encore en service avec les compagnies Air France et British Airways ? 6, 13, 18 ou 24 ?

TREIZE (ils avaient commencé leurs vols commerciaux en 1976)

474) NOMMEZ le mannequin canadien féminin qui a acquis une réputation internationale depuis 1997 après avoir été membre de l'équipe nationale de nage synchronisée. Un de ses lucratifs contrats qui lui rapportent entre 50 000 et 100 000 mille dollars par jour, a été conclu avec la compagnie Chanel.

ESTELLA WARREN (bonne réponse=2 points de plus)

475) Les autorités de cette ville européenne ont décidé en 1990 d'interdire l'accès de QUELLE structure très populaire auprès des touristes à cause d'un danger d'écroulement ?

LA TOUR DE PISE (Italie. Elle devrait accueillir les touristes à l'été de 2001)

476) QUEL chanteur-compositeur a reçu trois trophées lors du gala de l'ADISQ en 1984 pour sa chanson *Tension Attention ?*

DANIEL LAVOIE

477) QUEL était en 1997 le pourcentage d'athées et d'agnostiques dans le monde ?

VINGT POUR CENT (jeu de 3 % + ou - alloué)

478) QUEL a été le coût véritable de construction des installations olympiques de la ville de Montréal en 1976 ? Le grand stade à lui seul représente 68 % du coût total.

1 476 100 000 DOLLARS (dont 996 646 000 de dollars pour le stade. En 1999, la RIO annonçait que la dette olympique serait éliminée en 2006) (Jeu de 150 millions de dollars + ou - alloué)

479) QUEL homme politique québécois a écrit en 1988 *Lendemains piégés : du référendum à la « Nuit des longs couteaux » ?*

CLAUDE MORIN

480) Elle porte le nom de *Bourane*. En 1988, lancée du centre spatial de Baïkonour en URSS, elle fait le tour de la terre deux fois, sans équipage. De QUOI s'agit-il ?

NAVETTE SPATIALE (1er essai. Un vol de 3 h et 25 min.)

481) Gagnante du concours Miss America en 1983, elle devenait la première Noire à remporter cet honneur. Puis elle a été dépouillée de son titre peu de temps après pour avoir posé nue dans un magazine. Depuis ce temps, elle a enregistré un album millionnaire, *The Right Stuff* et deux autres de platine. Elle a aussi joué avec brio dans le film de 1997, *Soul Food*. QUI est-elle ?

VANESSA WILLIAMS (bonne réponse=1 point de plus)

482) On dit de ce palais au dôme doré, qu'il est le plus vaste au monde actuellement. Sa construction a été terminée en 1984 au moment où la Grande-Bretagne accordait l'indépendance à ce territoire dirigé par un chef musulman pour le moins excentrique. Le palais a 1 788 pièces, toutes climatisées, peut accueillir 4000 invités et dispose de 800 places de stationnement intérieur. OÙ est situé ce palais ?

BRUNEI DARUSSALAM (Asie du Sud-Est. Du sultan Haji Hassnal Bolkiah Mu'izzadin Waddaulah)

483) Plus de 400 pèlerins sont morts en 1987 à La Mecque en Arabie Saoudite lorsque la police a voulu interdire une manifestation politique menée par des islamistes iraniens à l'occasion du plus important pèlerinage de l'année dans la ville sainte des musulmans. QUEL nom porte ce pèlerinage ?

HADJ (Hadji aussi accepté) (bonne réponse=2 points de plus)

484) QUEL est le nom du voilier québécois piloté par Rhéal Bouvier à avoir réussi le passage du Nord-Ouest canadien entre 1976 et 1979 ? Ce voilier demeure à ce jour le plus petit bateau à avoir réussi cet exploit.

J. E. BERNIER II (en 1909, le capitaine Joseph-Elzéar Bernier avait réussi ce périple et avait revendiqué tout le territoire arctique au nom du Canada)

485) Ce n'est qu'en 1988 qu'un monarque de l'Angleterre, la reine Élisabeth II, a rendu visite officiellement pour la première fois de l'histoire au souverain de ce pays d'Europe. LEQUEL ?

L'ESPAGNE (la grand-mère du roi Juan Carlos d'Espagne était la petite-fille de la reine Victoria)

486) La fusée commerciale la plus puissante au monde n'est pas américaine. Elle est une réalisation d'un consortium de douze pays européens et est utilisée pour le lancement de 65 % de tous les satellites de communications dans l'espace depuis 1996. QUEL est le nom de cette fusée ?

ARIANE V (lancée de la base de Kourou en Guyane française en Amérique du Sud) (Un point de plus pour le V)

487) QUELLE voiture dite « musclée », 400 cv, 8-litres V-10, la compagnie Chrysler a-t-elle mise sur le marché en 1992 ? Pour 55 000 dollars américains, elle fait le malheur des environnementalistes mais la joie des clients « machos ».

VIPER (elle ne fait que 6.0 km en vitesse de croisière au litre d'essence)

488) En 1989, Luc Plamondon et Michel Berger composent un nouvel opéra-rock consacré aux mythes d'un célèbre jeune acteur de Hollywood. QUEL titre ont-ils donné à cette œuvre musicale ?

LA LÉGENDE DE JIMMY (James Dean)

489) QUEL pays de l'Europe de l'Ouest a été le premier à légaliser l'euthanasie en 1993 ? La Suède, les Pays-Bas, l'Allemagne, la Pologne ou le Danemark ?

PAYS-BAS

490) En 1985, des scientifiques britanniques ont confirmé ce qu'ils avaient observé en 1977, à savoir que la couche d'ozone au-dessus de l'Antarctique avait été trouée dans une proportion de 40 %. En 5 ans, cette couche avait perdu 2.5 % de sa protection autour de la terre. Contre QUEL danger cette couche d'ozone nous protège-t-telle ?

RAYONS ULTRAVIOLETS DU SOLEIL

491) De tous les véhicules vendus par les fabricants américains et étrangers d'automobiles et de camions aux États-Unis durant les six premiers mois de l'an 2000, QUEL pourcentage des ventes a été enlevé par les camionnettes (mini-vans), véhicules utilitaires (4 X 4) et petits camions (pick-up) ?

49.5 % (84 % de ce total aux Américains et 13 % aux Japonais)

492) La guerre impitoyable des trafiquants de drogue colombiens reprend de plus belle en 1992 entre le clan de Medellin et QUEL autre cartel ?

CALI

493) QUEL service de transport jadis très populaire a pris fin en 1981 à la grande déception des amateurs de ski et des amoureux de la nature laurentienne ?

LE P'TIT TRAIN DU NORD (du Canadien Pacifique. Il faisait le trajet entre Montréal et les Laurentides. L'autoroute des Laurentides l'a remplacé)

494) Après avoir été observée pour la première fois du 2e millénaire en l'an 1066, elle n'est revenue que 920 ans plus tard en 1986. De QUOI s'agit-il ?

COMÈTE DE HALLEY (du nom d'un célèbre astronome britannique)

495) En 1987, le Canadien Wayne Flatley lance un substitut (pour certains, un complément) aux traditionnels petits déjeuners composés de céréales, de fruits , de rôties ou d'œufs et bacon. En 1993, il attaque le marché canadien. Le succès de son entreprise se traduit par une hausse de 160 pour cent de ses ventes à la fin du siècle. QU'A-t-il inventé ?

LE BAGEL (qui a fait chuter les ventes de muffins de 20 %. Son entreprise, la Great Canadian Bagel, détient 60 % du marché canadien des bagels)

496) Entre février et août 1994, l'écrivain québécois Jean-François Lisée a publié deux volumes consacrés à Robert Bourassa, premier ministre du Québec de 1970 à 1976 et de 1985 à 1993. Le premier avait pour titre *Le Tricheur.* QUEL titre Lisée a-t-il donné au second livre ?

LE NAUFRAGEUR

497) En 1980, la chanteuse Barbra Streisand a connu un succès fou avec un album de chansons, dont *Woman in Love*, toutes composées par deux frères dont la notoriété avait été acquise entre 1967 et 1979 alors qu'ils faisaient partie du groupe des Bee Gees. NOMMEZ l'album de Streisand ainsi que les noms des deux frères compositeurs.

GUILTY (disque platine) (bonne rép.=2 pts) - ROBIN ET BARRY GIBB (prénoms et nom de famille=3 pts)

498) Une nouvelle devise monétaire voit le jour en Argentine en 1992 alors que *l'austral* est remplacée par QUELLE monnaie ?

LE PESO (équivaut à un dollar américain)

499) QUEL pourcentage de la population mondiale ne possédait pas encore le téléphone en l'an 2000 ? 30 %, 45 %, 60 % ou 70 % ?

70 POUR CENT (la majorité en Asie et en Afrique où réside environ 73 % de la population mondiale)

500) QUELLE princesse a remporté en 1986 le disque d'Or pour son interprétation de la chanson *Ouragan ?* Ce 45-tours s'est vendu à plus de 500 000 exemplaires.

STÉPHANIE (de Monaco. Elle avait alors 21 ans)

501) C'est en 1985 que le premier mariage mixte (interracial) de l'histoire de ce pays a été célébré officiellement. Jusque-là, un acte « d'immoralité » interdisait toute union de races différentes. NOMMEZ ce pays.

L'AFRIQUE DU SUD (un Zoulou a épousé une Américaine blanche)

502) Dans QUELLE ville les ténors Luciano Pavarotti, Placido Domingo et Jose Carreras ont-ils donné un troisième concert en plein air en 1998 après ceux de Rome et de Los Angeles en 1990 et 1994 ?

PARIS (chaque fois, à l'occasion de la coupe du Monde de soccer)

503) Dans LAQUELLE des 25 plus grandes villes américaines en coûte-t-il le plus cher depuis le début des années 80 pour acheter une maison unifamiliale de dimension moyenne ; une somme de 331 000 dollars en 1999 ? Est-ce San Francisco, New York, Washington, Boston ou Los Angeles ?

SAN FRANCISCO (New York ; 197 000, Boston ; 212 000, Washington ; 168 000, Los Angeles ; 185 000. Les moins chères ; Pittsburgh et Tampa ; 89 000)

504) Après avoir ajouté les marques de voitures Jaguar et Volvo à son répertoire, la compagnie Ford a acheté un autre véhicule luxueux pour la somme de deux milliards sept cents millions de dollars de BMW en 2000. LEQUEL ?

LAND ROVER (véhicule utilitaire britannique acheté par BMW en 1997)

505) Le nombre de mariages allant de plus en plus en diminuant au Québec, le nombre de naissances hors du mariage a atteint en 1997 un pourcentage sans précédent. LEQUEL ? 51 %, 63 % ou 75 % ?

63 POUR CENT

506) QUELLE romancière britannique, décédée en 2000 à l'âge de 98 ans, a été la championne du roman, tant pour le nombre écrit, 723, que pour le nombre vendu, plus d'un milliard d'exemplaires ?

BARBARA CARTLAND (ses livres ont été traduits en 36 langues. Tous avaient un dénouement heureux) (Bonne réponse=2 points de plus)

507) Entre 1981 et l'an 2000, la population du Canada est passée de 24 350 000 à 31 300 000, une augmentation de 22.2 % en 19 ans. Durant cette même période, QUEL a été le pourcentage d'augmentation du Québec ?

QUATORZE POUR CENT (de 6 440 000 en 1981 à 7 450 000 en 2000)

508) QUELLE chanteuse pop canadienne a été la plus jeune à recevoir un trophée Grammy en 1995 ? En fait, elle en a gagné deux ; celui de meilleur album et celui de meilleure interprète féminine pour sa chanson *You Oughta Know.* Elle n'avait alors que 21 ans.

ALANIS MORISSETTE (album Jagged Little Pill)

509) Lorsque le gouvernement de René Lévesque a adopté la loi 101 sur la langue au Québec en 1977, il imposait aux Québécois une loi moins rigide et un peu plus conciliante envers les anglophones que la charte de la langue française qui avait été soumise à l'Assemblée nationale moins de trois mois plus tôt. QUEL nom (numéro) portait le premier bill (loi) alors soumis à l'Assemblée ?

LOI (bill) UN

510) En 1998, 84.4 % des exportations canadiennes étaient dirigées vers les États-Unis. QUEL pays se classait très loin au 2e rang avec 2.9 % de nos exportations ? La France, le Japon, la Grande-Bretagne ou l'Allemagne ?

LE JAPON (Grande-Bretagne, 3e, Allemagne, 4e, la France, 7e avec 0.5 %)

LES OUBLIÉES TOUS AZIMUTS

Chapitre VI

« L'avion est un jouet intéressant mais n'a aucune valeur sur le plan militaire ».

Ferdinand Foch, maréchal français, 1910

« Les femmes n'arrivent pas à comprendre pourquoi les hommes les détestent tant ».

Germaine Greer, auteure et féministe américaine notoire, 1971

« Les grandes nations se sont toujours comportées comme des « gangsters » et les petites comme des « prostituées ».

Stanley Kubrick, producteur de films américains. Déclaration faite au quotidien britannique The Guardian en 1963.

« Je suis tellement vieux que je me souviens de l'époque où l'air était pur et que le sexe était sale ».

Milton Berle, comédien, 1988.

« La perfection n'a qu'un seul grand défaut ; elle se conjugue facilement avec l'ennui ».

Somerset Maugham, romancier britannique, 1938.

« Un parti commence à se décomposer dès qu'il prend le pouvoir ».

Lise Payette, romancière et ex-ministre péquiste. 1999

SYNOPSIS

Ce chapitre, qu'on ne retrouve pas dans les trois premiers tomes des 10 001 questions, est une prime. Tout au long des 42 mois de recherches, de rédaction et de révisions, je me demandais sans cesse ; « Qu'ai-je oublié ? » Ce sixième chapitre répond en partie à la question car faut-il l'avouer, on ne peut pas répertorier tous les événements et tous les noms qui ont marqué notre fabuleux XXe siècle. Certes, des choix arbitraires ont été faits, si bien que des événements ont été laissés de côté. Il en a été de même pour des noms. J'ai toujours compris qu'on ne pouvait pas plaire à tous. Cela étant, la crainte d'en oublier me hantait. Qu'on me reproche d'avoir fait de mauvais choix, soit. Mais d'avoir oublié de rappeler au moins l'essentiel sans tomber dans la facilité, m'apparaissait impardonnable. J'ai donc décidé de consacrer 201 questions aux Oubliées. J'ai aussi choisi une expression chère au général De Gaulle, « tous azimuts » et qui veut dire « venant de partout » pour coiffer ce chapitre « toutes catégories ».

Ce sixième chapitre est le fruit d'un exercice rigoureux de mémoire et d'un blitz dans mes outils de référence. Loin de moi la prétention de n'avoir absolument rien oublié. C'est là une tâche impossible à réaliser, même pour un historien ou un bénédictin. Notre siècle a été si fertile en événements dans ce monde sans cesse en ébullition qu'il aurait fallu une armée de recherchistes pour faire le bilan. Et encore. Mais je me suis entêté et essayé. À vous de juger.

Je tiens à offrir mes remerciements à mes proches et amis, tous amants de l'histoire, pour leur encouragement, appui et conseils prodigués tout au long de ces 42 mois de gestation, de recherches et de rédaction. Sans leur contribution, j'aurais peut-être tout lâché quelque part entre les deux grands conflits mondiaux. Un merci tout particulier s'adresse à Gilles Proulx, Paul Houde, Daniel Johnson, Jacques Laurin et Michel Desrochers pour leurs propos évoqués dans les préfaces ou ailleurs dans ces quatre tomes.

Et maintenant, je dois vous quitter. Le 21e siècle m'attend.

DEGRÉ DE DIFFICULTÉ - Moyen

NOMBRE DE QUESTIONS - 201

NOMBRE RÉSERVÉ AU CANADA - 67 (dont 38 au Québec)

POURCENTAGE SUR 201 - 33.3 %

1) De 1943 jusqu'à la fin de la guerre en Europe, ce populaire produit de consommation américain a été distribué aux soldats américains grâce à 60 usines installées dans les pays occupés par les Alliés. QUEL était ce produit ?

COCA COLA (il suivait les soldats dans leur avance en territoire ennemi)

2) À COMBIEN de finales de la coupe Grey les Alouettes de Montréal ont-ils participé entre 1946, date de leur entrée dans la ligue et 1986, leur dernière saison avant de revenir au milieu des années 90 ? Et COMBIEN de fois ont-ils gagné la coupe Grey ?

DIX FOIS (49,54,55,56,70,74,75,77,78,79) (jeu de 1 fois + ou - alloué) QUATRE FOIS (49,70,74,77) (aucune marge allouée) (3 pts pour les 2 rép.)

3) La Québécoise Tancrède Jodoin devient la première femme à accéder à QUEL poste du gouvernement canadien en 1953 ?

SÉNATEUR (ou sénatrice. Elle a choisi de garder le nom de son mari)

4) QUEL président américain a obtenu durant le 20e siècle, le plus grand nombre de votes lors d'une élection présidentielle ? Et en QUELLE année ? Franklin Roosevelt (1932-36-40-44), Dwight Eisenhower (1952-56), Richard Nixon (1968-72) Ronald Reagan (1980-84) OU Bill Clinton (1992-1996) ?

RONALD REAGAN - 1984 (54,450,000 votes. 2e, George Bush, 1988, 48,881.000)

5) NOMMEZ celle qui a présidé la commission mandatée par les Nations-Unies pour faire accepter par l'Assemblée générale de l'ONU la Déclaration universelle des droits de la personne. Après plus de 2 ans de débats, le résolution a été acceptée majoritairement en 1948 grâce aux efforts inlassables de cette femme.

ELEANOR ROOSEVELT (veuve de l'ex-président Franklin Roosevelt)

6) La chanson française de 1975, *Les Vieux mariés*, est un succès de QUEL interprète-compositeur ?

MICHEL SARDOU

7) Entre 1905 et la fin du siècle, seulement deux marques de voiture ont dominé le classement des véhicules américains les plus vendus en Amérique du Nord. NOMMEZ ces deux marques, tous modèles confondus (et non les compagnies).

CHEVROLET (51 ans)FORD (40 ans) (la Oldsmobile a dominé entre 1902 et 1904. La Chevrolet n'est arrivée sur le marché qu'en 1911 et n'a capturé le 1er rang qu'en 1928) (1 point par bonne réponse)

8) QUELLE station de radio québécoise a été la première au Canada à diffuser des émissions régulières sur la bande FM au début des années 50 ? À noter qu'à l'époque et jusqu'à la fin des années 60, les stations FM portaient le même indicatif que leurs stations-mères AM auxquelles on ajoutait les lettres FM.

CKVL-FM, VERDUN (est devenue CKOI durant les années 70)

9) QUEL traité a été signé entre la Russie et l'Allemagne en mars 1918 mettant fin à la guerre entre les deux nations ? Selon les termes de ce traité, la Russie perdait 800 000 kilomètres de territoires et les États de Finlande, de Pologne, de Lettonie, d'Estonie et de Lituanie voyaient le jour.

   BREST-LITOVSK (qualifié de honteux par Lénine qui l'annulle le 10 nov. 1918)

10) NOMMEZ la femme qui, après la mort de son mari en 1946, est devenue la première femme à accéder au poste de rédactrice en chef d'un quotidien à fort tirage, en l'occurence le *Washington Post*. Quelques années plus tard, elle ajoutera le magazine *Newsweek* à son groupe de presse.

    KATHARINE GRAHAM (bonne réponse=3 points de plus)

11) Un sondage fait auprès de 200 membres de l'Institut du film américain révèle leurs choix des 100 meilleurs films du 20e siècle. *Citizen Kane*, production de 1941 d'Orson Welles, est choisi au premier rang. QUEL film des années 40 a pris la 2e place ?

    CASABLANCA (1942. The Godfather I (3è) et Gone with the Wind (4e)

12) QUI détient le record de longévité au poste de premier ministre de Grande-Bretagne au 20e siècle ?

    MARAGRET THATCHER (11 ans. De 1979 à 1989)

13) Approximativement COMBIEN de soldats et de civils ont été tués durant les guerres et autres conflits armés durant le 20e siècle ? 60 000 000, 100 000 000, 140 000 000 OU 180 000 000 ?

    180 000 000 (plus de soixante pour cent ont péri durant les deux grandes guerres et les purges et révolutions en URSS et en Chine)

14) QUEL comédien remarquable jouait le rôle du premier ministre Wilfrid Laurier dans la mini-série télévisée par Radio-Canada au milieu des années 80 et consacrée à la vie de ce célèbre Canadien ?

    ALBERT MILLAIRE

15) C'est en 1960 que la ville d'Islamabad est devenue la capitale du Pakistan. Mais de 1947, année de la création de l'État pakistanais, jusqu'à 1960, il y avait une autre capitale. NOMMEZ-la.

    KARACHI

16) Fondé en 1945 par l'américaine Helen Gordon, ce magazine français s'inspire de modèles américains. Son tirage passe de 115 000 exemplaires en 1945 à 500 000 en 1950 et fait scandale en 1951 en révélant qu'un quart des Françaises ne se brossent jamais les dents. QUEL nom porte ce magazine ?

    ELLE

17) Après avoir lancé le groupe Genesis en 1967, ce musicien-chanteur quitte le groupe en 1975. QUI était-il et QUI lui a succédé ?

    PETER GABRIEL - PHIL COLLINS (1 point par bonne réponse)

18) *« La démocratie, c'est bien. Si je le dis, c'est parce que tous les autres systèmes sont pires ».* Cette déclaration a été faite par un grand homme politique peu de temps après que son pays d'Asie ait obtenu son indépendance à la fin des années 40. QUI est-il ? Et NOMMEZ le pays.

JAWAHARLAL NEHRU - INDE (dont il était le premier ministre)

19) QUEL pionnier de 1927 a été surnommé *L'Aigle solitaire (The Lone Eagle)* ?

CHARLES LINDBERGH

20) Il a fallu 23 tours de scrutin en 1960 avant que cet ex-directeur-gérant d'une équipe professionnelle de Los Angeles devienne commissaire de QUEL sport ? Et QUI était-il ?

FOOTBALL - PETE ROZELLE (il succédait à Bert Bell, décédé en 1959)

21) QUEL général américain a été défait comme candidat à l'investiture du parti républicain lors de la primaire de son État natal, le Wisconsin, au début de 1948 ? Il était absent au moment du scrutin après avoir déclaré qu'il acceptait que son nom soit au nombre des candidats mais que jamais il ne solliciterait ouvertement la candidature.

DOUGLAS MACARTHUR (alors commandant suprême des forces alliées en Asie)

22) QUELLE particularité concernant la soirée des Oscars les acteurs Woodie Allen, Clint Eastwood, Robert Redford, Kevin Costner, Warren Beatty et Richard Attenborough ont-ils en commun ?

ILS ONT GAGNÉ CHACUN UN OSCAR À TITRE DE MEILLEUR RÉALISATEUR MAIS JAMAIS COMME MEILLEUR ACTEUR

23) QUI a été l'architecte des 17 pavillons de l'Université de Montréal au style art déco dont la construction a débuté durant les années 20 pour se terminer en 1950 ? Il était aussi ingénieur.

ERNEST CORMIER (bonne réponse=2 points de plus)

24) La comédienne Louisette Dussault a été populaire auprès des enfants entre 1966 et 1972 grâce à son rôle de QUI à la télévision québécoise ?

LA SOURIS VERTE

25) Ce philanthrope suisse a été le principal fondateur de la Croix Rouge en 1864. Il a été proclamé récipiendaire du prix Nobel de la paix en 1901. QUI était-il ?

HENRI DUNANT (bonne réponse=3 points de plus)

26) Trente-trois pour cent de toute la production canadienne était destinée à l'exportation à la fin du 20e siècle. QUEL pourcentage de cette exportation allait aux États-Unis ?

QUATRE-VINGT-CINQ POUR CENT (jeu de 3 % + ou - alloué)

27) C'est un pilote allemand, Erich Hartmann, qui a réussi à abattre le plus grand nombre d'avions de toute la 2e guerre mondiale. Il a volé dans 1425 missions et a livré 800 combats aériens. COMBIEN d'avions a-t-il abattus ?

352 (avec son ME-109,il a survécu à la guerre) (jeu de 52 avions +/- alloué)

28) Wayne Gretzky et Mike Bossy ont tous les deux réussi neuf saisons chacun de 50 buts ou plus entre 1978 et 1989. NOMMEZ les trois joueurs qui sont au 2e rang avec chacun 6 saisons chacun de 50 buts ou plus entre 1977 et 1997 ?

MARCEL DIONNE, GUY LAFLEUR ET MARIO LEMIEUX (1 pt par bonne rép.)

29) Entre 1932 et 1996, onze différents présidents ont dirigé les États-Unis. COMBIEN d'entre eux avaient précédemment gagné la primaire du New Hampshire, neuf mois avant les élections présidentielles ? 3, 6, 8 ou 10 ?

DIX

30) En 1971 et 1972, deux groupes vocaux se disputent le nom de famille de chanteurs le plus populaire aux États-Unis ? Leurs disques se vendent par millions. Une famille est composée de sept membres et l'autre de cinq. QUELS sont leurs noms de groupe artistique ?

THE OSMONDS (dont Donny et Marie) - JACKSON 5 (dont Michael)

31) Il en a coûté environ 135 000 milliards de dollars aux nations du monde pour faire QUOI environ 200 fois durant le 20e siècle ?

LA GUERRE

32) Entre 1900 et 1999, COMBIEN d'années les Libéraux ont-ils conservé le pouvoir au parlement d'Ottawa ? 53, 61, 68, OU 74 ans ?

SOIXANTE-HUIT ANS (Laurier, King, St Laurent, Pearson, Trudeau, Chrétien)

33) NOMMEZ la première personne de race noire à avoir droit à un défilé appelé *« Ticker Tape Parade »* dans les rues de New York en 1957.

ALTHEA GIBSON (championne de tennis à Wimbledon) (b. rép.= 3 pts de +)

34) LEQUEL de ces pays possédait à la fin de 1999 le plus grand nombre d'habitants âgés de 65 ans et plus, un pourcentage de 17.50 % de sa population ; France, Suède, Espagne, Belgique, Japon ?

SUÈDE (suivie de la Belgique et de l'Espagne. Le Canada ; 12.75 %)

35) QUELLE a été la première émission de télévision américaine à être doublée en français pour la télévision de Radio-Canada en 1954 ?

PAPA A RAISON (Father Knows Best) (bonne réponse=1 point de plus)

36) Après Marylin Bell et Cindy Nicholas, une autre prodigieuse nageuse canadienne s'est attaquée à la traversée du lac Ontario à la nage. Mais en 1988, elle a poussé le défi plus loin, celui de faire la traversée des cinq Grands lacs à la nage. Ce qu'elle a réussi. QUI est-elle ?

VICKI KEITH (de Winnipeg. Elle a aussi fait la traversée de la Manche et du détroit de Juan de Fuca) (bonne réponse=2 points de plus)

37) Durant la 2e moitié des années 60, on a vécu la génération des *« beatniks »* d'Alan Ginsberg, de Jack Kerouac et de QUEL autre auteur connu ?

NORMAN MAILER

38) Eleanor Roosevelt, épouse du président Franklin Delano Roosevelt, a été proclamée 14 fois «*femme la plus admirée aux États-Unis*» durant les années 40 et 50. Elle est décédée en 1962. QUEL était son nom de fille ?

ROOSEVELT (elle était une cousine lointaine de son mari)

39) QUEL jeune golfeur de 20 ans, vendeur dans un magasin et cadet (caddie) à ses heures dans la région de Boston, a gagné l'Omnium de golf des États-Unis après une prolongation de 18 trous contre deux finalistes britanniques dont le célèbre Harry Vardon en 1913 à Brookline près de Boston ? Son nom est de descendance franco-américaine.

FRANCIS OUIMET

40) Lorsque son mari, un Québécois alors ministre fédéral, a été battu aux élections de 1968, elle s'est présentée aux élections de 1972 et a gagné. De QUI s'agit-il ?

JEANNE SAUVÉ (Libérale dans la circonscription d'Ahuntsic)

41) En 1944, le général Charles de Gaulle est venu faire une courte visite au Canada. Après avoir livré un discours sur la colline parlementaire à Ottawa, il s'est rendu à Montréal. Du balcon de QUEL édifice a-t-il livré son discours aux Montréalais ? Et QUELLES ont été ses dernières paroles ?

HÔTEL WINDSOR - «VIVE LE CANADA, VIVE LA FRANCE» (2 b. rép.=3 pts)

42) COMBIEN de soldats canadiens ont été fusillés pour lâcheté ou désertion durant le premier conflit mondial entre 1914 et 1918 ? 5, 25, OU 45 ?

VINGT-CINQ (la G-Bretagne a été la plus impitoyable avec 366 exécutions. Les États-Unis n'ont exécuté qu'un seul soldat et l'Allemagne, 55)

43) COMMENT a-t-on appelé le mouvement *hippie* lancée en 1965 à San Francisco et prônant la paix et l'amour ? Il dénonçait en même temps le conformisme de la bourgeoisie et s'était donné l'expression «*flower power*» pour faire valoir les convictions pacifistes de ses adeptes. En trois ans, toute l'Amérique et l'Europe occidentale étaient atteintes par ce mouvement de «*peace and love*».

CONTRE-CULTURE

44) Les Américains l'ont baptisée «la route-mère» (*The Mother Road*). Construite durant les années 20, elle reliait la ville de Chicago à celle de Los Angeles. Avant d'être fermée en 1985, elle était la route la mieux connue aux États-Unis. Une chanson et une émission de télévision portaient son nom. LEQUEL ?

ROUTE 66

45) NOMMEZ cet important pays d'Amérique latine dont la nouvelle constitution a proclamé la séparation de l'Église et de l'État en 1917 en plus de nationaliser les ressources pétrolières qui appartenaient jusque-là à des étrangers.

LE MEXIQUE

46) Ce populaire professeur de danse et sa femme Kathryn étaient les vedettes de cette émission de télévision américaine qui a gardé l'antenne de 1950 à 1960. QUI était ce professeur de danses sociales ?

ARTHUR MURRAY (l'émission s'appelait The Arthur Murray Party)

47) Grâce à un contrat d'enregistrement avec la compagnie américaine CBS, la chanteuse Céline Dion fait une percée sur le marché francophone hors Québec en 1988 et aux États-Unis en 1990 avec deux albums. LESQUELS ?

INCOGNITO - UNISON (3 pts pour les 2 réponses)

48) C'est en 1953 que les chercheurs scientifiques James Watson et Francis Crick ont découvert la structure de la molécule de l'ADN, la source de l'hérédité. QUE signifie l'abréviation ADN ?

ACIDE DÉSOXYRIBONUCLÉIQUE (bonne réponse=3 points de plus)

49) QUEL est l'avion commercial de plus de 75 passagers qui s'est le plus vendu au monde au cours du 20e siècle ?

LE BOEING 737 (près de 4000 exemplaires en 8 versions allant de 80 à 175 passagers) (bonne réponse=1 point de plus)

50) C'est en 1927 que le premier édifice atteignant 20 étages est mis en chantier dans le Vieux-Montréal. QUEL nom porte-t-il ?

BANQUE ROYALE DU CANADA (bonne réponse=2 pts de plus)

51) QUI a été choisi comme le joueur de hockey par excellence de la première moitié du 20e siècle lors d'un vote tenu en 1957 auprès des journalistes de sport du Canada ?

HOWIE MORENZ (il a obtenu 27 votes. 2è ; Maurice Richard, 4 votes)

52) QUELLE ville a été la scène du tremblement de terre à l'indice de magnitude le plus élevé du 20e siècle en Amérique du Nord, 8,9 à l'échelle de Richter ?

ANCHORAGE (Alaska ; 1964. San Francisco ; 8.3 en 1906) (b.rép=2 pts de +)

53) QUEL artiste canadien a établi un record et tous les temps en 1991 pour le nombre de semaines consécutives avec QUELLE chanson au sommet du palmarès britannique, seize. Cette chanson est entendue durant la générique de la fin du film *Prince of Thieves* (*Robin des Bois*) avec Kevin Kostner.

BRYAN ADAMS - (EVERYTHING I DO) I DO IT FOR YOU (2 b. rép.=3 pts)

54) QUEL pays dont la moitié du territoire était occupé par les soldats soviétiques et l'autre par les Américains, a été arbitrairement divisé en deux en 1948 ?. On a choisi un parallèle pour situer la ligne de démarcation.

CORÉE (occupée par les Japonais depuis 1910, il a été la scène d'une guerre entre les forces de la Corée du Nord et celles de l'ONU entre 1950 et 1953. Un Armistice a été signé mais il n'y a jamais eu de traité de paix entre les 2 pays)

55) Cette grande dame de la cuisine québécoise est décédée en 1987 à l'âge de 84 ans. Elle a publié en 1963 un ouvrage de référence en art culinaire intitulé *L'Encyclopédie de la cuisine québécoise*. QUI était-elle ?

JEHANNE BENOÎT

56) Lorsqu'on dit d'une voiture qu'elle est belle ou racée, on dit familièrement qu'elle est une *Doozie* ou *Doosie*. À QUELLE marque de voiture américaine luxueuse des années 1928 à 1933 fait-on allusion ?

DUESENBERG

57) QUEL acteur populaire et ex-acrobate a refusé le rôle de *Ben Hur* en 1958? C'est Charlton Heston qui en a hérité. Le film a reçu 11 Oscars en 1959, un record qui n'a été égalé qu'en 1997 par *Titanic*.

BURT LANCASTER

58) QUEL homme politique américain a été le plus longtemps aux postes de vice-président et de président des États-Unis au XXe siècle?

RICHARD NIXON (13 ans et 7 mois dont 8 ans comme vice-président sous Eisenhower (1952-1960) et 5 ans et 7 mois comme président (1968-1974) Franklin Roosevelt, 12 ans et 4 mois - George Bush, 12 ans)

59) La ville de Toronto a célébré son 150e anniversaire d'existence en 1984. La population de la ville en 1834 était de 9 000 habitants et son nom n'était pas Toronto. QUEL était-il?

YORK (le fort de York avait été détruit durant la guerre de 1812. Pour se venger des Américains, les Anglais avaient brûlé la ville de Washington)

60) QUEL chanteur noir américain a connu une prodigieuse carrière entre 1948 et 1960 avec 23 disques vendus à plus d'un million d'exemplaires chacun? Il s'accompagnait souvent au piano.

FATS DOMINO

61) COMBIEN d'astronautes et scientifiques russes se sont rendus dans l'espace à bord des navettes spatiales américaines entre 1994 et 1999 parce qu'il en coûtait trop cher pour concurrencer les Américains? Aucun, 3, 6 OU 9?

NEUF (durant cette période, les Russes n'ont lancé que 7 vaisseaux dans l'espace contre 36 pour les navettes américaines. À partir de 1994, les deux pays ont décidé de partager occasionnellement leurs ressources)

62) L'expression commerciale *You Deserve a Break Today,* lancée en 1971 à la télévision, a été jugée la plus convaincante des années 70. À QUEL produit de consommation est-elle associée?

MCDONALD'S

63) QUEL est le titre du deuxième volume de la trilogie de l'écrivain canadien Peter C. Newman, *The Canadian Establishment, Vol. II,* publié en 1981?

THE ACQUISITORS (titre français, Les Nouveaux riches, aussi accepté) (bonne réponse=2 points de plus)

64) COMBIEN de temps la prohibition (interdiction de vente d'alcool) a-t-elle été en vigueur aux États-Unis après avoir été proclamée en 1920?

QUATORZE ANS (elle a pris fin en déc. 1933) (jeu de 2 ans + ou - alloué)

65) En marge de l'assassinat de John F. Kennedy en 1963, NOMMEZ les lieux suivants à Dallas; le lieu du crime (*plaza*), le nom de l'édifice d'où l'assassin a fait feu et le nom de l'hôpital où Kennedy a été transporté?

DALY PLAZA - TEXAS BOOK DEPOSITORY - PARKLAND (Lee Harvey Oswald a aussi été transporté à cet hôpital 3 jours plus tard) (3 b. rép.=5 pts)

66) QUI a composé, interprété et popularisé la chanson française *Boum* en 1938 ?

CHARLES TRENET

67) NOMMEZ le joueur des Canadiens de Montréal qui a remporté le championnat des pointeurs de la ligue Nationale de hockey en 1957-58 et 1958-59.

DICKIE MOORE (en 58-59, il a obtenu 96 points, un record de ligue)

68) Il a été proclamé « meilleur réalisateur » de la première moitié du siècle par les experts de Hollywood au début des années 50. Il s'agit de D.W. Griffith, celui qui a réalisé des douzaines de films dont *Birth of a Nation*, son plus célèbre. QUE représentent les initiales D.W. ?

DAVID WARK (1 point pour le premier prénom et 2 points pour le second)

69) QUELLE onomatopée a vu le jour dans *Le Canard enchaîné* de Paris en 1946 pour ensuite être admis dans le *Larousse* de 1956 et finalement par l'Académie française en 1978 ? Elle signifie verbiage, bavardage. Elle a même été utilisée par Michel Rocard et en anglais par Nehru et le magazine *Time*.

BLA- BLA-BLA (en français) - BLAH-BLAH-BLAH - (en anglais)

70) En 1960, le taux de naissance hors mariage était de 3.6 % au Québec. À QUEL pourcentage ce taux était-il rendu en 1997 ? 29.4 %, 41.7 % OU 54.3 % ?

54.3 % (le taux des naissances a chuté de 44 % durant cette période)

71) QUELLE a été la première comédie (*sitcom*) d'animation (*dessins animés*) à être présentée en période de grande écoute à la télé américaine en 1960 ?

THE FLINTSTONES

72) COMBIEN de pays européens ont colonisé l'Afrique durant le XXe siècle ?

NEUF (G.-Bretagne, France, Pays-Bas, Belgique, Allemagne, Espagne, Portugal, Turquie et Italie) (Jeu de 1 pays + ou - alloué)

73) En novembre 1943, ce chef d'orchestre de 25 ans est appelé à la dernière minute à remplacer Bruno Walter, malade, au pupitre de l'Orchestre philharmonique de New York. Il dirige brillamment, est applaudi bruyamment et lance une superbe carrière de compositeur et de chef d'orchestre. QUI est-il ?

LEONARD BERNSTEIN

74) Dans QUEL futur pays souverain d'Europe du Nord les femmes ont-elles été élues pour la première fois au monde en 1907 ?

FINLANDE (alors un grand-duché de la Russie tsariste. Il est devenu indépendant en 1919. Aux élections de 1907, 19 femmes du parti social démocrate ont été élues)

75) En 1955, cette Noire de Montgomery en Alabama a lancé, pour ainsi dire, le mouvement de contestation des Noirs contre la discrimination des Blancs du Sud des États-Unis, en refusant de céder son siège à un Blanc dans un autobus. QUI était cette femme courageuse ?

ROSA PARKS (bonne réponse=3 points de plus)

76) Un bilan dressé par la Croix-Rouge Internationale et publié en 1998, révèle que les accidents de la route à travers le monde ont causé la mort de COMBIEN de personnes depuis le début du siècle ?

TRENTE MILLIONS (jeu de 8 000 000 + ou - alloué)

77) En 1970, l'ex-Beatle George Harrison nous offre l'album *All Things Must Pass*. QUELLE chanson extraite de cet album a été endisquée séparément et a atteint des ventes de plus d'un million d'exemplaires en deux semaines ?

MY SWEET LORD (en 1981, Harrison a été reconnu coupable d'avoir plagié une chanson à succès de 1963 « He's so Fine » du groupe vocal The Chiffons)

78) NOMMEZ le Canadien de la Colombie-Britannique qui a fondé le mouvement environnemental Greenpeace en 1971.

DAVID McTAGGART (bonne réponse=2 points de plus)

79) Lorsque Byron Nelson a gagné 19 de 31 tournois de golf professionnel en 1945, il a gagné 63 000 dollars en bourses. QUE représente cette somme en dollars de 1999 ?

DIX MILLIONS DE DOLLARS (11 de ces victoires ont été consécutives)

80) QUELLE était la devise des « *hippies* » de la fin des années 60 aux États-Unis ?

PEACE AND LOVE

81) QUI a été le premier acteur noir à obtenir une cote de vedette de la télévision en 1965 grâce à un premier rôle dans la série *I Spy* ?

BILL COSBY

82) NOMMEZ la société canadienne de porte-feuilles *(holding)* qui a été fondée en 1946 par le financier canadien E.P. Taylor et qui est devenue la plus importante au pays durant la 2e moitié du siècle.

ARGUS CORPORATION

83) Ce festival international de jazz porte le nom de la ville du centre de l'Europe où il est présenté annuellement depuis 1967. NOMMEZ-la.

MONTREUX (Suisse) (bonne réponse=1 point de plus)

84) QUEL âge avait Sean Sullivan lorsqu'il est devenu le plus jeune député de l'histoire du Parlement d'Ottawa en 1972 ?

20 ANS (il a quitté la politique quelques années plus tard pour devenir prêtre. Il est décédé d'une leucémie en 1989 à l'âge de 37 ans) (jeu de 1 an +/- alloué)

85) QUELLE expression a vu le jour en 1969 lorsque le nouveau président des États-Unis, Richard Nixon, a déclaré qu'il était redevable aux gens ordinaires dont les opinions politiques ne sont ni marquées ni originales mais qui collectivement et sans faire de bruit, quand elles se cristallisent, font l'Histoire ?

THE SILENT MAJORITY (la majorité silencieuse)

86) QUELLE université canadienne, la plus ancienne au pays, a célébré ses 150 ans d'existence en 1971 ?

MCGILL (Montréal. L'université Laval de Québec fêtera ses 150 an en 2002)

87) **Avant la crise du pétrole en 1973, à COMBIEN se vendait le gallon d'essence au Québec ? Rappelons que le système métrique n'était pas encore en vigueur.**

70 CENTS (environ 16 cents le litre. Aux E-U, il coûtait 48 cents le gallon. En 1980, il était passé à un dollar 43)

88) **Pierre Godin a écrit deux livres consacrés à René Lévesque en 1994 et 1997. QUELS sous-titres ont été choisis par l'auteur après le titre René Lévesque ?**

UN ENFANT DU SIÈCLE - HÉROS MALGRÉ LUI (2 bonnes rép.=3 points)

89) **QUEL président américain du 20e siècle a vécu le plus longtemps avant le 31 décembre 2000 ? Est-ce Herbert Hoover, Franklin Roosevelt, Dwight Eisenhower ou Ronald Reagan ?**

HERBERT HOOVER (90 ans et 2 mois. Président de 1929 à 1933. Reagan allait avoir 90 ans en février 2001. Eisenhower, 79 ans, Franklin Roosevelt, 63 ans)

90) **La décision de faire du dollar américain la seule monnaie convertible en or a été prise en 1944 dans cette petite municipalité du Hew Hampshire aux États-Unis. Les accords conclus portent le nom de cet endroit et mènent à la création du FMI, le Fonds monétaire international. QUEL est ce nom ?**

BRETTON WOODS (les États-Unis détenaient les deux tiers du stock mondial en or. Une once d'or valait alors pour l'ensemble des pays 35 dollars américains) (Bonne réponse=2 points de plus)

91) **QUELLE chanson de Pete Seeger du milieu des années 60 et rendue célèbre par Joan Baez, est devenue l'hymne des mouvements anti-Vietnam et des droits civils aux États-Unis ?**

WE SHALL OVERCOME

92) **COMBIEN d'ex-premiers ministres canadiens étaient encore vivants à la fin du siècle ? NOMMEZ-les.**

CINQ (Turner, Trudeau, Clark, Campbell et Mulroney) (1 point par b. réponse)

93) **On a dit de cet écrivain, poète et théoricien français, qu'il était le fils du pape Léon XIII et descendant de Napoléon. Il a créé le mot *surréalisme* et était un intime de Picasso. Il a aussi été soupçonné d'avoir volé la célèbre toile *La Joconde* du Louvre en 1911. Il est mort en 1918. QUI était-il ?**

GUILLAUME APOLLINAIRE (bonne réponse=2 points de plus)

94) **COMMENT appelait-on les établissements où on présentait des spectacles de danse et de chansons autour de bons vins et repas au début du siècle à Paris et dans ses arrondissements ? Il y en avait plus de 150 de ce genre.**

CAF CONÇ (pour Café Concert)

95) **QUEL pays a été le premier à lancer une attaque massive à l'aide de parachutistes en 1940 ? Et OÙ cela s'est-il passé ?**

L'ALLEMAGNE - AUX PAYS-BAS (1 point par bonne réponse)

96) Entre 1994 et 1998, cette compagnie a déboursé plus de cinquante milliards de dollars pour faire l'acquisition d'autres entreprises dont le réseau de télévision USA, le géant cinématographique Universal et la compagnie de disques Polygram. NOMMEZ cette entreprise dont la réputation avait été acquise avec la fabrication d'un produit qui n'avait rien en commun avec les acquisitions des années 90.

SEAGRAM'S (distillerie fondée par Samuel Bronfman)

97) QUEL film de 1931 avec Jean Harlow et qui raconte les exploits des pilotes du premier conflit mondial, a donné son nom à un regroupement d'aviateurs américains de la deuxième guerre mondiale en 1948 ? Leurs passions étaient les avions et les motocyclettes.

HELL'S ANGELS (ce groupe social devait connaître des lendemains inattendus)

98) QUI a été le premier homme à courir la distance du 100 mètres en 10 secondes précises en juin 1960 ?

ARMIN HARY (Allemagne de l'Ouest) (bonne réponse=3 points de plus)

99) Guy d'Hardelot a écrit la musique de cette chanson aux paroles anglaises en 1902. Perry Como en a fait un disque millionnaire en 1948. QUEL est le nom de cette ballade de réputation internationale et qui était fréquemment interprétée lors de mariages ou d'anniversaires ?

BECAUSE (bonne réponse=2 points de plus)

100) QUEL populaire journaliste-commentateur de sport montréalais a créé durant les années 60 et 70 les expressions « la flanelle » et « les Glorieux » pour décrire les Canadiens de Montréal ?

RHÉAUME « ROCKY » BRISEBOIS (CJMS - décédé en mai 2000)

101) En 1952, le géant américain Sears Roebuck fait son entrée au Canada. Après avoir fait l'achat du catalogue d'une chaîne canadienne de magasins, il crée une nouvelle chaîne de magasins à laquelle il donne QUEL nom ?

SIMPSONS-SEARS

102) QUEL acte dramatique la commentatrice américaine Chris Chubbuck a-t-elle commis en direct à la télévision d'une station de Floride en 1974 ?

ELLE S'EST SUICIDÉE (elle a annoncé à la fin de son bulletin qu'elle allait s'enlever la vie. Puis elle s'est tirée une balle dans la tête) (B. rép.=2 pts/+)

103) Natif de St John, Nouveau-Brunswick, il a co-produit les neuf premiers films de la série James Bond entre 1962 et 1974 ainsi que les films *Battle of Britain* en 1969 et *The Ipcress File* en 1965. Il est mort en 1994. QUI était-il ?

HARRY SALTZMAN

104) Un sondage du quotidien La Presse tenu en 1999 auprès de Québécois francophones pour connaître leurs choix des événements les plus marquants des années 70, place QUEL événement en tête de liste ? Et dites QUEL a été le premier choix des Québécois anglophones.

CRISE D'OCTOBRE (1970. 27.2 % des votes suivi de l'élection du PQ, 16.8 %)
ÉLECTION DU PARTI QUÉBÉCOIS (1976. 23.7 % suivie de la loi 101, 15.9 %)
(2 bonnes réponses=3 points)

105) Une illustration de cet homme est apparue pour la première fois dans le journal *Post* de la ville de Troy, État de New York, en 1813. Il a toujours été rappelé, surtout en tant de guerre, comme étant le surnom du gouvernement américain personnifié. En 1961, il a été officiellement adopté comme symbole national des États-Unis. QUEL est son nom ?

ONCLE SAM (Uncle Sam. On dit qu'il a existé sous le nom de Sam Wilson, fournisseur de viandes pour l'armée américaine durant la 2e guerre d'indépendance contre le Canada en 1812)

106) QUELS jeux Olympiques ont été les premiers à être télévisés après le 2e conflit mondial ? St Moritz (hiver-1948), Londres (été-48), Helsinki (été-52) ?

LONDRES (la BBC les a télévisés uniquement pour l'Angleterre. En 1952, il n'y a pas eu de couverture télévisée. La pratique n'est revenue qu'en 1956)

107) C'est en 1970 qu'un président américain, Richard Nixon, a visité pour la première fois un pays de régime communiste. LEQUEL ?

LA ROUMANIE

108) QUELLE actrice-chanteuse a été la première Noire à obtenir un rôle majeur dans une série télévisée en 1968 ? Elle jouait le rôle d'une infirmière et de mère monoparentale dans la série *Julia.*

DIAHANN CARROLL (bonne réponse=2 points de plus)

109) NOMMEZ l'édifice aux nombreux éléments décoratifs et d'inspiration de Renaissance italienne qui a été construit en plein centre-ville de Montréal entre 1928 et 1930. Il innove sur plusieurs plans avec cinq étages de garages pour 600 automobiles, un mail commercial intérieur au rez-de-chaussée et une 2e série de boutiques en mezzanine accessible par un escalier roulant de bois.

DOMINION SQUARE (angle Peel et Ste Catherine Ouest)

110) Durant les années 1940 et 1941, la RAF (Royal Air Force) était composée d'un personnel représentant plusieurs nations dont le Canada. Une escadrille appelée *Eagle Squadron,* s'est particulièrement distinguée durant ces années de guerre difficiles pour l'Angleterre. De QUELLE nation les pilotes de cette escadrille étaient-ils originaires ?

ÉTATS-UNIS (ce pays n'était pas encore en guerre en 40-41. Or, les pilotes engagés par la RAF étaient tous des volontaires américains)

111) QUELLE journaliste-reporter de la télévision de Radio-Canada a été arrêtée et détenue dans une cellule de la police de Washington pour avoir refusé de quitter les lieux d'une démonstration anti-ségrégationniste en 1964 ?

JUDITH JASMIN (bonne réponse=1 point de plus)

112) Ce mot scientifique a pris un nouveau sens en 1934 lorsque l'officier d'artillerie Charles de Gaulle l'a utilisé dans son livre *Vers l'armée de métier*. Il l'a repris en 1954 dans ses *Mémoires de guerre* et à nouveau en 1968 dans un discours. Voulant dire « dans toutes les directions », il utilisait le mot « tous » devant ce mot rarement utilisé à l'époque. QUEL est ce mot ?

AZIMUT (De Gaulle disait ; « L'artillerie se place, s'organise, grâce aux pièces tous azimuts, pour tirer à profusion sur l'ennemi ») (Bonne rép.=3 pts de plus)

113) Après seulement quatre ans d'existence, cette équipe de football universitaire a remporté le championnat canadien et la coupe Vanier en 1999. de QUELLE université s'agit-il ?

LAVAL (Québec. L'équipe Rouge et Or)

114) QUEL homme d'affaire ontarien a acquis la nouvelle concession des Kings de Los Angeles en 1967 et y a construit le Great Western Forum ?

JACK KENT COOKE

115) En QUELLE année a été enregistrée la plus forte hausse d'une seule journée à l'indice Dow Jones de New York, une hausse de 14.8 % ; 1931, 1949 ou 1987 ?

1931 (moins de 2 ans après le krach de 29. En 87, la hausse a été de 11.7 %)

116) Ce célèbre peintre américain est mort en 1903 à l'âge de 69 ans. Au nombre de ses œuvres au style plutôt révolutionnaire se trouvent *La petite fille en blanc*, *Au piano* et sa plus célèbre *La mère de l'artiste* qu'il appelle plus tard *Arrangement en gris et noir No 1*. QUI était ce peintre de grande réputation ?

JAMES WHISTLER (bonne réponse=3 points de plus)

117) En QUELLE année Hollywood a-t-il présenté à dessein le premier *French kiss* dans un de ses films ; 1929, 1938, 1952 OU 1961 ?

1961 (entre Warren Beatty et Natalie Wood dans le film Splendor in the Grass)

118) Un nouveau mot voit le jour en 1952 après l'explosion de la première bombe à hydrogène des Américains dans le Pacifique. QUEL est ce mot qui s'associe à la puissance d'une bombe à hydrogène ?

MÉGATONNE (équivaut à un million de tonnes de dynamite)

119) QUI a été le plus grand héros américain de la Grande Guerre de 1914-1917 ? En 1918, il a engagé seul un bataillon de mitrailleurs allemands, tuant 25 soldats et faisant 132 prisonniers.

ALVIN YORK (connu sous le nom de Sergeant York. Gary Cooper a reçu l'Oscar de meilleur acteur en 1941 pour son rôle de ce héros)

120) QUI est le seul premier ministre du Québec de l'histoire du XXe siècle à avoir été médecin et avocat ?

PIERRE-MARC JOHNSON (fils de Daniel Johnson. Premier ministre durant 70 jours en 1985 après avoir succédé à René Lévesque)

121) Dans QUEL film de 1939 l'acteur Charles Chaplin a-t-il finalement accepté de parler ?

THE GREAT DICTATOR (il joue deux rôles, celui d'un barbier juif et celui du dictateur Adenoid Hynkel, personnage fictif et sosie d'Adolphe Hitler)

122) COMMENT se nommaient les troupes d'élite américaines formées spécialement pour la guerre de guérilla au Vietnam ? Leurs méthodes peu orthodoxes avaient d'ailleurs été condamnées par nombre d'observateurs.

GREEN BERETS (bérets verts)

123) NOMMEZ la seule compagnie aérienne qui n'a pas connu un seul écrasement d'avion parmi toutes les compagnies importantes du monde au 20e siècle.

QUANTAS (compagnie nationale d'Australie)

124) Une copie de la tour Eiffel haute de 164 mètres (533 pieds) est inaugurée en 1999 sur un terrain de 25 000 mètres carrés où on y retrouve un nouvel hôtel-casino appelé *Le Paris*. Dans QUELLE ville cela s'est-il passé ?

LAS VEGAS

125) En 1910 à Reno au Nevada, le champion mondial des poids-lourds, John « Jack » Johnson, un Noir, a affronté un ex-champion mondial, Jim Jeffries, un Blanc. Jeffries avait toujours refusé d'affronter Johnson, affirmant qu'un tel affrontement entacherait la boxe. QUELLE expression est née de la décision de Jeffries d'accepter d'affronter un champion noir ?

THE GREAT WHITE HOPE (bonne réponse=1 point de plus)

126) Deux événements politiques importants ont eu lieu le 23 juin 1990 ; l'accord du lac Meech rejeté a été le premier. QUEL a été l'autre ?

JEAN CHRÉTIEN, ÉLU CHEF DU PARTI LIBÉRAL DU CANADA (à Calgary)

127) Au début des années 40, le premier directeur de l'Office national du film du Canada enrichit le monde du cinéma d'un nouveau mot ; *documentaire*. QUI était-il ?

JOHN GRIERSON (bonne réponse=2 points de plus)

128) QUEL membre de la famille royale britannique a déclaré *« C'est un honneur intolérable »* lorsque Georges VI a succédé à Edouard VIII à la couronne d'Angleterre en 1936 ?

ÉLISABETH, ÉPOUSE DU ROI (elle entendait par là tout le poids des responsabilités qui attendaient son mari, alors peu préparé à ce rôle)

129) En 1988, la compagnie japonaise de pneumatiques Bridgestone fusionne avec QUEL autre géant de fabrication américaine de pneus pour former le 3e producteur au monde ?

FIRESTONE

130) Lors des premières années de la télévision française au Québec, la Société Radio-Canada présentait une émission d'affaires publiques qui avait pour titre, *Premier Plan*. NOMMEZ celui qui était co-animateur avec Judith Jasmin.

RENÉ LÉVESQUE (ils ont aussi été des amoureux durant quelques années)

131) Conçu comme édifice à appartements en 1928, cet immeuble de 10 étages, située à proximité du Ritz Carleton, rue Sherbrooke ouest , devient en 1930 l'hôtel Ambassador. Quatre ans plus tard, il hérite d'un autre nom. LEQUEL ?

BERKELEY (bonne réponse=1 point de plus)

132) Ces deux frères d'une famille de Vancouver ont fondé au début du siècle la ligue de hockey de l'Ouest du Canada. Au fil des ans, ils ont amélioré les règles du jeu en introduisant la passe-avant, le tir de pénalité, la ligne bleue, les numéros sur les chandails et le système de matchs éliminatoires. Trois de leurs équipes, Vancouver, Seattle et Victoria ont gagné la coupe Stanley en 1915, 1917 et 1925. QUI étaient ces deux pionniers du hockey ?

LESTER ET FRANK PATRICK (en 1927, ils ont rallié la ligue Nationale de hockey) (2 bonnes réponses=3 points)

133) Les vents les plus forts jamais mesurés dans le monde, 270 milles à l'heure ont été enregistrés au sommet de cette montagne située dans un État de la Nouvelle-Angleterre en 1934. QUEL est le nom de ce mont ? Et de l'État ?

MONT WASHINGTON - NEW HAMPSHIRE (2 b.réponses=3 points)

134) Le scénariste québécois Jacques Godbout a fait appel à QUEL groupe connu d'humoristes pour jouer dans le film IXE-13 en 1971 ?

LES CYNIQUES (ANDRÉ DUBOIS, MARC LAURENDEAU, SERGE GRENIER et MARCEL ST-GERMAIN)

135) Lorsque le maire de Montréal, Jean Drapeau, avait choisi de donner à la plus grande partie de l'Exposition universelle de 1967 le nom de *Terre des Hommes*, il avait emprunté le titre d'une œuvre littéraire de 1937 de QUEL écrivain français ? Et QUEL autre Français avait pour sa part fondé *Terre des Hommes* en 1959 pour venir au secours de l'enfance meurtrie. Il est mort au début de l'an 2000 après avoir passé une grande partie de sa vie à lutter contre l'oppression et la misère dont sont victimes les enfants.

ANTOINE DE ST EXUPÉRY (1 pt) - EDMOND KAISER (b.rép.=3 pts de +)

136) QUEL nom a été donné à la première bombe atomique que les Américains ont fait exploser dans le désert du Nouveau-Mexique en juillet 1945 ?

TRINITÉ (Trinity) (bonne réponse=2 points de plus)

137) QUI détenait le poste de responsable des Programmes horticoles dans les îles Sainte-Hélène et Notre-Dame lors de l'Exposition universelle de Montréal en 1967 ? Les arrangements floraux d'Expo 67 avaient été d'une qualité rare.

PIERRE BOURQUE (il n'avait alors que 23 ans)

138) En 1955, la chanson américaine *Tutti Frutti* se vend à plus de trois millions d'exemplaires en un an. Il s'agit du premier disque millionnaire de QUEL artiste ?

LITTLE RICHARD

139) **QUEL premier ministre canadien a dirigé le pays en deux occasions, de juillet 1920 à décembre 1921 comme Unioniste et de juin 1926 à septembre 1926 comme Conservateur ? Pourtant, il n'a jamais été élu par la population.**

ARTHUR MEIGHEN (chaque fois, il a succédé à des premiers ministres qui venaient de démissionner; Robert Borden et Mackenzie King)

140) **QUELLE nation impliquée dans le 2e conflit mondial lui donnait le vocable de « grande guerre patriotique » à partir de 1941 ?**

L'URSS

141) **QUEL couturier québécois réputé a été choisi pour dessiner les costumes des hôtesses et des guides de l'Exposition universelle de Montréal en 1967 ?**

MICHEL ROBICHAUD (bonne réponse=1 point de plus)

142) **QUI a été le premier golfeur noir à jouer dans le tournoi des Maîtres en 1975 ?**

CHARLIE SIFFORD (à partir de 1972, le tournoi a été ouvert à tous les gagnants de tournois des 12 mois précédents. Avant cette date, le tournoi était sur invitation seulement)

143) **NOMMEZ le chanteur qui a joué avec son ex-épouse Élizabeth Taylor dans le film de 1960 du romancier John O'Hara, *Butterfield 8*.**

EDDIE FISHER (Elizabeth Taylor a gagné l'Oscar de meilleure actrice)

144) **En 1927, la France lance un luxueux paquebot de 43 000 tonnes sur l'Atlantique. Il est le plus beau, le plus lourd et le plus populaire de la fin des années 20. QUEL était son nom ?**

L'ÎLE-DE-FRANCE (bonne réponse=1 point de plus)

145) **Le budget initial des coûts d'aménagement de l'Exposition universelle de Montréal en 1967, était de 167 000 000 de dollars. Une fois terminée, la facture s'élevait à 430 000 000 de dollars, un écart de 293 000 000. QUEL palier de gouvernement a payé le plus fort pourcentage de ces coûts ?**

LE FÉDÉRAL (50 %. Le gouv. du Québec a payé 37 1/2 % et Montréal, 12 1/2 %)

146) **NOMMEZ le roman québécois qui a été traduit en 17 langues et qui a été le livre québécois le plus vendu de toute l'histoire du 20e siècle au Québec. NOMMEZ aussi l'auteur de ce roman publié en 1981.**

LA MATOU - YVES BEAUCHEMIN (2 bonnes réponses=3 points)

147) **COMBIEN de papes ont dirigé l'Église catholique romaine durant le XXe siècle ? POUVEZ-vous les nommer ?**

NEUF (Léon XIII, Pie X, Benoit XV, Pie XI, Pie XII, Jean XXIII, Paul VI, Jean-Paul I et Jean-Paul II) (1 pt/bonne réponse - 7 noms ou plus=3 pts de plus)

148) **C'est en 1957 que le gouvernement fédéral et les provinces ont introduit un programme national pour venir en aide aux provinces défavorisées. QUEL nom a-t-on donné à cette formule ?**

PÉRÉQUATION (par lequel les provinces riches (Ont.-Alb.-C.B. surtout) contribuent des sommes proportionnelles à leurs richesses pour aider les autres provinces moins nanties)

149) **Lors des séries éliminatoires de la ligue Nationale de hockey en 1993, les Canadiens de Montréal ont établi un record pour le nombre de matchs gagnés en prolongation. QUEL est ce nombre ?**

ONZE (ils ont gagné la coupe Stanley) (Jeu de 1 match +/- alloué)

150) **QUELLE chanson composée (paroles) et interprétée par Édith Piaf, a le plus contribué à transformer cette artiste en vedette internationale entre 1945 et 1947 ?**

LA VIE EN ROSE (aux États-Unis surtout)

151) **À QUEL premier ministre canadien appartient la citation « Finies les folies » ?**

PIERRE ELLIOTT TRUDEAU (peu de temps après son arrivée au pouvoir en 1968, il a servi cet avertissement aux députés et ministres québécois qui se laissaient influencer par des fonctionnaires à tendance « séparatiste »)

152) **QUEL était durant la première décennie du siècle le pourcentage des enfants canadiens qui mouraient avant d'atteindre leur première année ?**

QUINZE POUR CENT (en 1999, il était de 0.5 %) (jeu de 3 % + ou - alloué)

153) **QUI a été le seul président des États-Unis à n'avoir jamais été élu au scrutin populaire durant le 20e siècle ?**

GERALD FORD (il a succédé à Richard Nixon, démissionnaire, en 1974 et n'a pas été élu lors des élections présidentielles de 1976. Quatre autres vice-présidents du 20e siècle, Theodore Roosevelt, Calvin Coolidge, Harry Truman et Lyndon Johnson, avaient succédé à des présidents qui étaient décédés avant la fin de leurs mandats mais avaient par la suite été élus)

154) **Le salaire moyen des joueurs des ligues majeures de baseball en 1967 était de 19 000 dollars par année. Entre cette date et l'an 2000, de COMBIEN a-t-il augmenté ? 30, 50, 75 ou 100 fois plus ?**

CENT FOIS PLUS (1,920.000 dollars par année. Durant la même période, le salaire moyen d'un travailleur québécois a été multiplié par six)

155) **C'est en 1937 que la ville de Montréal a hérité d'une 4e station de radio après CKAC et CFCF durant les années 20 et CHLP en 1933. QUEL était son indicatif ?**

CBF (de Radio-Canada, organisme créé l'année précédente par le fédéral)

156) **La paternité de l'Exposition universelle de 1967 à Montréal revient, dit-on, à un sénateur d'Ottawa qui au retour d'une visite à l'Exposition de Bruxelles en 1958, a suggéré au premier ministre John Diefenbaker de célébrer le centenaire de la Confédération par une manifestation similaire en 1967. QUI était ce Québécois dont l'idée s'est transformée en réalité en 1962 lorsque la ville de Montréal a été choisie pour tenir l'Exposition universelle de 1967 ?**

MARK ROBERT DROUIN (sénateur conservateur de La Salle et président du Sénat de 1957 à 1962)(Bonne réponse=2 points de plus)

157) Ce grand acteur américain a été pilote de bombardier durant la Deuxième Guerre mondiale. Après 20 missions au-dessus de l'Allemagne, il avait atteint le grade de colonel. Après la guerre, il a poursuivi sa carrière d'acteur tout en occupant le grade de brigadier-général, poste qu'il a conservé jusqu'en 1968, année de sa retraite de l'aviation. QUI était-il ?

JAMES STEWART (bonne réponse=2 points de plus)

158) C'est en 1912 que W.C. Handy, un Noir, a publié la première chanson de ce nouveau style de musique langoureuse. NOMMEZ ce style.

BLUES (la chanson était Memphis Blues)

159) En plus de remporter 363 victoires pour les Braves de Boston et de Milwaukee entre 1942 et 1965, ce lanceur gaucher a aussi cogné le plus de circuits par un lanceur dans l'histoire de la ligue Nationale. QUI est-il et COMBIEN en a-t-il réussi au cours de sa carrière ?

WARREN SPAHN - TRENTE-CINQ (jeu de 5 + ou - alloué) (2 b.rép.=3 pts)

160) QUEL était le prénom de l'épouse de Winston Churchill ?

CLEMENTINE (elle l'avait épousé en 1909. Churchill est mort en 1965)

161) L'épave de ce paquebot britannique coulé par un sous-marin allemand au large de l'Irlande en 1915, a été retrouvée par le célèbre océanographe américain Robert Ballard en 1993. QUEL est le nom de ce paquebot ?

LUSITANIA (1200 passagers et membres d'équipage ont perdu la vie)

162) La carrière de ces deux célèbres comédiens-humoristes canadiens a débuté en 1941 à la radio de la CBC. QUI étaient-ils ?

JOHN WAYNE ET FRANK SHUSTER (ils ont fait leur première présence à la télévision américaine en 1950 avec l'animateur Jack Lemmon)

163) COMBIEN de premiers ministres non-élus ont dirigé le gouvernement du Québec au 20e siècle ? Pouvez-vous les NOMMER ?

CINQ - PAUL SAUVÉ, ANTONIO BARRETTE, JEAN-JACQUES BERTRAND, PIERRE-MARC JOHNSON, DANIEL JOHNSON. (1 point par réponse)

164) À la suite du succès(!) du festival rock de Woodstock en 1969, un promoteur de Montréal décide d'en présenter un au Québec en 1970. Après avoir essuyé nombre de refus, il se voit accorder un permis par une petite municipalité située à l'ouest de la ville de Québec. NOMMEZ-la.

MANSEAU (Festival pop de Manseau. Il a été un fiasco) (B. rép.=1 pt de +)

165) Lorsque Joe Dimaggio cogne un coup sûr à sa première présence au bâton après avoir soigné une blessure à la jambe en 1949, ce célèbre commentateur des Yankees de New York claironne l'expression *« How About That »*. Elle deviendra la plus célèbre du répertoire des expressions radiophoniques du baseball. QUI était ce commentateur dont la carrière s'est échelonnée de 1938 jusqu'au milieu des années 90 ?

MEL ALLEN (bonne réponse=2 points de plus)

166) QUI a été le premier alpiniste à tenter d'atteindre le sommet du mont Everest en 1921 ? Après avoir échoué par deux fois, il a disparu près du sommet de la montagne à sa 3e tentative en 1924.

GEORGE MALLORY (Britannique. Lorsqu'on lui a demandé pourquoi il tenait tant à conquérir l'Everest, il a répliqué ; « Parce qu'il est là ». (B.rép.=3 pts/+)

167) QUELLE a été la première grande entreprise américaine à s'associer financièrement aux jeux Olympiques (d'été) en 1928 ? Elle y est toujours.

COCA COLA

168) QUELLE voiture « musclée » de la famille *des Pony cars* a été mise sur le marché en 1968 par American Motors pour faire concurrence à la Mustang et à la Camaro ?

JAVELIN (une bonne voiture qui s'est bien vendue) (bonne rép.=1 pt de +)

169) Une journée après la mort de Simone de Beauvoir en 1986, ce poète français de la délinquance et du mal, est décédé à son tour à l'âge de 76 ans. Un parfum de pourriture et de scandale a imprégné son œuvre d'écrivain et d'auteur dramatique durant les années 40, 50 et 60. Après *Les Bonnes* en 1947, il nous a donné *Le Balcon*, *Les Nègres* et *Les Paravents*. QUI était-il ?

JEAN GENET (bonne réponse=2 points de plus)

170) À QUEL grand coureur australien, détenteur de 19 records du monde en athlétisme mais d'aucune médaille d'or aux jeux Olympiques de 1960 et 1964, a reçu une récompense du grand marathonien tchécoslovaque Emil Zatopek, gagnant de 3 médailles d'or aux Jeux de 1952 ? Zatopek lui a donné une de ses trois médailles pour souligner l'excellence du coureur australien.

RON CLARKE (il a gagné une médaille de bronze dans le 10 000 m. en 1964)

171) QUELLE structure chère au maire Jean Drapeau n'a pas été construite, faute d'argent, sur le site de l'Exposition universelle de Montréal en 1967 ?

UNE TOUR (de béton. Sa hauteur aurait été de 1070 pieds et aurait réuni à la base les pavillons des villes de Montréal et de Paris. Elle aurait été un projet conjoint de ces deux villes et aurait commémoré le 325e ann. de Mtl)

172) Les grands amateurs de café sont redevables à l'Italien Achille Gaggia qui en 1938, a inventé QUELLE machine ?

MACHINE À ESPRESSO (il a fallu attendre la fin de la guerre avant qu'elle soit mise sur le marché en Italie)

173) Le plus grand nombre de disques vendus par un groupe vocal durant les années 60 appartient aux Beatles. QUEL autre groupe vocal, masculin, féminin ou mixte détient le 2e rang à ce chapitre : les Platters, les Supremes, les Rolling Stones ou les Beach Boys ?

LES SUPREMES

174) QUEL remarquable athlète ukrainien, longtemps détenteur du record du monde du saut à la perche, a inscrit une nouvelle marque de 19 pieds et 10 1/2 pouces (6m.14) en 1994 à Sestrières en Italie ?

SERGEI BUBKA (médaillé d'or aux JO de 1988 à Séoul)

175) Le pape Jean-Paul II a révélé le 3e secret de Fatima en 2000, celui d'un attentat contre un pape vêtu tout de blanc. Or, en 1981, jour pour jour de l'apparition de la Vierge Marie devant trois enfants à Fatima au Portugal en 1917, le pape a été la cible d'un assassin sur la place St Pierre. QUELS étaient les deux autres secrets de Fatima ?

LES HORREURS DE DEUX GUERRES MONDIALES - LES PÉRILS DU CHRISTIANISME DEVANT LA MONTÉE DU COMMUNISME EN U.R.S.S. (2 bonnes réponses=3 points)

176) Lors du référendum sur la souveraineté-association du Québec en 1980, tout près de 60 % des Québécois ont voté Non. QUEL a été, selon une étude scientifique, le pourcentage des Québécois francophones qui ont voté Non ?

CINQUANTE DEUX POUR CENT (jeu de 1 % + ou - alloué)

177) Le groupe vocal Bill Haley and his Comets nous a donné deux disques millionnaires en 1954 ; *Rock Around the Clock* et QUEL autre, aussi un succès de rock and roll ?

SHAKE, RATTLE AND ROLL (bonne réponse=2 points de plus)

178) Le gardien Mike Karakas des Black Hawks de Chicago détient le record pour le nombre de tirs dirigés contre un gardien durant un même match. Ce sont les Bruins de Boston qui l'ont éprouvé en 1941 d'un total de COMBIEN de tirs ? 67, 75, 83 ou 91 ?

QUATRE-VINGT TROIS (Boston a gagné 3 à 2)

179) En 1970, il est devenu le premier Noir à diriger un orchestre symphonique, celui de Washington au Constitution Hall. Trente ans plus tard, il est toujours le seul chef d'orchestre noir à avoir atteint une réputation internationale. QUI est ce musicien, neveu de la légendaire contre-alto Marian Anderson à qui on avait refusé la permission de chanter au Constitution Hall de Washington en 1939 ?

JAMES DePREIST (bonne réponse=3 points de plus)

180) QUEL dirigeant (roi, empereur, dictateur, président ou premier ministre) né au 20e siècle, a connu le plus long règne au cours de notre siècle ?

HIROHITO (empereur. Plus de 62 ans sur le trône du Japon, 1926-1989)

181) QUI a été le premier évangéliste à utiliser la radio et la télévision en 1949 afin de recruter des fidèles pour son ministère appelé *Healing Waters Inc.* situé en Oklahoma ?

ORAL ROBERTS (son initiative a été imitée par nombre d'autres pasteurs au fil des ans) (bonne réponse=2 points de plus)

182) COMBIEN de femmes ont été proclamées récipiendaires du prix Nobel de la paix au 20e siècle (1901-1999) ? Aucune, 3, 8 ou 12 ?

HUIT (dont Mère Teresa en 1979)

183) De COMBIEN d'années l'espérance de vie des Canadiens a-t-elle augmentée entre 1900 et 1999 ?

TRENTE ANS + (femmes ; de 48 à 81 ans. Hommes ; de 45 à 75 ans) (Jeu de 3 ans + ou - alloué)

184) QUELLE capitale de QUEL empire défait en 1918 par les Alliés (France et Grande-Bretagne surtout), a été occupée par ces derniers de 1918 à 1923 ?

ISTAMBOUL - OTTOMAN (peu après le retour de la ville aux Turcs, la ville d'Ankara a été choisie comme capitale)

185) Étant donné le contraste dans les mentalités francophones et anglophones, les villes de Montréal et de Toronto ont été coiffées de titres qui reflétaient, durant les années suivant la 2e Guerre Mondiale, le tempérament moral et social de leurs habitants. QUELS étaient ces « titres » ?

VILLE DU PÉCHÉ (Montréal) - TORONTO LA PURE (2 bonnes rép.=3 pts)

186) QUEL Québécois est devenu en 1974 le premier président francophone de la Bourse de Montréal, alors appelée Montreal Stock Exchange ?

MICHEL BÉLANGER (il est par la suite devenu président de la Banque Nationale. Il avait été un des artisans de la révolution tranquille en 1960)

187) Ce mot n'était pas dans le dictionnaire avant 1944. Puis après la découverte des camps d'extermination des Nazis en 1945, un néologisme est venu coiffer à partir de 1945 les articles de journaux consacrés à l'élimination systématique de dix millions de personnes, les deux tiers des Juifs. QUEL est ce mot ?

GÉNOCIDE

188) La France a élu son 20e président du 20e siècle en 1995, Jacques Chirac. Mais l'histoire du siècle nous révèle aussi les noms des nombreux hommes politiques qui ont détenu le poste de premier ministre (appelés président du Conseil avant 1959). COMBIEN la France a-t-elle eu de premiers ministres entre 1900 et 2000 ? 39, 50, 62 ou 71 ?

SOIXANTE-ET-ONZE (certains ont été nommés plus d'une fois. Celui qui a conservé le poste le plus longtemps est Georges Pompidou ; 5 ans et sept mois, entre 1962 et 1968 sous Charles de Gaulle)

189) C'est en 1912 que l'équipe de baseball de New York de la ligue Américaine a hérité du nom Yankees. Ce sont les journalistes qui l'ont ainsi baptisée. Mais au fil des ans, les Yankees ont été coiffés d'un autre non qui avait été inspiré par leur puissance au bâton et le district de la ville de New York où ils disputent leurs matchs. QUEL est ce surnom ?

BRONX BOMBERS

190) QUELLE ville possédait au début de l'an 2000 une population métropolitaine égale à celle du Canada, 31 000 000 d'habitants ?

TOKYO (en incluant le port de Yokohama et autres agglomérations)

191) C'est en 1905 que le scientifique Albert Einstein, après des années d'études et d'expériences, en est venu à la conclusion que la vitesse de QUEL phénomène naturel ne variait jamais, peu importe l'endroit et les conditions ?

LA LUMIÈRE

195) Lorsque Harry Truman a été élu président des États-Unis par une faible marge en 1948, son rival Thomas Dewey n'avait pas été le premier choix du parti républicain. Mais celui qui avait été préféré à Dewey avait refusé l'investiture. QUI était-il ?

DWIGHT EISENHOWER (il s'est présenté en 1952 et 1956 et a été élu)

196) La pire inondation de l'histoire du 20ᵉ siècle s'est produite en 1931 en Chine lorsque les eaux de ce fleuve ont ravagé les plaines chinoises, faisant 3 700 000 morts. NOMMEZ ce fleuve.

YANGZI JIANG (aussi appelé Yangtze et Fleuve bleu)

197) Après le Moulin Rouge, les Folies Bergères et le Lido, la ville de Paris se donne en 1951 un nouveau cabaret où les grandes danseuses aux seins nus et aux costumes multicolores et extravagants sont reines. QUEL est le nom de ce cabaret ?

CRAZY HORSE SALOON

198) QUELLE est la seule marque de voiture à avoir été produite et mise sur le marché à chacune des années du 20ᵉ siècle aux États-Unis, sauf durant les années de guerre 1943 et 1944 ?

OLDSMOBILE (de Ranson E. Olds de 1900 à 1908 puis achetée par William Durant en 1908 qui l'a intègrée dans la famille General Motors. Henry Ford n'a vendu ses premières voitures qu'en 1903, ses autres véhicules construits depuis 1897 n'étant pas destinés à la vente)

199) QUI a été le dernier ministre des Finances du gouvernement de Pierre-Elliott Trudeau de 1982 à 1984 ?

MARC LALONDE (aussi sous le brève règne de John Turner en 1984. Entre 1972 et 1984, Lalonde a été titulaire de cinq ministères différents)

200) Même s'il avait fortement recommandé dès 1939 au président Roosevelt de s'engager résolument dans la recherche atomique, ce scientifique, malgré les prétentions de certains, n'a jamais participé au développement de la bombe atomique qui a mis fin à la guerre du Pacifique en 1945. QUI était-il ?

ALBERT EINSTEIN (mais il s'y était intéressé)

201) NOMMEZ les deux collèges québécois qui ont fusionné en 1974 pour devenir l'université Concordia ?

LOYOLA - SIR GEORGE WILLIAMS (1 point par bonne réponse)

STATISTIQUES

TABLEAU DE LA RÉPARTITION DES 10 001 QUESTIONS PAR TOME

	TOMES				TOTAL
	I	II	III	IV	
Nombre de questions	1 952	3 000	2 844	2 205	10 001
Questions réservées au Canada	419	825	904	752	2 900
Pourcentage canadien (Québec inclus)	21,5 %	27,5 %	31,8 %	34 %	29 %
Questions réservées au Québec	205	500	529	389	1 624
Pourcentage Québécois	10,5 %	16,7 %	18,6 %	17,6 %	16,2 %

RÉPARTITION DES 10 001 QUESTIONS DES 4 TOMES PAR CATÉGORIE

	TOMES				TOTAL	%
	I	II	III	IV		
Politique-conflits	353	675	653	417	2 098	21,0 %
Cinéma-Radio-Télévision	287	590	570	388	1 835	18,4 %
Grands noms	310	408	353	260	1 331	13,3 %
Sports	345	526	567	428	1 868	18,7 %
Divers	657	800	700	510	2 667	26,7 %
Les oubliés	—	—	—	201	201	2,0 %

BIBLIOGRAPHIE

Histoire du 20e siècle

BIBLIOGRAPHIE

100 ans d'actualité 1884 à 1984, 1984. Les Éditions La Presse Ltée.

100 Greatest moments in olympic history, 1995. General Publishing Group inc.

1001 Flying Facts, 1989. Tab Books inc.

1001 Questions about Canada, 1986. John Deyell Company.

101 Greatest athletes of the century, 1987. Associated Press.

20th Century Baseball Chronicle, 1994. Publications Internationals Ltd.

20th Century Golf Chronicle, 1994. Publications Internationals Ltd.

20th Century Hockey Chronicle, 1994. Publications Internationals Ltd.

20th Century in Pictures, 1989. Gallery Books.

American Chronicle, 1990. Crown Publisher's inc.

American Facts and Dates, 1993. Harper Collins Publishers inc.

Atlas, 1999. Beauchemin.

Atlaseco, 1999. Les Editions O.C.

Auto Quiz, 1991. Formula Publications Ltd.

Baseball's Great Moments, 1985. Bonanza Books.

Baseball's Fabulous Montreal Royals, 1996. Robert Davies Publishing.

Book of Chronologies, 1990. Prentice Hall Press.

Box Office Hits, 1996. Billboard Books.

Canada Firsts, 1992. McClelland and Steward inc.

Canada's Olympic Hockey Teams, 1997. Doubleday Canada Ltd.

Canadian Facts and dates, 1991. Fitzhenry and Whiteside.

Canadian Global Almanac, 1999. MacMillan Canada.

Canadian global almanac 2000, 1999. Mcmillan Canada.

Cent ans de chansons françaises, 1981. Éditions du Seuil.

CFL Facts and Records, 1999. Elan Press.

Chronicle of 20th Century Sports, 1992. Sporting News.

Chronicle of America, 1985 to 1998. Chronicle Publications.

Chronicle of Britain, 1985 to 1998. Chronicle Publications.

Chronicle of Canada, 1985 to 1998. Chronicle Publications.

Chronicle of the 20th Century, 1985 to 1998. Chronicle Publications.

Chronicle of the american automobile, 1994. Publications Internationals ltd.

Chronicle of the Olympics, 1985 to 1998. Chronicle Publications.

Chronicle of the Royal Family, 1985 to 1998. Chronicle Publications.

Chronique de la France, 1985 à 1998. Les Éditions Chronique.

Chronique de la seconde guerre mondiale, 1985 à 1998. Les Éditions Chronique.

Chronique de la télévision, 1985 à 1998. Les Éditions Chronique.

Chronique de l'Aviation, 1985 à 1998. Les Éditions Chronique.

Chronique de l'Humanité, 1985 à 1998. Les Éditions Chronique.

Chronique du 20e siècle, 1985 à 1998. Les Éditions Chronique.

Chronique du Cinéma, 1985 à 1998. Les Éditions Chronique.

Chronique du Proche-Orient, 1985 à 1998. Les Éditions Chronique.

Chronologie du Québec, 1991. Éditions du Boréal.

Classic Cars, 1997. Book Express .

Cold War, 1998. Jeremy Isaacs Productions.

Dictionary of Canadian History, 1988. Bercuson and Granatstein. Collins Publishers.

Dictionary of twentieth Century History, 1994. Larousse.

Dictionnaire de la Chanson Française, 1986. Éditions Carrére-Michel Lafon.

Dictionnaire de la Musique Populaire au Québec, 1992. Diffusion Prologue inc.

Dictionnaire des Interprètes, 1985. Robert Lafont.

Dictionnaire des Sports du Québec, 1996. Libre Expression.

Encyclopedia of World War II, 1978. Simon and Schuster.

Encyclopédie Artistique, 1975. Publications Éclair Ltd.

ESPN Sport Almanac, 1998. Information Please LLC.

Et Dieu créa les Français – 2, 1999. Éditions Multimédia Robert Davies inc.

Facts and Dates of American Sports, 1988. Harper and Row Publishers inc.

Figures Skating, 1994. McClelland and Steward inc.

Flying Colours, 1997. Douglas & McIntyre Ltd.

Golf Magazine's Encyclopedia of Golf, 1993. Golf Magazine.

Gratte-Ciel de Montréal, 1990. Le Méridien.

Great Baseball Feats and Facts, 1987. Nal Penguin inc.

Great Baseball Feats and Facts, 1989. Signet.

Great Lives of the Twentieth Century, 1988. Peerage Books.

Guerre des Malouines, 1983. Tallandier.

Guide des Voitures Anciennes, 1997. Éditions de l'Homme.

Guinness Book of Answers, 1989. Guinness Publishing Ltd.

Guinness Book of Olympic Records, 1992. Guinness.

Halliwell's Film Guide, 1984. Granada Publishing Limited.

Histoire de Montréal depuis la Confédération, 1992. Les Éditions du Boréal.

Histoire des États-Unis, 1985. Éditions du Roseau.

Histoire du 20e siècle, 1994. Éditions Beauchemin Ltée.

Histoire du Québec, 1998. Groupe Beauchemin.

Histoire du Québec Contemporain, 1989. Les Éditions du Boréal.

Histoire du Québec Contemporain 1867 à 1929, 1989. Boréal.

Histoire du XXe Siècle, 1999. Beauchemin.

Histoire générale du Canada, 1988. Les Éditions du Boréal.

Histoire Populaire du Québec Tomes IV et V, 1997. Les Éditions du Septentrion.

History of Airlines in Canada, 1989. Unitrade Press.

Hollywood Trivia, 1981. Warner Books Edition.

ISPN ESPN sport almanac, 1999. ISPN Books.

La Belle Époque des Tramways, 1997. Les Éditions de l'Homme.

La Chanson Québécoise, 1981. Éditions France Amérique.

La Fin d'un Québec Traditionnel, 1994. Éditions de l'Hexagone.

La Guerre des Malouines, 1983. Tallandier.

L'aventure du 20e siècle (2 volumes), 1995. Éditions Du Chêne-Hachette.

Le 20e siècle des Femmes, 1989. Éditions Nathan Paris.

Le Dictionnaire du Cinéma Québécois, 1999. Les Éditions du Boréal.

Le Grand Livre du Monde, 1993. Sélection du Readers Digest.

Le Journal du 20e Siècle, 1998. Larousse-Bordas.

Le Livre de l'Année, 1952 à 1995. Grolier.

Le livre du siècle, 1999. Éditions Transcontinal/ Entreprises Grolier.

Le Petit Jean Dictionnaire des noms propres du Québec, 1993. Éditions Alain Stanké.

Le Top 10, 1990. Éditions Belfond.

L'Encyclopédie du 20e siècle, 1993. France Loisirs.

L'Encyclopédie du Canada, 1987. Éditions Internationales Alain Stanké.

Leonard Maltim's Movie Guide, 1999. Signet.

Les 100 films Québécois qu'il faut voir, 1995. Nuit Blanche Éditeur.

Les 100 romans Québécois qu'il faut lire, 1994. Nuit Blanche Éditeur et Jacques Martineau.

Les Années-Mémoires (26 volumes de 1919 à 1945), 1992. Larousse.

Les Belles Voitures Américaines, 1998. Éditions Libre Expression.

Les Grandes dates de l'Europe Communautaire, 1989. Librairie Larousse.

Les Grandes dates des États-Unis, 1989. Larousse.

Les grandes séries américaines, 1995. Huitième art éditions.

Les grands détours de notre Histoire, 1998. Priorités.

Les Grands événements du 20e siècle, 1992. Succès du Livre.

Les Mandarins du Pouvoir, 1978. Éditions Québec Amérique.

BIBLIOGRAPHIE

Life-50 years Special Anniversary Issue, 1986. Time Life.

Life-the 50 years, 1986. Little, Brown and Company.

Maestro, 1991. Éditions Jean-Claude Lattès.

Mémorial de notre temps (25 volumes de 1939 à 1983), 1984. Hachette.

Mémorial du Québec, 1979. Les Éditions du Mémorial (Québec) Ltée.

Mes Premiers Ministres, 1991. Boréal.

Million Selling Records, 1984. Arco Publishing inc.

Montréal .. La Folle Entreprise, 1991. Éditions Internationales Alain Stanké.

Mont-Tremblant, 1998. Les Éditions Carte Blanche.

Movie Facts and Feats, 1988. Guinness.

National Hockey League Official Record Book, 1998. NHL.

New York Times Almanac, 1998. New York Times.

NFL 1997 Record and Fact Book, 1997. Workman Publishing Company.

Nos Racines, 1983. Livres Loisirs Ltée.

Olympic Games Companion, 1998. Marston Book Services.

Olympics Fact Book, 1991. Guinness.

Olympics Factbook, 1992. Visible Ink Press.

Olympics Facts and Feats, 1996. Guinness Publishing.

Oscar, 1983. Contemporary Books inc.

Our Glorious Century, 1996. The Readers Digest Association.

Our Times, 1995. Turner Publishing inc.

Panorama Mondial, 16 volumes, de 1968 à 1983. Éditions Académiques de Suisse.

People almanach, 1999. Cader Books.

Postwar years, 1992. Chancellor Press.

Prime Minister's of Canada, 1987. Bison Books.

Prime-Time Television, 1983. Crown Publishers inc.

Québec 2000, 1999. Éditions Fides.

Rating the Movie Stars, 1983. Beekman House.

Réponses à tout, 1987. France Loisirs.

Serbs and Croats, 1992. Harcourt-Brace.

Sport Olympique Montréal 1976, 1976. Martell.

Sporting News Baseball Record Book, 1994. Sporting News Publishing Company.

Sports Champions, 1995. Houghton Mifflin Company.

Sports Illustrated Almanac, 1998. Time inc.

Sports Illustrated Summer Olympics, 1996. Little, Brown and Company.

Sportswit, 1984. Fawcett Crest Book.

Stanley Cup Fever, 1992. Stoddart Publishing Company Ltd.

Super Triavia Encyclopedia, 1977. Warner Books.

Sur les Ailes du Temps, 1986. Les Éditions de l'Homme.

Têtes d'affiches, 1983. Les Éditions du Printemps inc.

The 20th Century – The Peoples almanac, 1999. The Overlook Press, Peter Mayer Publishers, inc.

The Babe Ruth Story, 1992. Signet.

The Big Bands, 1981. Schirmer Books.

The Book of Movie Lists, 1981. Arlington House Publishers.

The Book of Movie Lists, 1999. Contemporary Books inc.

The Century, 1998. Bantam Doubleday Dell Publishing Group, inc.

The Collins History of the World in the Twentieth Century, 1998. Harper Collins Publishers.

The Distemper of Our Times, 1968. McClelland and Stewart Ltd.

The Encyclopedia of Classic Cars, 1997. Anness Publishing Limited.

The Film Encyclopédia, 1998. Harper Collins Publishers inc.

The Gangsters, 1990. Bison Books Ltd.

The Great Canadian Bathroom Book, 1991. Compact Classics inc.

The Great Luxury Liners, 1981. Dover Publications Inc.

The Habs, 1992. McClelland and Steward Books.

The King Cambridge Factfinder, 1993. Cambridge University Press.

The Korean War, 1984. Crescent Books.

The Middle Least Conflicts, 1983. Orbis Publishing.

The New York Times almanach, 1999. New York Times Company.

The New York Times almanach, 2000. New York Times Company.

The Official Olympic Games Companion, 1998. Brassey's Sports (UK).

The Peopl's Chronology, 1992. Fitzhenry and White Side Ltd.

The Spanish War, 1985. Granada Publishing.

The Stanley Cup, 1989. Bison Books Ltd.

The Time Tables of American History, 1996. Touch Stone.

The Twentieth Century Almanac, 1985. Bison Books Ltd.

The Universal Almanac, 1996. Andrews and McMeel.

The World's Great Movie Stars, 1979. Salamander Books Ltd.

This Fabulous Century, 1969. Time-Life Books.

This Fabulous Century, 1972. Time Life Books.

Time almanach, 1999. Time inc..

Time almanach, 2000. Time inc..

Time Lines, 1991. Addison Wesley.

Titanic-an Illustrated History, 1995. Madison Press Books.

Tricheur (le), Robert Bourassa et les Québécois, 1994. Éditions du Boréal et Jean-François Lisée.

Un siècle à Montréal, 1999. Éditions du Trécarré.

Un Siècle à Montréal, 1999. Éditions du Trait Carré.

Victory-Canadians from War II peace, 1995. Harper Collins Publishers Ltd.

Voie, Visage et Légendes, 1986. Les Entreprises Radio-Canada.

When We Were Young, 1993. Prentice Hall.

Who Said What When, 1989. Bloomsbury Publishing Ltd.

Who's Who in the Twenthieth Century, 1993. Bison Books.

World Data Book, 1993. Guinness.

World War II, 1996. Random House.

World War II, 1977. Time Life Books.

World War II Almanac, 1981. Perigee Books.

World War II Super Facts, 1983. Warner Books inc.

World's Greatest Disasters, 1990. Chartwell Books inc.

INDEX DES RÉPONSES

– *Les chiffres romains représentent les catégories*

– *Les autres chiffres représentent les numéros des questions*

INDEX DES RÉPONSES

TABLE DES MATIÈRES

Achevé d'imprimer chez
Marc Veilleux Imprimeur inc.,
à Boucherville,
en octobre 2000